R.DĘBSKI

ZOROASTER
GWIAZDY UMIERAJĄ W MILCZENIU

DON

POL DEB

Lublin 2010

Rozdział 1

Sylwetka niezwykłego kolosa wypłynęła niespodziewanie zza niedalekiego wzgórza. Zdawała się zasłaniać pół zielonkawo-fioletowego nieba. Stwór, rozciągnięty jakby na niewidzialnych niciach, zawisł kilkanaście metrów nad powierzchnią jeziora, niczym drapieżnik wypatrujący ofiary. Adam złapał się na tym, że określił aktywność organizmu, stosując ludzką miarę i wyobrażenia. Tymczasem stworzenie nie posiadało zmysłów wzroku, słuchu czy węchu w takim sensie, jaki mógł być zrozumiały dla kogoś wychowanego i stale mieszkającego na planetach Układu Głównego czy w koloniach. Jak ochrzcili to coś tutejsi naukowcy? Spiagot. To był akronim nazwisk odkrywców tego gatunku, Spiariniego i Gotina. Zwierzę miało niezliczone, biegnące wzdłuż ciała rzędy wyrostków, dzięki którym skanowało otoczenie. Te narządy pełniły także szereg innych funkcji, ale jak do tej pory nie zdołano jeszcze wszystkich określić. Nic zresztą dziwnego, gdyż świat, na którym żyły spiagoty, został odkryty stosunkowo niedawno; wiązano z nim wprawdzie spore nadzieje, jednak dopiero półtora roku temu została tutaj założona placówka badawcza z prawdziwego zdarzenia.

Zwierzę drgnęło, jego ciało przeszedł spazm. Ruszyło w stronę brzegu, wprost na znieruchomiałego człowieka. Adam błyskawicznie wdusił czerwony przycisk w płytce na piersi skafandra. Spiagot, który już zaczął zwijać się, aby dosięgnąć intruza, znieruchomiał, stracił zainteresowanie obcą istotą. Przypominał w tej chwili niedosmażony naleśnik, który wylądował na stole, zwisając jedną częścią poza krawędź blatu. Po chwili szarawe ciało znów zaczęło przypominać gigantyczny dysk. Tylko wyrostki kręciły się czujnie.

Jednak nie budowa organizmu czy sposób polowania albo narządy zmysłów były w przypadku spiagotów najbardziej zadziwiające. Ostatecznie na wielu planetach można było spotkać nieprawdopodobne i dziwaczne formy życia. Szczególne zainteresowanie naukowców spiagotami miało inne podłoże. Chodziło tu o sposób poruszania się, a raczej umiejętność pływania w powietrzu, w warunkach grawitacji dwuipółkrotnie większej niż standardowa.

– Trzydzieści dwie tony – rozległ się w słuchawkach cichy głos. – Tyle ważyłyby na Ziemi. Tutaj trzeba to pomnożyć przez dwa przecinek pięćdziesiąt cztery.

Adam odwrócił się. Nie słyszał zbliżającego się egzobiologa, ale nie było w tym nic dziwnego – skafander skutecznie tłumił wszelkie odgłosy, jeśli nie ustawiło się mikrofonów zewnętrznych przynajmniej na jedną ósmą mocy. A mężczyzna chciał być sam, przemyśleć kilka spraw, w ogóle wyłączył więc nasłuch.

– Piękna sztuka – powiedział naukowiec, stojąc obok Adama i zadzierając głowę. – Nie uważa pan, komandorze?

Zagadnięty nie odpowiedział. Jemu wielki organizm przypominał coś w rodzaju gigantycznej rozgwiazdy, tyle że pozbawionej ramion. Wyrostki potęgowały to wrażenie.

– Piękna sztuka – powtórzył głośniej Boranin. – A co pan o tym sądzi?

– Piękna – odparł bez entuzjazmu Adam.

Egzobiolog roześmiał się.

– Kiedy pan już przywyknie, łatwiej dostrzeże urodę spiagotów. Na początku każdemu wydają się odrobinę niewydarzone, a przy tym przerażające.

Adam spojrzał na Boranina. Uczony wpatrywał się w polujące zwierzę, a jego usta poruszały się bezgłośnie, jakby zachęcał ulubionego psa do wykonania efektownej sztuczki.

– Nie uważam, żeby ta istota była niewydarzona. Zbyt zwinnie się porusza. Ale trochę przerażająca jest z całą pewnością.

Boranin skinął poważnie głową. Bańka hełmu zakołysała się przy tym ruchu zabawnie. W rozdętych skafandrach, chroniących przed ciśnieniem i zabójczym promieniowaniem purpurowego w tej chwili słońca, ludzie wyglądali pokracznie, jak tandetne zabawki dla dzieci.

– Na naszym Zoroastrze spiagoty są tym, czym my na Ziemi – powiedział naukowiec. – Królami stworzenia. Może nierozumnymi, działającymi na ślepo, korzystającymi z dostępnych zasobów bez najmniejszej refleksji, ale niewątpliwie bez reszty władającymi tym światem.

– Nierozumnymi królami stworzenia? – Adam milczał przez chwilę, zanim dodał: – Ludzi też można było niegdyś oceniać w taki sposób.

Spiagot odpłynął dostojnie, zatrzymał się jeszcze na chwilę, jakby coś dostrzegł, a potem powoli zniknął za wzgórzem.

– Trzeba wracać do bazy – mruknął naukowiec. – Za kwadrans wzejdzie drugie słońce, potem pojawi się Valhalla, a wtedy...

Nie dokończył. Nie musiał. Każdy, kto przybywał do obcego świata, musiał przejść kurs zapoznający go z zasadami jego funkcjonowania. W przypadku Adama kurs był wprawdzie znacznie przyśpieszony i bardzo intensywny, ale nie znaczyło to wcale, że mniej dokładny. Drugie słońce samo w sobie nie byłoby może niebezpieczne, ale jego promieniowanie połączone z widmem gwiazdy głównej, siłą przyciągania gazowego olbrzyma oraz strukturą miejscowych skał, powodowało interferencje skutkujące zdumiewającymi oraz zabójczymi efektami sejsmicznymi, a przy większym natężeniu mogące niekorzystnie oddziaływać na ludzki mózg. Było coś więcej na ten temat w materiałach szkoleniowych, ale w tej chwili Adam nie mógł sobie przypomnieć, co konkretnie.

– Ta planeta jest niesamowita – powiedział.

– Księżyc – poprawił go Boranin.

Adam spojrzał w górę. Gazowy olbrzym znajdował się teraz poniżej linii horyzontu, jego ciężka sylwetka nawiedzała inne rejony nieba.

– Tak, księżyc – mruknął. – Łatwo o tym zapomnieć. Tak czy inaczej, to niesamowite miejsce.

– Chyba każdy obcy świat jest taki dla przybysza z zewnątrz – odparł Boranin. – Wszystkie planety i księżyce mają swoiste, niepowtarzalne właściwości. Pan, komandorze Bartold, na pewno widział już w życiu parę planet. Przy pana profesji to chyba naturalne.

– Fakt – przyznał Adam. – Nie ma dwóch takich samych globów, do każdego trzeba przywyknąć. Tyle że do niektórych przyzwyczaja się trudniej niż do innych. Czasem pierwsze wrażenie bywa bardzo mylące.

Przypomniał sobie zielone połacie Kardanu, soczystej na pozór planetki, pełnej niesamowitych lasów, uroczysk, rzek i jezior. Tyle że piękna barwa nie pochodziła od nasycenia chlorofilem, ale od soli metalicznych, a woda nie była wodą lecz mieszaniną kwasów. Wszystko wyglądało bajecznie. Z daleka i na pierwszy rzut oka, bo już po kilkunastominutowym pobycie na powierzchni zieleń przestawała wydawać się taka zielona, a drzewa, będące wybrykiem natury skutkiem kombinacji gwałtownej erozji skał i gleby oraz aktywności miejscowych mikroorganizmów, zaczynały zwyczajnie straszyć.

Na dobrą sprawę jedynie Ziemia i planety do niej podobne okazywały się do wytrzymania na dłuższą metę, a wszystkie inne tylko wtedy, gdy zostały chociaż wstępnie sterraformowane. Ten księżyc mógł kojarzyć się z Tytanem krążącym wokół Saturna z czasów, zanim człowiek zagospodarował go wedle własnego uznania i przystosował do swoich potrzeb. Tyle że na Tytanie, przed osiedleniem się ludzi, nie istniały bardziej rozwinięte formy życia.

– Chodźmy. – Boranin odwrócił się. Spiagot znów wychynął zza pagórka, pływał teraz w powietrzu, ledwie dostrzegalnie poruszając wyrostkami. – Jak trzeba, to trzeba. Zaraz do naszego starego, dobrego Thora – wskazał coraz jaśniejszy krążek na niebie, które zmieniło teraz odcień na zielono-pomarańczowy – dołączą Fenrir i Valhalla. Wtedy zacznie się piekło.

Ruszyli pod górę, w stronę odległej o trzysta metrów kopuły mieszczącej śluzę powietrzną. W warunkach zwiększonego ciążenia każdy krok w niewygodnym skafandrze wymagał sporo wysiłku. Adam pomyślał z wdzięcznością o egzobiologu, który się tutaj pofatygował, zamiast po prostu wezwać go przez radio i zrugać za nieostrożność. Człowiek zawsze pozostaje człowiekiem, niezależnie od miejsca we wszechświecie. Wszędzie można spotkać życzliwych i oschłych, uprzejmych i opryskliwych...

Rozmyślania przerwało komandorowi drżenie gruntu pod stopami.

– Chodu! – krzyknął Boranin, rzucając się do biegu. – Mamy pecha, to przedwczesne interferencje!

Adam poszedł w ślady egzobiologa, zauważając mimochodem, że termin „bieg” stanowi w tym wypadku spore nadużycie semantyczne. W zasadzie poruszali się niewiele szybciej niż do tej pory. Ale zawsze to była jakaś iluzja prawdziwego działania. A poczucie, że się coś robi jest czasem ważniejsze od sensu samej czynności.

Drżenie narastało. Zapowiadało wschód fioletowego słońca. Takie zjawisko, jak zbyt wczesne ruchy gruntu, zdarzało się bardzo sporadycznie, jednak należało się z nim liczyć. Minerały zawarte w skałach pod stopami o wiele wcześniej niż zazwyczaj odpowiadały na daleką pieśń gwiezdnego towarzysza głównego słońca układu.

Dysząc ciężko, dopadli ceramitowej podmurówki śluzy. W otwartych drzwiach czekała już na nich Elza, główny inżynier stacji.

– Rozum wam odebrało? – warknęła, z rozmachem waląc dłonią w płytkę alarmowego mechanizmu zamykania.

– Nie czepiaj się – głos Boranina był spokojny, kojący nawet. – Fioletowy szatan wzejdzie dopiero za dziesięć minut. Kto mógł przewidzieć, że skały już się wzbudzą akurat dzisiaj?

Śluza powoli wypełniała się mieszanką gazów, nad włazem prowadzącym w głąb stacji wciąż paliło się czerwone światełko. To była dopiero pierwsza faza procedury przejścia. Na razie ich skafandry miały zostać odkażone. Adam poczuł szarpnięcie, kiedy strumienie zabójczej dla miejscowej mikroflory i fauny mieszanki uderzyły ze wszystkich stron. Niby w temperaturze o dobre dwieście pięć stopni wyższej niż na zewnątrz wszystkie i tak powinny zginąć, jednak siła i zdolności przetrwania niektórych gatunków nieraz już potrafiły zaskoczyć człowieka.

– Nie czepiam się. – Elza nadal była rozdrażniona. – A na pewno nie naszego gościa. Komandor Bartold nie musi wiedzieć wszystkiego. Ale ty powinieneś zachować ostrożność, Noelu. Po co wylazłeś? Dzieje się to rzadko bo rzadko, ale przecież nigdy nie wiadomo, kiedy nastąpi wzbudzenie. A ty pozwoliłeś, żebyście stali tam, gruchając niczym para kochanków. Bywasz czasami niesamowicie bezmyślny!

Skafander wydął się jeszcze bardziej niż na zewnątrz, mocniej zaczął krępować ruchy – niechybny znak, że zakończyła się druga i trzecia część procedury, a w śluzie zapanowało normalne ciśnienie. Adam zaczął wydobywać się z rozdętego ubioru, rozpiął kryzę hełmu, zdjął przezroczystą banię i z ulgą odetchnął normalnym powietrzem. Normalnym... Natychmiast nadleciała refleksja: przecież to takie samo powietrze, jakim oddychał do tej pory w skafandrze. Na obcej planecie o atmosferze złożonej głównie z azotu, metanu i helu, tlen był wprawdzie produkowany z dostępnych tutaj surowców za pomocą syntetyzera, ale także w ogromnej mierze odzyskiwany z dwutlenku węgla przez układy recyklingu. Ta druga opcja wykorzystywana była także w ubiorach ochronnych, które poza plecakowym zapasem tlenu zawierały system filtrów. Lecz dzięki poczuciu, że nie przebywa się już w ciasnym kokonie, że można swobodnie rozprostować kości, odnosiło się wrażenie, że powietrze na zewnątrz jest o wiele świeższe.

Lekko spocony ze zdumieniem stwierdził, iż jako pierwszy poradził sobie z niewygodnym strojem. Elza i Boranin czekali na pomoc automatów. No tak, im nie chciało się podejmować wysiłków, skoro czasami po kilka razy dziennie musieli się pakować w ubiór ochronny. Roboty zaczęły działać z opóźnieniem, gdyż roztargniony egzobiolog zbyt późno przypomniał sobie, że trzeba je uruchomić, a Elza miała utrudniony dostęp do panelu z uwagi na stojących obok siebie mężczyzn. Wysięgniki sprawnie wykonały pracę, naukowcy wyszli z ubiorów prawie jednocześnie. Kobieta potrząsnęła głową, a jej rude, niezbyt długie włosy zafalowały. Miała mały, kształtny nos, zielone oczy i wargi wykrzywione w wiecznym grymasie ni to rozbawienia, ni rozdrażnienia.

– Jesteś osłem, Noelu – oznajmiła.

Boranin spojrzał z uśmiechem na Adama.

– Wścieka się, bo nie cierpi zakładać kombinezonu. Walter zrobił ci numer, co? – zwrócił się do Elzy. – Skorzystał z przywileju dowódcy, żeby wysłać cię jako ubezpieczenie? Przecież miał iść Robert.

– Odczep się – syknęła.

Ruszyła do wyjścia, wyładowując złość na przycisku przy przesuwanych drzwiach. Odjechały bezszelestnie na bok, ukazał się krótki korytarz prowadzący do windy. Adam spojrzał na kołyszące się biodra kobiety opięte matowym, ciasnym kombinezonem. Noel podchwycił jego spojrzenie, westchnął ciężko.

– Jest tak samo wredna jak śliczna – szepnął. – Aż żal.

Elza odwróciła się, zgromiła go wściekłym spojrzeniem.

– A słuch ma jak nietoperz – dodał naukowiec. – Czasem mam wrażenie, że pochodzi z innego świata. Albo może raczej z innego gatunku.

Delikatne drżenie podłogi sygnalizowało, że na zewnątrz szaleje burza, a nawet coś od burzy groźniejszego – niesamowite, właściwe tylko dla tego świata trzęsienie ziemi. System amortyzatorów grawitacyjnych chronił bazę przed zniszczeniem, nie był jednak w stanie zupełnie wytłumić wstrząsów.

– Następnym razem obejrzymy sobie ten spektakl w obserwatorium – powiedział Boranin. – Naprawdę jest na co popatrzeć.

Adam z roztargnieniem skinął głową. W milczeniu zjechali na poziom mieszkalny, ruszyli długim korytarzem.

Stacja w niczym nie przypominała tych, które umiejscawiano w pobliżu Układu Głównego. Tamte były o wiele bogatsze w wyposażenie, które miało służyć dobremu samopoczuciu członków załogi, wszędzie widać było panele bezdotykowe, praktycznie w każdym miejscu istniała możliwość wywołania ekranu holograficznego. Tutaj w korytarzu był zaledwie jeden monitor, w dodatku wyposażony w zwykły plazmowy generator obrazu, przez co odbiór pozostawiał wiele do życzenia. Zresztą, chyba i tak nikt z niego nie korzystał, sądząc po cieniutkiej warstwie kurzu pokrywającej pulpit sterowniczy. Podobnie było w przypadku pokoi. Miejsce wygodnych łóżek zajmowały tutaj zwyczajne koje, niewiele odbiegające od tych, jakie spotykało się na małych jednostkach wojennych patrolujących odległe rejony dominium federacji. W centrali znajdowała się końcówka komunikatora dalekiego zasięgu. Był to egzemplarz starszego typu, niezapewniający członkom zespołu możliwości korzystania zeń z własnych kwater, co było akurat zrozumiałe – nowoczesny sprzęt z pewnością dawał więcej możliwości, zapewniał lepszy odbiór i nadawanie, ale jak każda nowa technologia niezwykle często okazywał się zawodny. Dlatego na każdej stacji oprócz nowoczesnej końcówki komunikatora montowano jako zabezpieczenie sprawdzony sprzęt poprzednich generacji. Tutaj nie silono się na zapewnienie komfortu, gdyż odległość Zoroastra zarówno od Układu Głównego, jak i najbliższego portalu międzygwiezdnego była zbyt wielka, aby rząd wraz ze sponsorami chcieli inwestować spore środki tylko i wyłącznie dla zaspokojenia potrzeby luksusu. Ci, którzy zdecydowali się przylecieć aż tutaj byli tego świadomi. Tak samo jak faktu, że w razie poważnej katastrofy nikt nie udzieli im pomocy w przewidywalnym terminie.

Adam westchnął w duchu, rzucił okiem w bok na Noela, a potem znów zawiesił wzrok na podążającej z przodu Elzie.

Poszli pod wspólny prysznic. Przebywanie w ochronnych kombinezonach z jakiegoś powodu skutkowało wzmożonym poceniem się zaraz po ich zdjęciu. Coś musiało być nie tak albo z kompozytową tkaniną poszycia, albo z systemami filtrującymi.

Oczywiście, wspólny prysznic oznaczał, że Elza udała się do części przeznaczonej dla pań, a Noel z Adamem weszli do obszernej kabiny męskiej. Mieszanka drobin wody, środka myjącego i powietrza pieściła skórę ni to ciepłą bryzą, ni zwyczajnym wilgotnym podmuchem.

– Oszczędność posunięta do granic absurdu – zauważył Adam. – Chyba macie tutaj porządny sprzęt do pozyskiwania wody?

– Niby tak. Tym bardziej że w końcu są na księżycu bogate złoża lodu zaledwie kilkadziesiąt metrów pod powierzchnią. A jednak okazało się, że wydajność aparatury jest o wiele mniejsza niż przewidywano. Ktoś coś źle poustawiał, a teraz nie da się z tym nic zrobić. No i syntetyzer dali nam chyba z poprzedniej epoki, bo wciąż się zapycha. Gdyby nie porządny obieg zamknięty byłoby jeszcze trudniej i oszczędniej. Pan pewnie nie jest przyzwyczajony do takich warunków?

– Przeciwnie – Adam uśmiechnął się. Podmuch z wilgotnego stał się suchy i gorący. Po chwili wyszli spod prysznica. – Na jednostkach wojskowych, szczególnie dalekiego zwiadu, bywa jeszcze trudniej.

– Latał pan w dalekim zwiadzie? – Bartold dostrzegł w oczach naukowca podziw. – To coś niesamowitego. Moje młodzieńcze marzenie.

Adam roześmiał się.

– Młodzieńcze marzenie, mówi pan? Zapewne. Wielu chłopców śni o takiej pracy. Ale twarda rzeczywistość kopie człowieka w tyłek pancernym butem. Tyle w tym wszystkim romantyzmu, co w zakurzonym kubku ze spleśniałymi fusami. Przez zabawę z głęboką przestrzenią zginęło mi gdzieś dobre dwadzieścia pięć lat. I to mimo całego buforowania czasoprzestrzeni oraz innych takich zabiegów. Po którejś kolejnej podróży stwierdziłem, że moi dawni koledzy, siedzący już na wysokich stanowiskach, zdążyli posiwieć, porządnie podtatusieć, dostali brzuszków, a ja wciąż jestem piękny i młody... No, w każdym razie młody na pewno.

– To musi być... – Noel urwał nagle, położył palec na ustach, przywołał Adama gestem.

– Tam popatrz – tchnął mu w ucho, porzucając na chwilę oficjalne formy i wskazując lustro w rogu.

Adam posłusznie skierował wzrok we wskazanym kierunku. Ujrzał szczupłe plecy, zgrabne biodra, jędrne pośladki i długie nogi rudowłosej piękności.

– Cudeńko, prawda? – wyszeptał Boranin.

Bartold skinął tylko głową. Kobieta była rzeczywiście zjawiskowo piękna. Kiedy odwróciła się bokiem, ukazując wzgórza piersi, Noel z wrażenia wciągnął gwałtownie powietrze. Adam zerknął na niego z ukosa. Ciekawe, co by na to powiedziała żona egzobiologa.

– Że też marnuje się przy tym swoim Walterze – mruknął tamten.

Jego ciemne, prawie czarne oczy zaszły z lekka mgłą, w rozchylonych ustach ukazał się koniuszek języka. Był przystojny, wysoki, w miarę dobrze zbudowany, krucze włosy okalały męską twarz, jednak czegoś mu brakowało. To czuł nawet Adam, choć był przecież osobnikiem tej samej płci, najzupełniej niezainteresowanym grą genów i feromonów.

– Chodźmy – pociągnął towarzysza za rękę. – Zanim nas zauważy.

Elza z całą pewnością albo zdawała sobie sprawę, że była obiektem zainteresowania obu mężczyzn, albo zdołała nawet zauważyć ich spojrzenia, bo kiedy weszli do jadalni nazywanej tutaj – zupełnie jak na pełnoprawnej jednostce kosmicznej – mesą, obrzuciła ich pogardliwym spojrzeniem i takim samym skrzywieniem pełnych warg. Siedziała obok męża, mężczyzny średniego wzrostu o jasnoszarych oczach. Skronie miał przyprószone siwizną, a łysinka na czubku głowy była widoczna tylko wtedy, kiedy spojrzało się na nią od tyłu i z góry. Po prawej ręce dowódcy stacji zasiadł mężczyzna będący przeciwieństwem Waltera – wysoki, chudy i ponury mikrobiolog, Martin Gaut. O ile wszyscy inni członkowie zespołu na planecie, której ciążenie przekraczało wartość dwu i pół standardowych jednostek grawitacji, byli solidnej postury, nawet jeśli nie z racji konstytucji fizycznej to przez ciągłe przymusowe ćwiczenia podczas pokonywania oporu zwiększonej masy ciała, o tyle Gauta ten trening zdawał się nie dotyczyć. Wprawdzie urządzenia antygrawitacyjne bazy niwelowały nadmierne ciążenie do wartości jeden i pół, w porywach do jeden siedemdziesiąt pięć, ale i tak trzeba było w każdy ruch włożyć więcej wysiłku niż na globach zbliżonych masą do Ziemi.

Pomimo to Martin najbardziej przypominał ascetę ze średniowiecznej ryciny i tak się też zachowywał. Adam miał wrażenie, że ten człowiek musi mieć w swoim pokoju schowany różaniec, z którym modli się jeśli nawet nie codziennie, to na pewno często. Obok niego zasiadła żona – Sandra – kobieta uzupełniająca męża na zasadzie rażącego kontrastu – nieco przysadzista, o rozłożystych biodrach i pogodnym spojrzeniu. Włosy nosiła dość długie, jak na warunki tak daleko wysuniętej placówki – do ramion, a nawet nieco dłuższe. Upinała je zgrabnie grzebieniem hiszpańskim, co nadawało jej lekko filuterny, zalotny wygląd. Oczywiście, nie mogła równać się urodą z piękną Elzą, ale była na swój okrągły sposób bardzo atrakcyjna.

Na prawo od żony Waltera usadowiło się małżeństwo Sorensen. On zajmował się informatyką oraz fizyką grawitacji, ona była astrofizykiem i doktorem mechaniki grawitacji, a ponadto opiekowała się aparaturą recyklingu. Wszyscy wykonywali, poza obowiązkami wynikającymi ze specjalizacji, także inne prace. Czego jak czego, ale roboty w bazie nigdy nie brakowało. Szczególnie w takiej sytuacji... Adam szybko przebiegł wzrokiem pozostałe trzy pary, zatrzymał się na pustych krzesłach z lewej strony owalnego stołu. Cztery wolne miejsca. Inni podążyli za jego spojrzeniem, twarze z miejsca spochmurniały.

– Niech pan usiądzie – odezwał się Walter.

– Właśnie, właśnie – dorzucił natychmiast Noel, który zdążył już usiąść obok partnerki, postawnej brunetki o intensywnie, wręcz niepokojąco błękitnych tęczówkach. Adamowi przeleciało przez głowę, że to muszą być szkła kontaktowe albo implanty.

– Trzynasty przy stole – zazgrzytał Martin Gaut. – To zła wróżba.

Walter położył mu rękę na ramieniu.

– Daj spokój – powiedział z wymuszonym uśmiechem. – Nasz gość gotów jeszcze uwierzyć, że naprawdę wierzymy tutaj w przesądy. W naszych czasach...

– W naszych czasach bardziej niż kiedykolwiek należałoby wreszcie przestać udawać, że magia liczb nie istnieje! To zostało już naukowo potwierdzone!

– Nie należy mieszać faktu udowodnienia zjawisk synchronicznych z pojęciem magii. – Adam podszedł do stołu, przez chwilę zastanawiał się, które miejsce zająć. Najchętniej usiadłby tak, żeby być oddzielony od reszty wolnym krzesłem, ale byłoby to chyba niegrzeczne, a poza tym automatycznie wyizolowałby się z grupy. Miał do wyboru bezpośrednie towarzystwo wysokiej blondynki po prawej stronie albo niskiego bruneta z pokaźnym nosem po lewej. Wybrał oczywiście blondynkę. – To, że coś zostało matematycznie obliczone nie oznacza jeszcze, że w ogóle istnieje.

– Matematyka jest zasadniczo nieomylna – odezwał się niski brunet. Adam wiedział, że jest astrofizykiem, a jego żona lekarzem.

– Matematyka, owszem – odpowiedział z lekkim uśmiechem Adam – ale nie da się tego samego powiedzieć o człowieku.

– Święte słowa – poparł go Noel. – Powiedz, Grigoriju, ile znasz przykładów fałszywej interpretacji zarówno danych, jak i na pozór wzorowo przeprowadzonych dowodów?

– Trochę tego jest. – Niski wzruszył ramionami. – Ale co do zjawisk synchronicznych...

– Może wreszcie coś zjemy? – przerwała dyskusję blondynka. – Głodna jestem.

Walter machnął przyzwalająco ręką, wszyscy otworzyli stojące przed nimi połyskujące matowo pojemniki. Bartold pokiwał w duchu głową. Przynajmniej na to nie pożałowano funduszy. Nie skazano zespołu na jedzenie tylko i wyłącznie liofilizowanych, konserwowanych produktów podrzędnej jakości. Posiłki były tutaj naprawdę znakomite. Oczywiście, jak na warunki dalekiego kosmosu.

– Pani Tereso – Adam zwrócił się do blondynki – pani jest chyba z zawodu negocjatorem?

– Psychologiem – odparła z pełnymi ustami, przełknęła kęs, zanim dodała: – W zasadzie trafił pan w dziesiątkę. Niesłychanie często na tym właśnie polega moja rola. Na mediacjach. Już pan kojarzy, kto tutaj kim jest? Tylko proszę nie mówić, że zapamiętał pan od wczorajszego wieczora nasze imiona i profesje?

– Profesje niekoniecznie, ale imiona, czemu nie?

– Dwunastu osób? – spytała z niedowierzaniem, odkładając widelec. – Ja zazwyczaj gubię się już przy trzech nowo poznanych osobach.

– Chce pani, żebym to udowodnił?

Nie odpowiedziała, ale widać było, że chce. Przy stole zapanował lekki gwar, rozległ się szczęk sztućców. To też było coś innego niż na zwyczajnych placówkach. Tam posługiwano się jednorazową, higieniczną zastawą. Tutaj wyposażono ekipę w tytanowe łyżki, noże i widelce. Ważyły po prostu o wiele mniej niż przedmioty jednorazowego użytku – zapas jednorazówek dla kilkunastu osób zwiększyłby masę ładunku o ładnych paręset kilogramów.

– Dobrze. – Adam spojrzał na obecnych. – Zacznijmy od prawej: Grigorij, Zoja, Robert, Marie, Walter, Elza, Martin, Sandra, Alicja, Noel, Vlad i pani, Tereso.

Spojrzała na niego z pewnym podziwem.

– Przecież pierwszy raz zobaczył pan nas wszystkich przy stole, prawda? Nie mógł pan zastosować żadnej mnemotechniki. Poza tym widział nas pan wczoraj zaledwie raz i to nie wszystkich, bo Sandra z Alicją i Robertem byli akurat na zewnątrz.

– Niektórzy po prostu tak mają. W moim zawodzie tego typu pamięć bywa bardzo przydatna.

– W pana zawodzie? – Spojrzała na niego ze zmarszczonymi brwiami, nieco podejrzliwie. – A jaki jest ten zawód?

– Teresa, nieprzytomna byłaś na odprawie? – wtrącił się Vlad, który, wbrew pozorom, najwyraźniej nie był najzupełniej pochłonięty swoją porcją, ale przysłuchiwał się rozmowie. – Pan Bartold jest astronawigatorem. W tej robocie pamięć chyba rzeczywiście jest bardzo ważna.

Psycholog wyniośle spojrzała na męża.

– Byłam przytomna, ale jeśli i ty nie zasnąłeś, powinieneś pamiętać, że musiałam na chwilę wyjść.

– Tak à propos. – Vlad wychylił się, żeby spojrzeć na Adama. – Właściwie co się stało z pańskim statkiem?

– Anomalia przestrzeni. Niespodziewana anomalia.

– A dokładniej? Nie powie mi pan, że jakaś dziwna siła skierowała pana w rejon naszego cudownego układu.

– Dziwna nie. Po prostu uszkodzeniu uległa jednostka napędowa. Portal międzygwiezdny przy Alfie Carl II otrzymał przez to błędne koordynaty, trzepnął mnie w rejon Marco Polo, a tam... – Adam zawiesił na chwilę głos; zdał sobie nagle sprawę, że w jadalni zapadła cisza, a wszyscy utkwili w nim wzrok. – A to jest takie, z przeproszeniem, zadupie, że trudno się gdzieś ruszyć.

– Podobnie jak i tutaj – rzucił Grigorij. – Nie mógł się pan spróbować dostać w jakiś mniej zapluty rejon?

– Mówiłem, że wysiadła jednostka napędowa. Zasilanie awaryjne pozwoliło mi dotrzeć w pobliże Marachii. Chwała Bogu, że jest tutaj jakaś baza, bo inaczej musiałbym włączyć nadajnik alarmowy i hibernować, a to naprawdę okropność.

– Chwała Bogu? – podchwycił natychmiast Martin. – Pan jest wierzący?

– A zna pan jakiegoś wierzącego astronawigatora dalekiego zwiadu? – zaśmiał się Adam.

Gaut skrzywił się z niesmakiem, wrócił do posiłku.

– Dyżur kończę za cztery godziny – powiedział Walter. – Chciałbym, żeby przyszedł pan do mojej kwatery, komandorze Bartold. Musimy omówić parę spraw. I będę miał do pana wielką prośbę.

– Oczywiście – Adam skinął głową.

Zabrał się do jedzenia. Zastanawiał się przez chwilę, po którym z nieboszczyków odziedziczył sztućce. Nie miało to, oczywiście, żadnego znaczenia, gdyż wszystkie zostały dokładnie wysterylizowane, ale mimo to poczuł się odrobinę nieswojo.

Walter rozmawiał półgłosem z Gautem, Elza siedziała z naburmuszoną miną, a Sandra drwiąco popatrywała na obu mężczyzn. W pewnej chwili Martin, chcąc powiedzieć coś bardziej dyskretnego, położył dowódcy rękę na ramieniu. W tym samym momencie żona Waltera także postanowiła przekazać mu jakąś wiadomość, jej dłoń wylądowała na udzie męża. Ten spojrzał najpierw na jedno, potem na drugie, wstał i szybko wyszedł. Obcisłe kombinezony, które były na stacji strojem obowiązkowym i jedynym, w niczym nie przypominały swobodnych na ogół strojów członków załóg baz umiejscowionych w pobliżu centrum Federacji Międzygalaktycznej. Zostały wykonane z materiałów odpornych na brud i uszkodzenia, a właściwie na dobrą sprawę niezniszczalnych, jeśli się je odpowiednio użytkowało. Nanorurki tkaniny oczyszczały się w zasadzie same, wystarczyło zdjąć strój na parę godzin. Oczywiście, obcisłość kombinezonów także miała swoje wytłumaczenie. Każdy gram ładunku transportowanego przez portale zewnętrzne Galaktyki był dosłownie na wagę złota. Obszerniejsze ubrania oznaczały większą masę, czyli stawały się nierentowne. To była zupełna paranoja, regulaminy nie zmieniły się pod tym względem ani na jotę od wielu lat, ale właśnie dzięki tej idiotycznej oszczędności Adam mógł zobaczyć wzwód szefa projektu. Z podziwem pokręcił w duchu głową. Ciekawe, ile lat Elza i Walter byli małżeństwem? Pewnie przynajmniej z pięć przed wyprawą, bo przepisy w tym względzie były najzupełniej jasne. Przecież niektóre pary już po roku czy dwóch przestają na siebie reagować w ten sposób, a tutaj wszystko wskazywało na pełny rozkwit namiętności. Można by rzec, modelowy przykład małżeństwa skazanego na kilka lat życia w odległej bazie.

Nie wiedział, co skłoniło go, aby spojrzeć na siedzącą obok Teresę. Czyżby wykonała jakiś ruch, albo wydała mimo woli dźwięk? Nie był w stanie odgadnąć, ale zdążył zauważyć pełne niesmaku spojrzenie, zanim kobieta opuściła oczy i wpatrzyła się w na wpół opróżnione naczynie z obiadem.

Psycholog cierpiący na kompleksy seksualne? Dziwne. Nawet bardzo dziwne. Czyżby coś w rodzaju mizoandrii? A może problem dotyczy jeszcze czegoś innego?

– Jak to się stało, że Walter wypuścił pana na zewnątrz już następnego dnia po przylocie?

To pytanie padło, kiedy większość ludzi skończyła już jeść i zbierała się do wyjścia. Pytającą była Zoja, lekarz wyprawy.

– Byłem bardzo ciekaw tego świata – odpowiedział, domyślając się, do czego kobieta zmierza. – To fascynujące odnaleźć tak silne przejawy życia na azotowo-metanowej planecie... To znaczy, księżycu.

– Ale powinien pan przedtem przejść odpowiednie badania, uzyskać zgodę medyczną. Każdy z członków załogi musi odbyć testy co najmniej raz w tygodniu.

Spojrzał na nią uważnie. Miała smagłą, na pierwszy rzut oka ładną twarz o ostrych rysach. Przypominała nieco swojego partnera. Ta para była świadectwem, że mimo tysiącleci mieszania się ludów, mimo całego postępu i gromkiego wołania o tym, że wszyscy ludzie są w istocie rzeczy tacy sami, że nie istnieją różnice rasowe, ciągnie jednak swój do swego.

– Państwa przodkowie pochodzą z Kaukazu, prawda? – spytał nieco prowokacyjnie.

Potrząsnęła głową, skrzywiła się lekko.

– Podobno. Ale od pięciu lub nawet sześciu pokoleń moja rodzina mieszkała na Ganimedzie, a Grigorij urodził się w bazie marsjańskiej. Przedtem, o ile wiem, moi praprapra... i tak dalej dziadowie żyli w byłych Stanach Zjednoczonych Ameryki Północnośrodkowej. Pan jest antropologiem?

– Podczas długich lotów, kiedy pełni się samotne dyżury, trzeba czymś zabijać czas. Jedni oglądają filmy, inni grają, jeszcze inni zajmują się jakąś nikomu niepotrzebną dłubaniną, jednak prędzej czy później każdy astronawigator sięga po słowo pisane, najpierw beletrystykę, a potem dzieła naukowe.

– Naprawdę? Wychodzi na to, że zwykły astronawigator... przepraszam...

– Nie ma za co.

Zdawał sobie sprawę, że niezręczność była zamierzona. Chciała go jednocześnie urazić, ale nie zrazić sobie ze szczętem. Dać do zrozumienia, iż prawdziwa nauka to coś więcej niż czytanie, a zarazem nie okazać totalnego lekceważenia.

– Wychodzi na to, że nawigator może zdobyć wszechstronne wykształcenie niejako przy okazji.

– Jeśli się tylko postara.

– Nie odpowiedział pan na pytanie. Dlaczego Walter pana wypuścił?

– Zdaje sobie pani sprawę, że astronawigatorzy, a szczególnie piloci dalekiego zwiadu, są poddawani najostrzejszemu reżimowi pod względem sprawności i zdrowia, prawda? Na jednostkach podróżujących w głęboki kosmos muszę być gotów w każdej chwili wyjść na zewnątrz, poza strefę ekranowaną przed promieniowaniem kosmicznym, muszę w razie potrzeby grzebać w obwodach pracującego generatora grawitacyjnego, co wiąże się z niebezpieczeństwem zasłabnięcia, a nawet zatrzymania akcji serca u zwykłego, nieprzygotowanego człowieka. Dla mnie wizyta na zewnątrz stacji w bezpiecznym kombinezonie ochronnym nie jest ryzykiem, lecz przyjemną odmianą po tygodniach spędzonych za sterami uszkodzonego statku. Tamto było prawdziwą drogą przez mękę.

Pokręciła głową z dezaprobatą, spojrzała Adamowi prosto w oczy. W tym momencie dotarło do niego, co z nią jest nie tak. Nie chodziło o jakąś nieregularność rysów twarzy, o skazę fizyczną. Miała czarne tęczówki, a w takich oczach mężczyzna spodziewa się ujrzeć ogień. Ciepły, serdeczny czy też odwrotnie: zimny i wyrachowany, ale zawsze ogień – płonący perwersyjnym wyzwaniem. Tymczasem wzrok Zoi był pusty. Oczy w ciemnej, atrakcyjnej oprawie zupełnie nie pasowały do twarzy kobiety.

– Mamy tu pewne żelazne procedury, których należy przestrzegać – powiedziała surowo. – Jestem odpowiedzialna za stan zdrowia członków załogi i wszystkich przebywających w bazie osób, w tym oczywiście także pana. Na mnie spoczywa odpowiedzialność za diagnozowanie i to ja w razie czego zostanę zapytana, dlaczego ktoś, kto nie posiada udokumentowanych wyników badań, przeprowadzonych w ciągu ostatnich siedmiu dni, został wypuszczony na zewnątrz. Jedyną moją obroną w takim momencie byłyby wydruki z automatu medycznego. Proszę na przyszłość o tym pamiętać. Może pan być sobie zdrowy jak młody bóg, ale lekceważenie regulaminu jest niedopuszczalne.

– Oczywiście – uśmiechnął się przepraszająco. – To już się więcej nie powtórzy. Nie pomyślałem o tym.

– Walter powinien pomyśleć – odparła nieco już łagodniejszym tonem. – Porozmawiam sobie z nim na ten temat.

W to Bartold nie wątpił. Zoja odeszła kołyszącym się nieco, charakterystycznym dla wzmożonego ciążenia krokiem. Dopiero w tej chwili Adam w pełni docenił grację, z jaką potrafiła poruszać się Elza.

Wyszli już prawie wszyscy, jeszcze tylko Sandra dopijała sok. Spojrzał na nią, ich oczy spotkały się. Kobieta skinęła mu leciutko głową, uniosła nieznacznie kąciki warg i wyszła, zanim zdążył odpowiedzieć w jakikolwiek sposób na ten miły, nieoczekiwany gest. Zebrał się w sobie, odetchnął głęboko, po czym jako ostatni opuścił jadalnię. Na korytarzu było już pusto. Wszyscy udali się do zajęć albo na zasłużony odpoczynek.

Rozdział 2

To była dobra maszyna. Może nie najnowocześniejsza, może nieco toporna, jak wszystko tutaj, ale naprawdę niezawodna i solidna. Adam wzniósł się na orbitę w ciągu dwudziestu minut, idąc pełnym ciągiem. Nikt z członków zespołu nie dałby rady dokonać czegoś podobnego. Przeciążenia rzędu czternastu g, a chwilami nawet większe pozbawiłyby ich przytomności, jeśli nie życia. Przy odrywaniu się od globu o tak znaczącym ciążeniu konieczne były nie tylko umiejętności, ale przede wszystkim odporność, a na tę piloci dalekiego zwiadu nie mogli narzekać, w odróżnieniu od różnych piecuchów obsługujących jednostki pasażerskie i frachtowce, które nigdy nie oddalały się poza granice gęsto zasiedlonych rejonów Drogi Mlecznej.

Podobało mu się tutaj. Wprawdzie zespół był jak najdalszy od okazywania przybyszowi serdeczności, wydawał się nieco najeżony, ale komandor znów mógł usłyszeć to, co niektórzy określają jako zew przestrzeni. W zatłoczonych okolicach Układu Głównego nie czuło się nieskończonej pustki kosmosu. Człowiekowi, kiedy siedzi tam dłużej, wydaje się, że opanowanie części Galaktyki, skolonizowanie nadających się do zamieszkania i terraformowanych planet uczyniło go władcą wszechświata. Dopiero w takich miejscach, gdzie pustka i cisza mogły doprowadzić mniej odporną osobę do szału, zdawał sobie sprawę, jak bardzo złudne jest wrażenie cywilizacyjnej potęgi. W ostatnim czasie Adam nie miał zbyt wielu możliwości zachłysnąć się przestrzenią.

– Za dużo ostatnio wykonywałem papierkowej roboty – zaśmiał się, kiedy Walter zdziwił się jego entuzjastycznej reakcji na propozycję lotu. – A tak na marginesie, niech pan tylko popatrzy, profesorze: nikt już przecież nie pracuje na papierze, robi się to jedynie w wyjątkowych okolicznościach, ale to stare określenie na biurokratyczny młyn przetrwało wszystkie rewolucje techniczne. To jeszcze jeden dowód na to, jak człowiek niedaleko odszedł od swoich przodków, którzy dosłownie przed chwilą opuścili jaskinię, by przenieść się do eleganckiego, ekskluzywnego szałasu z gałęzi i liści. Cały postęp, wszystkie wynalazki, kosmiczne loty i podbój najpierw własnego świata, a potem ekspansja w kierunku innych globów to nic innego, jak nieprzerwany łańcuch przeprowadzek do coraz lepszych szałasów. Technika tych przenosin ulega zmianie, ale zasada pozostaje ta sama.

– Przecież spędził pan ostatnie dwa miesiące praktycznie przykuty do fotela pilota. – Dowódca stacji nie podzielał jego dobrego nastroju. W ogóle wydawał się spięty i czujny podczas rozmowy. – Jeśli pan odmówi, zrozumiem, poślę kogoś innego, na ochotnika, jeśli jakiś się znajdzie. Wprawdzie zmarnuje masę paliwa, żeby nie dać się zmiażdżyć przeciążeniom, ale zrozumiem pana decyzję. Satelita wymaga natychmiastowej naprawy, bez tego nie odzyskamy łączności. Gdyby nie konieczność...

– Nie ma o czym mówić – Adam przerwał, zanim mężczyzna zaplątał się w tłumaczeniach. – Wiem, co znaczy przymus oszczędności na wysuniętej placówce. Pomogę z radością. A właściwie, co się stało z pana pilotem?

– Pilotami – poprawił Walter. – Było ich dwóch, a właściwie dwoje. Małżeństwo, niestety. Wie pan, zgodnie z regulaminami piloci w bazie nie powinni być blisko spokrewnieni ani tym bardziej pozostawać w związku. Tym razem zrobiono z pewnych nieznanych mi względów wyjątek i skończyło się to tragicznie. W efekcie zostałem bez wykwalifikowanego astronawigatora czy chociaż zwykłego nawigatora. Pewnie niektórzy z nas potrafią teoretycznie pilotować wahadłowiec, ale nikt nie spełnia norm zdrowotnych pozwalających na wykorzystywanie pełnego ciągu. A zapas paliwa mamy mocno ograniczony. Gdybym złożył zaledwie po półtora roku zapotrzebowanie na dostawę, nieźle by mi się oberwało. Nie tylko mnie zresztą. Poza tym pozostaje tutaj jeszcze kwestia przejęcia satelity, może nawet wyjścia ze statku, a to już jest praktycznie poza naszym zasięgiem. Spadł mi pan dosłownie jak z nieba, chociaż oczekiwaliśmy tu raczej kogoś innego.

– Kogo? – zainteresował się Adam. – Ach, rozumiem, ma przylecieć ktoś w związku z tymi zgonami?

– Zgonami i zaginięciami – skinął głową dowódca. – Cztery przypadki w odstępie paru dni to dość niepokojące. Dobrze, że zdążyłem nadać meldunek, zanim satelita odmówił posłuszeństwa.

– Fakt. I co, miał przylecieć oficer śledczy?

– Coś w tym rodzaju – skrzywił się Walter.

– To na razie może pan o tym zapomnieć.

– Wiem. Ten niespodziewany wybuch novej w osiemdziesiątym trzecim kwadrancie zakłócił komunikację z portalem Carl II. Ale to pan wie nawet lepiej ode mnie. Nie wiadomo, ile dokładnie minie czasu, zanim będzie można znów uruchomić tranzyt.

– Najmarniej ze trzy miesiące, sądząc z tego, co dotarło do mnie w komunikatach. Nova nie jest bardzo jasna i ekspansywna, ale i tak jej promieniowanie stało się groźne dla prawidłowego funkcjonowania portalu.

– Właśnie. Nikt przy zdrowych zmysłach nie zaryzykuje podróży przez skażoną eksplozją przestrzeń. Sam bym nie miał ochoty ocknąć się w doku z głową na miejscu przeciwnej części ciała albo wywrócony na lewą stronę.

– No cóż, przykro mi, że nie okazałem się tym, na kogo pan czekał.

Walter zamyślił się, chwilę zwlekał z odpowiedzią. Adam rozejrzał się po kwaterze. Właściwie członkowie zespołu powinni nazywać te kajuty mieszkaniami, ale wszyscy używali terminu „kwatera". Składały się z dwóch pokoików oraz łazienki czy raczej jej nędznej imitacji, bo maleńki zlew oraz toaleta stanowiły jedyne wyposażenie. Elza najwyraźniej starała się nadać ciasnym pomieszczeniom przytulny wygląd, ale sprawiało to wrażenie, jakby w pewnej chwili albo przestała zupełnie dbać o domową atmosferę, albo zaniechała pracy w połowie, dostrzegając jej bezsens. Na półkach stały przemycone nie wiadomo w jaki sposób bibelociki, maleńkie maskotki, nawet niewielka bursztynowa kula z zatopionym owadem. W tej chwili wydawały się jednak równie bezwartościowe, jak niepotrzebny przedmiot, który pozostawia się przed progiem domu, bo nie chce się go wnosić do środka. Zupełnie jakby emocjonalny ładunek tych – z tak ogromnym przecież trudem przywiezionych – zabaweczek zniknął bez śladu.

– Wie pan, w sumie to odczułem nawet coś w rodzaju ulgi, że jeszcze go nie ma. Taki gość wydelegowany przez władze to żadna przyjemność. Może okaże się, że nie będzie więcej zgonów, że to naprawdę był tylko i wyłącznie ciąg wypadków, zlepek niefortunnych zdarzeń? Wolałbym, żeby...

Przerwał mu terkot interkomu.

– Profesorze Wintermann, jesteś potrzebny w dyspozytorni. Mamy chyba jakieś zwarcie w trzecim generatorze grawitacyjnym.

– Przepraszam. – Walter rozłożył ręce. – Chciałem jeszcze o coś zapytać, może wyjaśnić to i owo, ale rozumie pan...

– Oczywiście. Będzie na pewno niejedna okazja porozmawiać.

– Czyli poleci pan? – upewnił się jeszcze Walter, kiedy opuszczali kwaterę.

– Oczywiście.

Komandor nawet się nie spodziewał, jakiej satysfakcji dostarczy mu lot tą archaiczną jednostką. A jeszcze bardziej cieszył się na myśl o wyjściu w przestrzeń. Postanowił nie ściągać satelity do ładowni ani nie dokować go do wahadłowca. Tłumaczył to względami ekonomicznymi, ale chodziło także o coś innego. Komuś przyczepionemu do kadłuba rakiety liną albo operującemu za pomocą olstrów odrzutu, wszystko, co zostawił za sobą, wydaje się prostsze i mniej istotne. W próżni największe nawet problemy przestają mieć wagę ciążącego u szyi kamienia. Może dlatego, że nic tutaj nie jest w stanie ściągnąć człowieka w dół. W miejscu pozbawionym wyczuwalnych kierunków szybko można się zatracić, ulec hipnotycznemu urokowi przestrzeni.

Patrzył na zwalistą sylwetkę gazowego olbrzyma. Valhalla. Tak nazwał planetę jej odkrywca, Sven Goransson. Rzeczywiście, wydawała się groźna i ponura, ale ile w tym wrażeniu było faktycznie ładunku płynącego ze zmysłów, a ile wynikało ze skojarzeń z pradawną mitologią, trudno było ocenić. Jaskrawozielony glob przecinały wąskie smugi tak ciemne, że prawie czarne, splatając się w fantazyjne wzory z jasnymi plamami. Gdyby nie barwa, olbrzym przypominałby po prostu Jowisza. Tyle, że był od wielkiego towarzysza Słońca ponad cztery razy większy.

– Witaj, przyjacielu – powiedział Adam, nie bacząc na to, że system kontroli lotu nagrywa każde jego słowo. Niech się potem psychiatrzy zastanawiają nad kondycją umysłową pilota. Za to w końcu płacą im królewskie gaże. – A może przyjaciółko? Wszystko jedno, w każdym razie witaj. Piękna jesteś, piękniejsza niż przypuszczałem.

Kiedy przedtem zbliżał się do Zoroastra nie miał okazji przyjrzeć się dokładniej planecie, wokół której krążył księżyc. Zarejestrował tylko barwę i ogólne wrażenie wrogości. To ostatnie było najzupełniej normalne. Każdy świat, który nie został jeszcze poznany i okiełznany, wydawał się wrogi. A gazowe olbrzymy zawsze budziły takie właśnie emocje. Nawet te od dawna, zdawałoby się, oswojone jak Jowisz, Saturn czy Neptun z Uranem. Niby sondy w pełni zdołały poznać ich właściwości, dotarły w najgłębsze rejony, ale niektóre sprawy wciąż pozostawały tajemnicą. Zaś te pozaukładowe znaleziska nierzadko nie zostały jeszcze nawet napoczęte łakomym zębem badaczy. Zbyt wiele ich było, a przede wszystkim zbadanie każdego odkrywanego globu byłoby zbyt kosztowne. Polityka kolonizacyjna władz Federacji Międzygalaktycznej pochłaniała tak wiele środków, że jałowe badania naukowe traktowane były po macoszemu.

Adam spojrzał na przyrządy. Do kontaktu z satelitą pozostało czterdzieści minut. Mógłby przyspieszyć spotkanie, lecz to by wymagało włączenia dodatkowego ciągu, a chodziło przecież o to, by zużyć podczas misji jak najmniej paliwa. Przymknął oczy, odchylił się w fotelu. Chwila drzemki nikomu jeszcze nie zaszkodziła.

Mózg pokładowy obudził go na minutę przed włączeniem silników. W pierwszej chwili Adam pomyślał, że to trochę za późno, ale zaraz pożegnał się z wątpliwościami. Przecież w gruncie rzeczy i tak nie miał co robić. Jeśli nie nastąpią komplikacje, systemy wahadłowca same poradzą sobie ze zbliżeniem do satelity. Na dobrą sprawę mógłby otworzyć oczy dopiero po wykonaniu wszystkich manewrów. Ale i tak obudziłoby go silne szarpnięcie przy uruchomieniu silników, więc to mózg miał rację, nie on.

– Powtórz harmonogram zadań – zażądał.

– Komandorze Bartold – odezwał się komputer tonem łudząco przypominającym głos Waltera Wintermanna – zadanie polega na uruchomieniu panelu przekaźnika dalekiego zasięgu, najprawdopodobniej uszkodzonego wskutek zderzenia z niewielkim meteoroidem...

– To wiem. – Gdyby nie krępujący ruchy skafander, Adam machnąłby niecierpliwie ręką. – Podaj kolejność czynności. I nie zwracaj się do mnie „komandorze".

– Najpierw musi pan wyjść z wahadłowca. – Mózg natychmiast zastosował się do żądania. – W tym celu...

Adam westchnął w duchu. Maszyna to maszyna, nawet jeśli obdarzono ją czymś w rodzaju inteligencji. Ma zaprogramowane polecenie przekazania procedury wyjścia i dokończy ględzenie nawet wbrew woli słuchacza.

– Zanim skończysz, zdążę się chyba jeszcze zdrzemnąć.

W tej chwili poczuł lekkie szarpnięcie. Silniki korygujące włączyły się na ułamek sekundy. A mózg ciągnął instrukcję bez chwili przerwy. To było coś, co nieodmiennie irytowało Bartolda. Dlaczego nie pomyślano, by zaprogramować urządzeniom translacyjnym chociaż drobne przerwy w wypowiedzi? Może wtedy kontakt z nimi bardziej przypominałby obcowanie z drugim człowiekiem. Ludzie robią przecież przerwy na oddech, zastanawiają się, co powiedzieć i jak. Z reguły. Bo kiedyś Adam spotkał dziewczynę nadającą bez ustanku. Po jednym z lotów umówił się z nią, chociaż nie miał w zwyczaju korzystać z usług panienek do towarzystwa, będących jednym z bonusów dla pracowników agend rządowych. Jakie pocieszenie mogła dać komuś, kto wrócił z dalekiej przestrzeni, głupia smarkula, która nie widziała nic poza swoją rodzinną planetą albo stacją orbitalną? Jak miała zrozumieć ten niewysłowiony, magnetyczny smutek, który towarzyszy każdemu, kto znajdzie się daleko od układu? A potem tę nostalgię za kosmiczną pustką, ogarniającą pilota natychmiast po powrocie? Ale wtedy był jeszcze młody, pragnął rozrywki. Niekoniecznie zamierzał zaciągnąć dziewczynę do łóżka, ale pogadać miał ochotę. Trafił jednak na wybrakowany egzemplarz. Usta jej się nie zamykały. Przypominała właśnie typowy mózg pokładowy, gadający bezustannie aż do chwili, kiedy przekaże pełny komunikat. Niestety, w odróżnieniu od komputera, kobieta absolutnie nie zamierzała zamilknąć. Nie mógł też przeprogramować jej na wolniejsze nadawanie, jak to robił z jednostkami centralnymi, z którymi wyruszał w dłuższe podróże. Pożegnał ją po godzinie, czując, że jeszcze chwila, a popełni morderstwo.

Potem, podczas jednego z lotów, próbował przeprogramować mózg tak, aby poza pewnym spowolnieniem wprowadzić w kod także komendę nakazującą brać oddech, ale okazało się to niemożliwe. Program nie poddawał się żadnym tego typu innowacjom. Adam zażądał więc, żeby sztuczna inteligencja co kilka zdań robiła przerwy, ale wyszło jeszcze gorzej. Mózg zastosował się do polecenia, lecz przerwy wypadały w dziwnych miejscach i za każdym razem były dokładnie takie same. Koszmar. Od tamtej pory kiedy miał już naprawdę dość, wyłączał głos towarzysza podróży i przechodził na komunikaty wizualne. Sczytywanie informacji z ekranu bywało czasem uciążliwe, ale nerwy odpoczywały chociaż odrobinę. Na takie zabawy można było sobie jednak pozwolić podczas podróży przez międzygwiezdną czy międzyplanetarną pustkę, ale nie w czasie wykonywania manewrów końcowych.

– Panel znajduje się pod lewą skrzynką ogniw zasilających, kod dostępu jeden-zero-osiem-dwa – mózg zakończył wreszcie odczytywanie punkt po punkcie procedurę wyjścia. – Pańskim zadaniem jest sprawdzić, gdzie nastąpiło uszkodzenie, wyeliminowanie go i powrót na pokład. Aby dokonać kontroli obwodów, należy wyjąć szufladę z mineralizowanym RNA, odczytać wartości w okienkach pod zespołami kryształów nadajnika splątaniowego...

Adam słuchał i obserwował, jak wahadłowiec zbliża się do niedużego satelity. Najprościej byłoby go teraz załadować, wrócić na powierzchnię księżyca i dokonać napraw na stacji; i tak by się stało, gdyby rzecz dotyczyła którejś z baz umiejscowionych w pobliżu portalu kosmicznego. Tutaj nieodmiennie zaś chodziło o oszczędność. Bartold zdawał sobie doskonale sprawę, że całe to gadanie o kosztach niewiele było warte. W porównaniu z nieudaną wyprawą kolonizacyjną środki przeznaczone na sukcesywne doposażenie stacji badawczej były czymś drobniejszym niż kropla w morzu. Ale administracja ma to do siebie, że zawsze oszczędza na projektach, które nie bardzo interesują wyższych urzędników, a sponsorujące je koncerny przemysłowe nie zamierzały bawić się w filantropię. Badania spiagotów, jakkolwiek mogły przynieść w przyszłości wymierne korzyści, co podkreślał podczas rozmowy Wintermann, jak na razie najwyraźniej nie stanowiły oczka w głowie sfer rządowych. I nic dziwnego. Zapyziały świat w zapyziałym zakątku galaktyki Andromedy leżał zbyt daleko, aby go tak łatwo było zauważyć. Przynajmniej na to wyglądało.

– Czy chce pan wysłuchać kolejności działań ponownie? – spytał mózg.

– Nie! – Adam spojrzał z niejaką odrazą pod nogi. Gdzieś tam, zabezpieczony amortyzatorami przeciążeniowymi spoczywał główny komputer wahadłowca.

– W takim razie może pan udać się do śluzy.

Bartold dotknął pulsującego zielono światełka, które pojawiło się na jego piersi. Lekki szczęk oznajmił, iż skafander uwolnił się z magnetycznych wiązań przytwierdzających go do fotela. Z lekkim syknięciem odjechały w górę drzwi prowadzące do śluzy. Pilot sprawdził kryzę skafandra, odpiął bańkę hełmu, zamontował ją z powrotem. Można wpaść w rutynę, można zlekceważyć różne procedury, ale szczelność ubioru to rzecz święta. Człowiek potrafi poradzić sobie z najstraszniejszymi problemami pod jednym warunkiem – musi żyć i oddychać.

– Rozpoczynam procedurę wyjścia członka załogi wahadłowca Gamma sto trzydzieści w przestrzeń kosmiczną – oznajmił komputer.

Adam wiedział, że te słowa nie są przeznaczone dla niego, ale dla osoby w bazie monitorującej lot. Zapewne Walter nie był w tej chwili sam na stanowisku dyspozytora. Wyjścia w przestrzeń nieodmiennie budziły ciekawość. Pewnie dlatego, że dla większości członków personelu były zupełną egzotyką. Do bazy docierali zamknięci w bezpiecznych lądownikach i jedyne, co widzieli, to stacja kosmiczna przy portalu tranzytowym, kiedy przenoszono ich z pojazdu międzygwiezdnego do rakiet z napędem konwencjonalnym, którymi z kolei odbywali drogę w stanie półhibernacji, zanim dotarli do celu.

– Adam Bartold, komandor kapitan klasy A-dwa przechodzi do śluzy powietrznej...

– Skończ nadawanie w paśmie słyszalnym. Możesz chyba przekazywać komunikaty bez zadręczania mnie gadaniem. I bez ciebie wiem, co właśnie robię.

Wściekanie się na komputer nie miało sensu, ale omawianie każdego ruchu pilota było po prostu nieznośne. Adam odetchnął, kiedy monotonny głos wreszcie zamilkł. Zazwyczaj na wahadłowcach nie montowano aż tak sprawnych urządzeń. Dla potrzeb lotów bezpośrednich wystarczał komp standardowy, który miał dość ograniczony słownik. Ten kosmiczny pojazd został najwyraźniej zmodyfikowany na potrzeby wyprawy naukowej. Może oczekiwano, że jakiś członek załogi zechce wykorzystać możliwości maszyny poza atmosferą Zoroastra? Całkiem słusznie, nigdy przecież nie wiadomo, co wpadnie do głowy jajogłowym. Wydatkowanie środków na taki zbytek mogło się opłacić. Zresztą środków niewielkich, gdyż cena nowszej jednostki logicznej nie odbiegała tak bardzo od starszych modeli, przynajmniej dla odbiorcy państwowego, bo dla firm stosowano inne zasady rozliczeń, bardziej zaporowe.

Bartold przeszedł do ciasnej komory śluzy, właz zasunął się, zapłonęło czerwone światło. Mężczyzna stanął przodem do luku prowadzącego na zewnątrz. Od tej chwili mózg jednostki przestał samodzielnie prowadzić procedurę wyjścia. Wszystko, a raczej prawie wszystko zależało od człowieka, komputer wykonywał tylko polecenia. Ich tempo było sprawą wychodzącego, o ile czynił to w granicach rozsądku. Jeśli program uznałby, że czynności zajmują zbyt wiele czasu, zatrzymałby proces i zablokował wyjście, gdyż istniałoby podejrzenie, iż pilot nie jest w pełni sprawny.

– Kontrola szczelności skafandra – powiedział Adam.

Ze ściany wysunęły się giętkie ramiona zakończone miękkimi sondami, zbadały ubiór najpierw z góry na dół, a potem rozbiegły się we wszystkie strony w pozornym chaosie. Za plecami pilota działo się to samo.

– Skafander szczelny – podał mózg.

– Przyjąłem. Kontrola wskaźników osobistych.

Giętkie ramiona znikły, ich miejsce zajęła pojedyncza cieniutka sonda, która wpełzła w płytkę umiejscowioną na lewym przedramieniu. Można było tę operację wykonać drogą radiową, ale procedury zalecały łącze kablowe, aby zupełnie wykluczyć wpływ warunków zewnętrznych.

– Wskaźniki wewnętrzne sprawne. – Sonda zniknęła.

– Przyjąłem. Kontrola wskaźników zewnętrznych.

Tym razem przez dłuższą chwilę nie działo się nic, bowiem komputer zdalnie sprawdzał funkcjonowanie monitoringu.

– Jednostki napędowe.

Z dwóch stron wyskoczyły ramiona podajników z olstrami rakiet, które po chwili zostały przytroczone do pasa, ramion, pleców i butów Adama.

– Kontrola zaczepów sznura.

Następne chwytaki wyłoniły się z podłogi. Jeden wyciągnął linę umiejscowioną w płaskiej puszce na prawym udzie, drugi uczynił to samo z uprzężą po drugiej stronie. Sprawdzenie chwytaka magnetycznego i mechanicznego zajęło ułamek sekundy.

– Wypompowanie powietrza.

Rozległ się szum pracującej sprężarki, który cichł w miarę jak życiodajną mieszankę zastępowała próżnia. Tylko leciutkie drżenie podłogi świadczyło o tym, iż maszyna pracuje.

– Próżnia dziewięćdziesiąt siedem procent – zameldował komputer.

Adam wyciągnął rękę, uderzył palcami w szeroki przycisk otwierający śluzę. Okrągły właz wysunął się najpierw na zewnątrz, a potem w bok. Bartold dostrzegł zwiewną mgiełkę przy otwierającej się krawędzi luku, kiedy resztka powietrza została wyssana w wolną przestrzeń.

– Wychodzę – powiedział. – Wyłącz elektromagnesy.

Ferromagnetyczne wkładki w podeszwach przylegające do podłogi zostały uwolnione, teraz wystarczyło odepchnąć się, żeby wypłynąć przez otwarty na całą szerokość właz.

Tak, odepchnąć się, ale w celu wykonania bezpiecznego manewru należało zachować jak najdalej idącą ostrożność. W warunkach zerowego ciążenia każdy nieostrożny ruch mógł spowodować nieoczekiwane, groźne w skutkach konsekwencje. Gdyby Adam odbił się zbyt mocno, mógłby zawadzić hełmem o krawędź luku, zahaczyć którąś z wystających części kombinezonu o panel umiejscowiony tuż przy wyjściu i sprawić, że pokrywa zaczęłaby się zamykać w chwili wychodzenia. Oczywiście, nad wszystkim czuwał mózg oraz systemy zabezpieczeń, lecz wśród ludzi latających przez wiele lat w dalsze i bliższe trasy krążyły opowieści o nieszczęśliwych zbiegach okoliczności, przez które nieostrożny pilot kończył bądź to przytrzaśnięty pokrywą, bądź uwięziony na zewnątrz statku. Ile w tym było prawdy, nie wiadomo, ale legendy były żywe w umysłach podróżników i działały na wyobraźnię.

Uwięziony na zewnątrz statku... Adam leciutko oderwał się od podłogi, poszybował w kierunku ziejącego czernią luku. Zasadniczo o uwięzieniu zwykło się mówić, kiedy nie można wyjść, a nie wtedy, gdy nie można było wejść do ciasnego wahadłowca, który wobec ogromu kosmosu jawił się jako bardzo malutka cela. Jednak w przestrzeni kosmicznej wiele utrwalonych poglądów i nawyków, zdających się wręcz aksjomatami, bądź to nabierało nowych odcieni, bądź to diametralnie zmieniało znaczenie. Pilot podejrzewał, że opowieści o nieszczęśliwych wypadkach w dużej mierze były fabrykowane i puszczane w obieg przez armatorów, obawiających się, by rutyna nie skłoniła pracowników do zaniechania procedur. Obawa bywa najlepszym lekarstwem na lekkomyślność.

Wypłynął na zewnątrz. Wahadłowiec dzieliło od satelity około trzystu metrów. Komputery obu jednostek ustaliły prędkość, znieruchomiały, przynajmniej pozornie dla układu odniesienia, jaki stanowił człowiek. Adam nastawił koordynaty dla systemu napędowego skafandra na satelitę. Wyświetlacz w hełmie skrzyżował linie w miejscu, gdzie widać było solidną klapę przekaźnika komunikacyjnego. Astronauta już miał zatwierdzić rozkaz uderzeniem palca w przycisk wykonawczy na płytce, kiedy jego wzrok padł na Valhallę. Znieruchomiał, porażony niesamowitym widokiem. W tej chwili dotarło do niego z całą mocą, dlaczego Goransson tak a nie inaczej nazwał planetę. Z powierzchni Zoroastra Bartold jeszcze nie miał okazji jej zobaczyć w całej okazałości, a obraz przekazywany przez kamery statku czy wahadłowca nie oddawał całej prawdy. Valhalla naprawdę mogła kojarzyć się z groźnymi zaświatami. Widoczna z kosmosu część atmosfery gazowego olbrzyma wyglądała rzeczywiście tak, jakby potężni tytani toczyli wojnę gdzieś w tej mgle o różnych odcieniach zieleni, wywołując niewyobrażalne burze i nawałnice. Tyle że w mitologicznej Valhalli bitwy toczyły się w dzień, zaś wieczorami wszyscy zasiadali do uczty. Tutaj nie mogło być o tym mowy. Po ciemnej stronie szalały nieodmiennie te same żywioły. Zresztą prawdziwej ciemnej strony planeta nie posiadała – jaśniała własnym światłem, co było widać doskonale wtedy, gdy znajdowała się dokładnie między Zoroastrem a słońcem. Było to światło mętne i rozproszone, ale jednak Valhalla dostarczała więcej blasku niż ziemski księżyc w pełni. Procesy zachodzące w jej wnętrzu dostarczały także całkiem sporo ciepła obiegającym ją naturalnym satelitom. Przynajmniej tyle, żeby azotowo-metanowo-helowa atmosfera globu, na którym umiejscowiono stację badawczą, pozostawała w stanie w miarę dynamicznym, nie była uśpiona temperaturami bliskimi zera absolutnego. Samo słońce ani jego odbite od Valhalli promieniowanie nie byłoby w stanie ogrzać w ten sposób najbliższej przestrzeni. Nie mówiąc już o gwieździe fioletowej, która zdawała się więcej światła zabierać niż dawać.

Adam otrząsnął się z zapatrzenia. Groźny majestat olbrzyma przykuwał uwagę bez reszty, ale trzeba było wykonać zadanie. Włączył rakietki. Powoli uniosły go w stronę satelity. Kiedy znalazł się kilka metrów od pokrywy zabezpieczającej komunikator, dysze umieszczone na ramionach wyhamowały, ustawiły astronautę precyzyjnie naprzeciwko celu.

– Komodorze Wintermann – powiedział. Mózg pokładowy natychmiast przekazał komunikat do dyspozytorni na Zoroastrze. – Przystępuję do skontrolowania stanu obwodów przekaźnika dalekiego zasięgu. Proszę o pozwolenie zdjęcia pokrywy urządzenia.

Odpowiedź nadeszła dopiero po chwili, jakby człowiek na dole musiał zebrać myśli. Opóźnienie w komunikacji przy odległości orbity wynoszącej pięćset kilometrów wprawdzie istniało, ale wynosiło zaledwie niecałe dwie tysięczne sekundy, było więc praktycznie niezauważalne, zaś Walter zwlekał dobrą chwilę.

– Zezwalam na zdjęcie pokrywy przekaźnika, komandorze Bartold.

– Zrozumiałem.

Adam już wyciągnął rękę, już wysunięty z rękawicy manipulator zakończony głowicą klucza zeroobrotowego dotknął prawie nakrętki, kiedy mężczyzna szarpnął się w tył, widząc odchodzący w bok, ledwie widoczny włos miedzianego drucika. Coś było nie tak. Jednak sama końcówka klucza, mimo gwałtownego ruchu wstecznego, dotknęła mocowania płyty. W tym momencie świat wokół mężczyzny zawirował. Głowica narzędzia zsunęła się wprawdzie ze śruby, ale zahaczyła o wystającą nieco kryzę, zaklinowała się i pociągnęła za sobą pilota. W pierwszej chwili odruchowo szarpnął lewą dłonią ku panelowi dysz skafandra, ale natychmiast zrezygnował. Siła przeciwna do ruchu wirowego satelity mogłaby albo uszkodzić skafander, albo odrzuciłaby Adama od obiektu na tyle mocno, żeby nie był w stanie wrócić do wahadłowca na resztkach paliwa w olstrach odrzutowych. Nie był pewien, czy komputer wahadłowca byłby w stanie samodzielnie wykonać akcję ratunkową. Na pewno gdyby na powierzchni księżyca siedział doświadczony dyspozytor, można by liczyć na pomoc, ale w umiejętności Waltera Bartold musiał wątpić z zasady. Zresztą, w tamtej chwili nie analizował tego wszystkiego, postąpił tak, jak mu nakazywał instynkt – dał się ciągnąć satelicie, jednocześnie uwalniając z uprzęży zaczep magnetyczny, który natychmiast przyssał się do metalowej powierzchni poniżej plastmatowego luku komunikatora. Adam skrócił maksymalnie długość linki, jednocześnie rozglądając się za uchwytem do zamocowania haka drugiego zabezpieczenia. W zasadzie powinien się przypiąć jak najmocniej, zanim jeszcze przystąpił do pracy, takie w każdym razie były zapisy regulaminu. Ale nikt przecież tego nie robił przy nieruchomych obiektach. Po co krępować sobie ruchy i ryzykować zaplątanie się w liny? W szaleńczym pędzie dostrzegł wreszcie wystający nieco z boku pierścień do mocowania zaczepu automatycznego. Był na wyciągnięcie ręki, ale w tym położeniu równie dobrze mógł się znajdować w innej galaktyce. Że też w skafandrze nie zamontowano samodzielnych elektromagnesów albo chociaż zwyczajnych przyssawek! Cóż, odzywała się wszechobecna tutaj oszczędność. W pełni wyposażony kosmiczny ubiór ważyłby dobrych kilkanaście kilogramów więcej, byłby zatem droższy w transporcie. Z drugiej strony, po co wlec tak daleko specjalistyczny sprzęt? Przecież nikt nie przewidywał, że członkowie zespołu będą musieli wychodzić w przestrzeń, a jeśli nawet, to nie dla dokonywania napraw.

– Co się dzieje?! Co tam się dzieje?!

Dopiero w tej chwili Adam zdał sobie sprawę, że dyspozytor nawołuje go od jakiegoś czasu.

– Drobne problemy, komodorze – wycedził. – Ktoś tutaj zastawił bardzo przykrą pułapkę.

Uspokoił oddech, zaczął się rozglądać. Rzeczywiście, pod panelem ogniw słonecznych dostrzegł niepasujący do reszty kształt – zewnętrzną, podwieszaną dyszę średniego ciągu, taką, jakiej zwykło używać się do wspomagania silników sond w warunkach wyjątkowo ekstremalnych. Z całą pewnością z drugiej strony korpusu znajdowało się drugie takie urządzenie, skierowane ciągiem w tę samą stronę. Inaczej satelita nie wpadłby w zawrotny ruch wirowy. Ale i tak stało się to zbyt szybko – dosłownie w ułamku sekundy. W przypadku normalnych dysz trwałoby to o wiele dłużej. Coś tu było na rzeczy. Bartold przyjrzał się urządzeniu: chyba przestało już pracować.

– Jaki mam czas obrotu? – spytał.

– Chwileczkę – doleciał drżący głos Wintermanna, ale od razu padła odpowiedź mózgu pokładowego:

– Jeden na sekundę i dwie setne.

Nieźle. Adam gwizdnął cichutko. Całkiem potężny kop.

– Komandorze Bartold – powiedział Walter bardziej już opanowanym tonem. – Proszę wracać na pokład wahadłowca.

– Zaraz, zaraz. Nie tak prędko.

– Proszę wracać, przecież w tych warunkach dalsze przebywanie w przestrzeni nie ma sensu.

Adam rozejrzał się uważnie. Przed oczami migała mu to sylwetka wahadłowca na tle Zoroastra, to zielona kula Valhalli.

– To nie będzie takie proste – odparł. – Trzeba chwilę pomyśleć. A poza tym nie widzę powodu, komodorze, żebym nie miał wykonać zadania. Chyba wszystkim zależy na uruchomieniu przekaźnika kwantowego?

Przez dłuższy czas panowało milczenie.

– Przecież jest pan tam jak na karuzeli! – zauważył wreszcie Walter.

– Proszę pamiętać, że przez trzydzieści lat pracowałem jako pilot dalekiego zwiadu. Wirówka, zupełnie jak w zamierzchłych czasach, jak najbardziej wchodzi w system szkolenia. Poradzę sobie.

Odetchnął głęboko. Opanowania lęku uczył się na specjalnych sesjach terapeutycznych, lecz nigdy nie dał rady wykorzenić go do końca. I bardzo dobrze, bo ktoś, kto zupełnie się nie boi, o wiele łatwiej popełnia błędy. Ocenił sytuację. Był dość solidnie zakotwiczony za sprawą skróconej do minimum uprzęży magnetycznej oraz zaklinowanego klucza, nie miał jednak pewności, co się stanie, jeśli oderwie rękę od powierzchni satelity. Zerknął jeszcze raz w stronę uchwytu. Stanowczo za daleko. No cóż, trzeba improwizować. Ostrożnie, bardzo powoli uwolnił głowicę klucza, jak najściślej przywierając do powierzchni urządzenia. Udało się, siła odśrodkowa nie oderwała go od wirującej konstrukcji. Teraz należało odkręcić zabezpieczenia. Kiedy wprowadzi szyfr i klapa się odsunie, będzie miał możliwość uchwycić się solidniej. Nałożył głowicę na nakrętkę. Klucz obracał się nieśpiesznie, ukazując wysuwający się, błyszczący gwint. Żeby sięgnąć wyższej nakrętki, Bartold musiał nieco się przesunąć. Ruch spowodował, że odpadł od gładkiej płaszczyzny, zawisł na lince, czy raczej nie tyle zawisł, co siła odśrodkowa oderwała go od wirującej powierzchni, próbując wysłać w przestrzeń. Jednak w jego subiektywnym odczuciu bardziej przypominało to właśnie wiszenie. Zwiększył obroty klucza. Magnetyczny zaczep był niezawodny pod warunkiem, że nie płynął przez niego prąd. A tutaj mogło zdarzyć się wszystko. Dowcipniś, który przygotował niespodziankę w postaci dysz, mógł zastawić także inne pułapki. Kiedy śruby wyszły, Adam wprowadził kod. Klapa zaczęła się odsuwać, a pilot odetchnął z ulgą, natychmiast chwycił za uwolnioną od osłony krawędź. W środku, na szynach, połyskiwały kryształy przekaźnika. Astronauta zaczepił hak drugiej liny tuż przy ich mocowaniu.

– Wyświetl schemat – zażądał.

Natychmiast wewnątrz hełmu rozbłysły najpierw symbole, a potem graficzny obraz przedstawiający strukturę urządzenia. Na pierwszy rzut oka było widać, że coś jest nie tak.

– Części organiczne uległy zniszczeniu, komodorze – poinformował Adam.

– Słucham? – W głosie Wintermanna zabrzmiała nutka paniki.

– Zniszczeniu uległy struktury organiczne przekaźnika – powtórzył pilot. – Część kryształów RNA świeci barwami alarmowymi, zaś reszta w ogóle nie działa.

– Da się coś z tym zrobić?

– Na miejscu z całą pewnością nie. To robota dla inżyniera w warunkach laboratoryjnych i to nie w zwyczajnej bazie.

– Co w takim razie zrobimy?

W innym położeniu Adam wzruszyłby ramionami. Tutaj nie miało to sensu.

– Sprawdzę obwody panelu generatora splątaniowego, wymontuję uszkodzone składniki i wracam.

Na dole znów zapanowała cisza.

– Rozumiem – rozległ się wreszcie głuchy głos. – Proszę przystąpić do pracy.

Bartold podłączył do gniazda centralnego przewód sprzężony z nadajnikiem. Mózg pokładowy wahadłowca wykonał testy w ułamku sekundy.

– Uszkodzone obwody rybonukleinowe – potwierdził diagnozę pilota. – Uszkodzone układy krystaliczne obwodów centralnych generatora splątaniowego.

Adam zabrał się za odkręcanie szyny. Tym razem nie musiał zachowywać się tak ostrożnie, jak w przypadku śrub, poszło więc dość szybko. Zsunął przezroczyste pojemniki, schował je do zasobnika na brzuchu.

– Gotowe, komodorze – oznajmił. – Wracam na pokład wahadłowca.

– Doskonale. Uruchomię procedurę ratowniczą...

– Nie! – Adam prawie krzyknął. Wintermann kazałby komputerowi wahadłowca obliczyć koordynaty, żeby pojazd podszedł bliżej, dostosował ruch do obrotów satelity i przerzucił linę ratowniczą, co nie było najbezpieczniejszym rozwiązaniem w obecnej sytuacji. – Nie. Nie trzeba. – Po chwili pilot uspokoił się na tyle, by wyjaśnić:

– Nie widzę stąd rufy satelity, ale jeśli i tam została zamontowana jakaś niespodzianka, może być wesoło. Musimy przecież założyć, że coś tam jest, prawda?

– Mózg wahadłowca może sprawdzić...

– Jakoś nie sprawdził i nie zameldował, że pod bateriami zamontowano dysze.

– Coś pan sugeruje?

– Nic nie sugeruję. Po prostu maszyna nie jest w stanie po ludzku zinterpretować wszystkiego, co rejestruje. A poza tym, co miałbym niby zrobić z liną ratowniczą? Rzucić się na nią z chyżością małpy i liczyć na szczęście?

– Co zatem pan proponuje? Nie da pan przecież rady precyzyjnie trafić z powrotem do wahadłowca.

Adam spojrzał na przemykający właśnie nad głową mały statek kosmiczny. Długa, smukła sylwetka ze schowanymi w tej chwili skrzydłami wydawała się na wyciągnięcie ręki. Doskonale widział otwarty luk śluzy, wypisane czerwoną farbą oznaczenia jednostki.

– Poradzę sobie.

Zerknął na wskaźniki stanu paliwa w dyszach. Całkiem przyzwoicie – po trzy czwarte ładunku w zasadniczych i pięćdziesiąt procent w manewrowych. Ale próbę miał tylko jedną. W razie gdyby poleciał w przeciwną stronę niż wahadłowiec, mogłoby być różnie.

– Mózg jednostki – powiedział. – Oblicz optymalną trajektorię lotu pilota i najwłaściwszy moment oderwania się od satelity przy wykorzystaniu siły odśrodkowej. Weź pod uwagę dodatkową masę zabranego przed chwilą ładunku. Pozycja pilota następująca, obserwuj. – Chwycił dolną krawędź skrzynki przekaźnika, wyprostował ramiona, pozwalając się ciągnąć satelicie w tej pozycji. – Będziesz odpalał zdalnie silniki dysz osobistych. Dokonaj odpowiednich obliczeń.

– To szaleństwo – odezwał się Wintermann. – Nie lepiej zaryzykować podejście, komandorze?

– Nie lepiej. Proszę na wszelki wypadek przygotować się do wysłania ekipy ratunkowej. Chociaż jeśli poleciałbym z całym impetem w przeciwną stronę niż statek, czarno to widzę.

Z pół minuty trwało, zanim dyspozytor znów się odezwał:

– Zgoda. Niech pan robi swoje.

– Tak jest. Mózg jednostki, przelicz jeszcze raz prędkość obrotu, wylicz trajektorię i czas odpalania silniczków manewrowych skafandra. Na osiemnaście setnych przed sekundą zero dasz mi znak ostrym sygnałem dźwiękowym.

– Na osiemnaście setnych przed sekundą zero – powtórzył komputer.

– Podaj sygnał próbny.

Adam miał już najzupełniej dość tej karuzeli. Gazowy olbrzym zdawał się chwilami zlewać w jedno z wahadłowcem i srebrzystym teraz Zoroastrem.

– Sygnał próbny – oznajmił komputer.

W uszy pilota wdarł się krótki, wysoki wizg.

– Zacznij odliczanie od piętnastu.

– Piętnaście... Czternaście...

Adam odpiął linę od mocowania szyny, poczekał, aż skryła się razem z hakiem w zasobniku.

– Dziesięć... dziewięć...

Magnetyczna przyssawka odskoczyła od korpusu satelity. Adam wyprostował ręce, przymknął oczy, czekając na sygnał.

– Pięć... cztery... trzy... dwa... jeden...

Napiął mięśnie. Wysoki wizg rozległ się niespodziewanie, właśnie o ten ułamek sekundy za wcześnie w stosunku do tego, czego oczekiwał umysł, omamiony rytmem odliczania. Bartold puścił krawędź skrzynki, otworzył oczy. Dysze na udach włączyły się na krótką chwilę, ciało pilota powoli leciało wprost ku wahadłowcowi. Zbyt szybko! I za bardzo do góry!

Nie czekając na decyzję komputera, zablokował zdalne sterowanie, sam włączył dysze pomocnicze na ramionach, dał pełny ciąg. Jednocześnie wystrzelił w kierunku statku linę z końcówką magnetyczną. Zmierzał pozornie wprost do śluzy, wiedział jednak, że przy takiej trajektorii minie ją o włos, uderzy w burtę, odbije się i pofrunie w stronę księżyca. Spłonięcie podczas wejścia w atmosferę było ostatnią rzeczą, o której marzył.

Lina przylgnęła do wahadłowca, w tej samej chwili Adam zaczął ją zwijać. Naprężyła się, zmieniła kierunek lotu mężczyzny. Dał teraz ciąg wsteczny. Szarpnęło nim w tył, potem silniki zamilkły, wskaźniki paliwa wskazywały zero. Zatrzymał się prawie zupełnie, lina bardzo powoli luzowała się, wskazując, że zbliża się jednak do wahadłowca, choć bardzo powoli. W tej sytuacji mógł tylko czekać, korygując lot delikatnymi pociągnięciami. Na szczęście zaczep przylgnął do powierzchni statku tuż obok włazu.

Wpłynął do śluzy, zahaczając ramieniem o jej krawędź. Obróciło go o sto osiemdziesiąt stopni. Widział teraz satelitę wirującego z zawrotną prędkością.

– Komodorze Wintermann – powiedział. – Żądam, aby na powierzchnię Zoroastra sprowadził mnie mózg bazy. Proszę odłączyć możliwość sterowania statkiem przez jego integralną jednostkę.

– Ale...

– Proszę tak zrobić, komodorze! – ryknął Bartold. – Natychmiast i bez dyskusji!

Teraz patrzyli na niego nieco inaczej niż wtedy, kiedy po raz pierwszy wchodził do jadalni. W ich oczach oprócz rezerwy zobaczył coś w rodzaju podziwu. Czekali na niego w piątkę: oczywiście, Walter jako szef i Noel, który pełnił tego dnia rolę oficera dyżurnego. Poza nimi była jeszcze Zoja, gotowa w każdej chwili popędzić do gabinetu udzielić pomocy potrzebującemu, Teresa jako opieka psychologiczna i Sandra. Ta ostatnia, jak ocenił Adam, przyszła tylko i wyłącznie z ciekawości, bo absolutnie nie była potrzebna. Spoglądała to na Wintermanna, to na Bartolda. Adam skinął jej leciutko głową, rewanżując się za tamten uśmiech przy obiedzie. Nie odpowiedziała nawet najmniejszym grymasem, miała zaciśnięte wargi i zmarszczone brwi.

– O co chodzi? – zapytał ostro dowódca. – Dlaczego kazał pan wyłączyć mózg wahadłowca?

Adam spojrzał w zadumie na ekran przekazujący obraz z lądowiska. Nad uskrzydloną teraz rakietą zasuwał się dach podziemnego hangaru.

– Na wszelki wypadek – odpowiedział z namysłem. – Miałem wrażenie, że dzieje się coś niedobrego.

– Wrażenie?! – Walter tym razem rozeźlił się na dobre. – A odkąd to piloci dalekiego zwiadu opierają się na wrażeniach?

– Od zawsze. – Adam zachował spokój. – Przedtem sam pan nie chciał ryzykować, nawoływał mnie do powrotu, a teraz wyrzuca mi nadmiar ostrożności?

– Nie doda pan teraz „komodorze"? – spytał Wintermann zjadliwym tonem.

– Nie jestem na pokładzie statku – Bartold wzruszył ramionami. – Jako pilot nie podlegam już niczyim decyzjom, a pan nie dowodzi więcej niż jedną jednostką.

– Nie do końca chyba to wszystko rozumiem. Te wasze wojskowe skomplikowane procedury...

– To raczej obyczaj niż procedura. Tytuł komodora nadawano w odległej przeszłości oficerom pełniącym funkcje admiralskie wtedy, kiedy chciano dociążyć ich obowiązkami, ale nie wypłacać iście królewskiej gaży. Potem nazywano tak dowódców zgrupowań morskich, a w trakcie eksploracji kosmosu jeszcze rozszerzono ten termin. W przestrzeni każdą bazę czy stację uznajemy za statek floty cywilnej lub wojskowej, a zatem w sytuacji takiej jak dzisiejsza, kiedy był pan odpowiedzialny za dwie jednostki, przysługiwał panu tytuł komodora. Myślałem, że doskonale pan o tym wie.

Walter potrząsnął głową, uśmiechnął się z przymusem.

– Jestem rasowym cywilem, niestety – mruknął. – Proszę w takim razie wybaczyć mój poprzedni sarkazm. Napędził nam pan niezłego stracha.

– Sobie też, proszę mi wierzyć. To nie było najprzyjemniejsze doświadczenie w moim życiu.

– Co tam się właściwie stało?

– Oczekiwałem, że wy mi powiecie. Mieliście przecież dość czasu na analizę materiału.

– Pan też.

Adam spuścił wzrok, wyglądał w tym momencie jak chłopiec przyłapany na psocie.

– Spałem.

Noel wytrzeszczył oczy, spojrzał z niedowierzaniem najpierw na Bartolda, potem powiódł wzrokiem po twarzach pozostałych.

– Spał pan? Po tym wszystkim, w dodatku podczas podchodzenia do lądowania? Przecież musiało trząść jak cholera!

– I pewnie trzęsło – Adam rozłożył ręce. – Ale uznałem, że sen jest najważniejszy. A poza tym mózg pokładowy został przecież zablokowany. Mogłem sobie co najwyżej pograć z nim w szachy albo pooglądać zapis wydarzeń, ale z analizami byłoby już gorzej.

– Faktycznie. – Wintermann westchnął. – Chyba się trochę wygłupiłem.

– Przez uprzejmość nie zaprzeczę – zaśmiał się Adam. Natychmiast spoważniał. – Ktoś grzebał w przekaźniku dalekiego zasięgu – oznajmił, uważnie lustrując twarze obecnych. Wyglądali na co najmniej lekko zszokowanych.

– Jest pan pewien? – spytał Noel. – Może to uszkodzenie spowodowane jakimś spięciem, wzmożonym wiatrem słonecznym, promieniowaniem kosmicznym...

– A może zagnieździł się tam troll ze śrubokrętem? – wpadł mu w słowo Adam. – Osłony były najzupełniej w porządku, testy nie wykazały żadnego zwarcia. No i przecież ktoś zamontował dysze pod panelami energetycznymi, prawda? Ktoś przeprowadził to tak, żeby próba naprawy zakończyła się zupełną porażką, a może nawet śmiercią mechanika.

– Ale kto?

Adam milczał przez dłuższą chwilę.

– Tego, oczywiście, nie wiem, natomiast zdaję sobie sprawę, kto absolutnie i na pewno nie mógł czegoś podobnego dokonać.

– Kogo ma pan na myśli? – spytał Walter.

– Siebie. Jestem chyba jedyną osobą pozostającą poza wszelkim podejrzeniem, a i to tylko dlatego, że po prostu nie było mnie na stacji, kiedy pułapka została zamontowana.

Zapadła cisza. Nagle rozległ się cichy śmiech. Wszyscy spojrzeli z zaskoczeniem na Sandrę.

– Co ci tak wesoło? – spytał ze złością Noel.

– Dwunastu podejrzanych – spoważniała. – Całkiem nieźle.

– Szesnastu – mruknęła Teresa.

– Słucham? – Wintermann zmarszczył brwi.

– Szesnastu – powtórzyła. – Przecież ten numer został przygotowany, kiedy byliśmy w komplecie, prawda? Może któryś z naszych nieboszczyków to zrobił?

Bartold spojrzał czujnie na kobietę. Inteligentna bestia, z refleksem. Jeśli miałaby coś wspólnego z sabotażem, niełatwo byłoby ją rozszyfrować.

– Będziemy musieli porozmawiać na osobności. – Adam popatrzył szefowi placówki prosto w oczy.

– Powinniśmy jak najszybciej zameldować o tym incydencie centrali – Walter pokręcił bezradnie głową. – Ale bez przekaźnika... Konwencjonalny sygnał radiowy do najbliższej placówki mogącej przekazać wiadomość do Układu Głównego będzie szedł ponad rok. Chyba że pan ma na statku jakiś prosty model maszyny splątaniowej. Byłbym gotów poświęcić cenne paliwo i narazić się na szykany ze strony przełożonych...

– Niestety, nie zostałem wyposażony w taki sprzęt. Nie leciałem przecież na daleki zwiad. Tylko wtedy regulaminy wymagają montowania w jednostkach komunikatorów kwantowych.

– Oszczędność? – skrzywił się Noel. – Nie tylko nas tak traktują?

– Nadajniki splątaniowe kosztują potworne pieniądze – kiwnął głową Adam. – Montuje się je tylko w razie konieczności. Ja miałem łatwe zadanie, w razie potrzeby mógłbym po prostu dotrzeć w pobliże jakiegoś portalu, planety czy stacji posiadających komunikatory.

– Ale przy uszkodzonej jednostce... – Boranin zawiesił głos, zanim podjął: – Przecież zawsze trzeba liczyć się z możliwością awarii.

– Każdy, zostając pilotem, musi włączać ryzyko niejako w zakres obowiązków.

Wintermann przysłuchiwał się wymianie zdań z kwaśną miną.

– Niewiele mamy więc z pana pożytku...

Zabrzmiało to bardzo nieprzyjemnie. Teresa chrząknęła, Walter zreflektował się, chciał powiedzieć coś jeszcze, ale Bartold nie czekał na przeprosiny.

– Być może – rzekł zimno. – Ale tak czy inaczej, powinniśmy pogadać.

– A tak przy okazji – odezwał się Noel. – Dlaczego kazał pan nadać sygnał dźwiękowy na osiemnaście setnych przed sekundą zero? I dlaczego właśnie taki pisk, jaki słyszeliśmy? Nie lepiej by było zastosować impuls świetlny?

– Pan nigdy nie latał, prawda? – spytał Adam.

– Nie mam nawet licencji pilota orbitalnego, w życiu nie siedziałem za sterami.

– Na to pytanie odpowie najlepiej albo pani Teresa, albo nasz lekarz. – Komandor wskazał lekkim ruchem brody Zoję.

Noel skierował pytające spojrzenie w stronę kobiet. Popatrzyły na siebie.

– Sygnał dźwiękowy – powiedziała po chwili Teresa – wywołuje szybszą reakcję niż światło.

– Nie rozumiem...

– Nie rozumiesz, bo jesteś ofiarą wąskiej specjalizacji – zirytowała się Zoja. – Wszyscy teraz zajmują się tylko swoją działką, a jak tylko coś wykracza poza ich wykształcenie, gubią się.

– Z tobą jest inaczej?

– Ja w wolnych chwilach przynajmniej coś czytam, a nie oglądam tylko pornosy na przemian z głupimi komediami!

– Dobra, już się tak nie ciskaj, tylko mów, o co chodzi. Albo lepiej niech powie Teresa. Ona jest zazwyczaj bardziej opanowana.

– To zjawisko – podjęła kobieta – o którym uczy się studentów psychologii na samym początku edukacji. Popełniasz powszechnie pokutujący błąd, Noelu, myląc prędkość światła z prędkością dźwięku i ich wpływem na nasze zmysły. Intuicyjnie wydaje się człowiekowi, że światło dociera szybciej do oka niż impuls dźwiękowy do ucha i ujmując to od strony obiektywnych zjawisk fizycznych tak faktycznie jest. Jednak impulsy w obu przypadkach mają do przebycia tak krótką drogę, że można tutaj pominąć ich obiektywną prędkość. A człowiek jest zbudowany tak, że o ile na bodziec świetlny organizm reaguje z opóźnieniem około ćwierć sekundy, o tyle na

dźwiękowy mniej więcej piętnaście do osiemnastu setnych. Jak przypuszczam, nasz pilot zna doskonale możliwości swojego ciała, więc podał optymalny czas nada-
nia sygnału.

Rozdział 3

Valhalla górowała na niebie. W jej intensywnym świetle powierzchnia księżyca robiła niesamowite wrażenie. Zielonkawe lśnienie przepajało powietrze, wydobywając nowe tony z monotonnego krajobrazu. Gazowy olbrzym nie wydawał się teraz tak koszmarnie groźny jak oglądany sponad gęstej, przejrzystej atmosfery, ale i tak prezentował się niesłychanie majestatycznie. Na jego obrzeżach, mglistych i rozmazanych, połyskiwały delikatne perełki gwiazd. Więcej było ich widać nad horyzontem, ale niebo nigdy nie stawało się tutaj zupełnie czarne, więc także ich światełka migały niepewnie, jakby lada chwila miały zgasnąć. Na Zoroastrze nie istniało w ogóle pojęcie ciemności. Świeciła albo centralna gwiazda układu, przy tej odległości osiągająca wielkość sporej monety, albo rozpraszało mrok odległe lecz groźne fioletowe słońce lub właśnie Valhalla. Dość często zdarzało się, że wszystkie trzy ciała niebieskie znajdowały się w zasięgu wzroku. To wtedy powierzchnia księżyca ożywała, minerały pod powierzchnią zaczyna-

– Piękny widok – Adam usłyszał nagle obok siebie miły kobiecy alt.

Nie zauważył, kiedy weszła, nie usłyszał kroków. To ostatnie nie było może takie dziwne, bo wyłożona piankową wykładziną podłoga skutecznie tłumiła dźwięki, ale powinien przecież wyczuć jej obecność. Zbytnio zapatrzył się w urzekający pejzaż.

– Często tutaj przychodzę – powiedziała Sandra. – Nie cierpię tych ciasnych pokoi i korytarzy na dole. W kopule wydaje mi się, jakbym oddychała swobodniej.

– Ma pani klaustrofobię?

– Jestem Sandra – wyciągnęła rękę. – Po prostu Sandra. Spędzimy ze sobą trochę czasu, nie ma chyba większego sensu zachowywać oficjalnych form.

– Adam – odparł odruchowo, uścisnął jej dłoń. Była miękka i ciepła, a zarazem mocna. Sandra oddała uścisk po męsku, zdecydowanie. – Masz klaustrofobię?

– Skąd! – zaśmiała się. – Przecież to by mnie zdyskwalifikowało jako członka zespołu badawczego. Po prostu nie lubię tej dusznej atmosfery. Od czasu śmierci Romy i Edwina oraz zaginięcia Michelangela z Angeliną zrobiło się tutaj nieznośnie.

– Podobno to były wypadki? – rzucił pytanie na przynętę.

– Podobno. Bardzo chcemy w to wierzyć. To znaczy, ja bardzo chcę, bo co do pozostałych nie mam pewności, co naprawdę myślą.

– Ale wiesz chyba, co sądzi twój mąż?

– Och, Martin? – Znów się zaśmiała, tym razem jakby z przymusem. – Od dnia ślubu nie zdołałam go jeszcze rozgryźć. Jest nieuchwytny niczym dym. To wielki mózg, ale, jak każdy geniusz, ma swoje dziwactwa.

Dziwactwa? Adam uśmiechnął się w duchu. Ten gość wyglądał jak jedno wielkie dziwactwo. Jak tych dwoje w ogóle się dogadywało?

– Jak to w zasadzie było z tymi zgonami i zaginięciami? – spytał.

Sandra drgnęła, otworzyła usta, żeby coś powiedzieć, ale w tej chwili rozległ się głos Wintermanna:

– Komandor Bartold jest proszony do prywatnej kwatery dowódcy.

– Będzie jeszcze okazja pogadać – rzucił Adam, zmierzając do wyjścia.

– Zaczekaj – zatrzymała go. Odwrócił się, patrząc badawczo. – Wiesz... Nie wszystko tutaj wygląda tak, jak się na pierwszy rzut oka wydaje – powiedziała cicho. – Warto o tym pamiętać.

– Jak wszędzie, Sandro, jak wszędzie. Po prostu cały świat nie jest taki, jak nam się wydaje.

– Ani ludzie – dodała ze śmiertelną powagą.

– Oni przede wszystkim.

Elza wyszła natychmiast, kiedy tylko Adam przekroczył próg.

– Nie będę panom przeszkadzać – oznajmiła. – Zresztą i tak muszę zajrzeć do laboratorium. Wczoraj włączyłam wirówkę, może pojawiło się już coś ciekawego.

Bartold usiadł na tym samym fotelu, co poprzednio, Walter przysunął się ze swoim.

– Chciał pan ze mną porozmawiać – powiedział, z trudem ukrywając niechęć.

– Chciałem, profesorze.

Wintermann skinął głową, splótł ręce na piersi i zaczął kręcić palcami młynka. Co jakiś czas kciuki zahaczały o siebie, dając świadectwo, że pod pozornie spokojną fizjonomią szaleje burza. Zupełnie jak na Valhalli, pomyślał Adam. Tam też górne warstwy atmosfery układają się w rozmaite wzory, przepływają powoli, przekształcają się niby to nieśpiesznie, ale każdym nerwem czuje się, że to tylko niewinna manifestacja niewyobrażalnie potężnych zjawisk zachodzących pod powłoką planety.

– Słucham – Walter przerwał przeciągające się milczenie. – Co ma pan do powiedzenia?

– Ja? – Bartold zmrużył oczy. – To pan raczej powinien mi coś wyjaśnić.

– Nie rozumiem.

– Nie dalej jak cztery godziny temu o mały włos byłbym zginął. Co tutaj się wyprawia?

– Pan przyszedł mnie przesłuchiwać? – Wintermann zacisnął szczęki, przez co jego głos stał się syczący i nieprzyjemny. – Nie ma pan prawa. Jedyną osobą, której cokolwiek mogę powiedzieć, jest śledczy przysłany przez rząd federacji.

– Ale nie przeczy pan, że coś się dzieje?

– Nie będę udawał idioty, komandorze. Zaprzeczanie oczywistościom nie jest godne prawdziwego naukowca.

– Przynajmniej tyle – mruknął Adam. – Przedtem mówił pan, że ma nadzieję, iż śmierć członków zespołu była ciągiem nieszczęśliwych przypadków. Teraz pozbył się pan chyba złudzeń?

– To znaczy?

– A jednak zaczyna pan udawać idiotę, profesorze – rzekł ostro Adam. – Wie pan doskonale, co mam na myśli. Sabotaż.

– Niech będzie. A kto niby miałby tego sabotażu dokonać?

– Ktoś, kto miał swobodny dostęp do satelity.

– To znaczy, piloci. Ale oni nie żyją. Jeśli dokonali przestępstwa, nie odpowiedzą już przed sądem.

– Najpierw należałoby udowodnić, że to rzeczywiście ktoś z nich. – Adam wziął ze stolika butelkę z wodą, nalał do kubka i uniósł go do ust. Podchwycił uważne spojrzenie rozmówcy. Wintermann ewidentnie sprawdzał, czy pilotowi po ostatnich przeżyciach drży ręka.

– Co pan przez to rozumie?

– Nic więcej niż powiedziałem.

– Zachowuje się pan co najmniej dziwnie. – Walter z rozczarowaniem odwrócił wzrok. Adam miał ręce najzupełniej spokojne. – Prosi pan o rozmowę, a potem unika odpowiedzi.

– Trudno udzielić wyjaśnień w kwestiach, o których nie ma się pojęcia. Im mniej człowiek wie, tym więcej wariantów możliwych wydarzeń powinien brać pod uwagę.

– Pan się szykuje do przeprowadzenia śledztwa? – Wintermann uniósł brwi. – Ostrzegam, że nie pozwolę postronnej, nieuprawnionej osobie grzebać w naszych sprawach.

– Przydałoby się z pewnością małe dochodzenie. – Bartold odstawił kubek. – Ale nie o tym chciałem rozmawiać.

– Och, czyżby wreszcie zdecydował się pan wyjawić, dlaczego tak nalegał na tę rozmowę?

– Niepotrzebny sarkazm, profesorze. Zupełnie nie-potrzebny. Powiem tylko jedno zdanie, a pan niech się dobrze zastanowi, zanim zacznie protestować.

– Słucham zatem.

– Profesorze Wintermann. – Adam odchrząknął lek-ko. – Musi pan wiedzieć, że ktoś przeprogramował mózg pokładowy wahadłowca.

– Przeprogramował?!

– Bardzo delikatnie, rzekłbym, finezyjnie, ale nie mam co do tego najmniejszych wątpliwości. W zasadzie „przeprogramować" to złe słowo. Ingerował w jego dzia-łanie na najniższych poziomach.

– Może pan powiedzieć, co ma dokładnie na myśli?

– Oczywiście. Komputer popełnił błąd. Pozornie bar-dzo drobny, wręcz niezauważalny, ale dla doświadczone-go pilota znamienny. Kiedy oderwałem się od wirujące-go satelity, silniki skafandra odpaliły, skierowały mnie w stronę wahadłowca, ale zbyt niedokładnie.

– Przecież wszedł pan do śluzy – Walter uczynił nie-określony ruch rękami.

– Ale pan lub ktoś inny z załogi już by nie wszedł, bę-dąc na moim miejscu.

– Co mam przez to rozumieć?

– Że tylko doświadczenie pozwoliło mi dostać się do wahadłowca bez większych komplikacji. Wiele razy by-łem w przestrzeni, człowiek uczy się tam wyczuwać różne rzeczy. Na przykład obliczać intuicyjnie trajektorię lotu. Ale, szczerze mówiąc, gdybym już wtedy nie był nastawio-ny nieufnie, mógłbym nie zauważyć tego drobnego błędu.

– Wtedy statek podążyłby za panem. Sterowałby nim mózg bazy.

– Może i tak. Jednak po pierwsze, zmierzałbym z dość dużą prędkością w stronę powierzchni Zoroastra, więc akcja ratunkowa mogłaby się nie udać, a po drugie, w próżni i w stanie nieważkości łatwo o wypadek. Poza tym, wydaje mi się, że ten, kto dokonał sabotażu, nie miał na celu li tylko uśmiercenia tego, kto wyszedł w przestrzeń. Liczył się z zupełnie innym rozwojem wypadków.

– Mówi pan zagadkami.

– Bo to dla mnie też jest pewnego rodzaju zagadka. Kto sponsoruje tę wyprawę?

Wintermann wzruszył ramionami, wydął lekko wargi.

– Co za pytanie, rząd oczywiście.

– Profesorze, bądźmy poważni – w głosie Adama zabrzmiała pobłażliwość, ale też pewna irytacja. – Przecież obaj doskonale wiemy, że rząd centralny nie posiada dość własnych środków na takie cele. Zbyt wiele funduszy pochłania utrzymanie kolonii w promieniu tysiąca lat świetlnych, produkcja generatorów grawitacyjnych czy komunikatorów kwantowych. Rząd, owszem, firmuje podobne przedsięwzięcia, sprawuje nad nimi coś, co można nazwać patronatem. Jasne, formalnie jest zwierzchnikiem, ale...

– Co „ale"?

Bartold westchnął ciężko.

– Które konsorcjum wyłożyło pieniądze na założenie stacji badawczej w takim zasranym miejscu?

– Gdyby nawet było tak, jak pan mówi, nie mógłbym ujawnić informacji stanowiącej tajemnicę handlową, zdaje sobie pan z tego sprawę.

– Nawet w takiej sytuacji?

– Nawet. Jedynym uprawnionym do zadawania podobnych pytań byłby oddelegowany przez rząd urzędnik. Ale on z kolei wiedziałby doskonale, jaki jest stan rzeczy.

– Oczywiście, aczkolwiek niekoniecznie. Konsorcja i holdingi to twardy orzech do zgryzienia dla sił federalnych. Niemniej fakt pozostaje faktem, że w komputerze pokładowym ktoś grzebał. Przecież doskonale zdaje pan sobie sprawę, że podczas powrotu wcale nie spałem, lecz sprawdzałem historię zapisów.

– I co?

– I, jak łatwo się domyślić, nic.

– Ten tajemniczy ktoś nie zostawił śladów?

– Profesorze – Adam skrzywił się z niechęcią. – Po co zadaje pan pytanie, na które zna odpowiedź?

– To jeden z takich ludzkich odruchów, o które niezwykle często nie posądza się naukowców.

– Nie, nie zauważyłem żadnych śladów. Ale to niewiele znaczy. Komputer wahadłowca to jednostka konwencjonalna, oparta na zwyczajnym taktowaniu subatomowym.

– Nie znam się na tym. – Teraz Walter z kolei wykrzywił wargi.

– W warunkach pracy w kosmosie na bliskich dystansach to rozwiązanie idealne, ale niedoskonałe – wyjaśnił Adam. – Wprawdzie takie urządzenie posiada wielką odporność na uszkodzenia mechaniczne czy promieniowanie, ale stosunkowo łatwo je rozprogramować, jeśli się zapuścić w nieodpowiednie rejony. Tutejszy mózg, na którym opiera się funkcjonowanie bazy, to hybryda. Oprócz obwodów zarządzających pracą strun, jego oprogramowaniem zarządzają kody kwasów nukleinowych. Poza tym ma podwójne albo nawet potrójne systemy zabezpieczeń.

– Sporo pan o tym wie – zauważył cierpko szef zespołu. – Byłby pan doskonałym kandydatem na sabotażystę.

– Oczywiście, gdybym znajdował się w tym rejonie, kiedy to wszystko się zaczęło.

– Nie wiemy jeszcze, czy się zaczęło. Czy jest pan pewien na sto procent, że to mózg wahadłowca popełnił błąd, a nie pan? Na przykład mógł pan zwyczajnie spanikować. To by było zupełnie naturalne.

Adam nie odpowiedział. Patrzył bez ruchu w twarz rozmówcy. Tamten odpowiedział twardym spojrzeniem. Przez chwilę mierzyli się wzrokiem, wreszcie Bartold doszedł do wniosku, że to nie ma sensu.

– Dziękuję za rozmowę. – Wstał ciężko. Grawitacja dawała o sobie znać. Grawitacja i zmęczenie. – Muszę jeszcze podejść do doktor Sarkissian.

– Źle się pan czuje?

– Badania. Rutynowa kontrola.

– Przecież badała pana tuż po powrocie.

– Zgadza się. Ale po kilku godzinach trzeba wykonać powtórne analizy.

Wintermann również wstał.

– O siedemnastej mamy odprawę, potem kolacja. Na odprawę nie zapraszam, ale na kolację jak najbardziej.

Kiedy drzwi rozsunęły się, Adam ujrzał Martina Gauta, który zamarł z ręką zawieszoną nad przyciskiem otwierającym.

– Nie przeszkadzam? – spytał.

– Właśnie wychodzę – Adam kiwnął głową.

Gaut poczekał, aż pilot wyjdzie, zanim wszedł do kwatery dowódcy.

– Mówiłem, że trzynastka przynosi pecha – mruknął, nie wiadomo, czy do siebie czy do Bartolda.

Była nijaka, tak nijaka, że ogarniały mdłości. Nawet głos miała nudny. O takich osobach zwykło się czasem mówić, że są podobne zupełnie do nikogo. Nie chodziło o urodę czy pospolitość rysów. Tak jak komandor zauważył już przy stole, Zoja Sarkissian miała najzupełniej puste oczy. Kiedy do tego dołączyła profesjonalny dystans, wydała się kimś odległym o setki tysięcy kilometrów. Unikała kontaktu wzrokowego, nie zamierzała nawiązywać żadnych, nawet najprostszych relacji z drugą osobą. Jak ktoś taki mógł w ogóle przejść przez sito selekcji? Chyba że zrobiła się taka dopiero na miejscu. Ale wówczas powinni ją odesłać... No tak, ale razem z mężem. Przepisy w tym względzie były jasne – jeśli jeden małżonek z jakichś względów nie mógł się dostosować do warunków, odsyłano oboje. Dlatego bardzo często zespoły ukrywały nieprawidłowości. Było to jak najbardziej zrozumiałe, bo przecież dla ogromnej większości tych ludzi wyprawa w głąb kosmosu stanowiła realizację dziecięcych marzeń. Marzeń, którym nierzadko podporządkowywali całe swoje życie. Dawniej selekcja była o wiele ostrzejsza, kandydatów poddawano wszechstronnym badaniom, testowano ich wytrzymałość na stres, zarówno krótkotrwały, jak i permanentny, wywracano osobowość na lewą stronę. Jednak w miarę upływu czasu władze musiały nieco złagodzić tak restrykcyjne podejście. Ludzkość zamieszkująca w rejonie Układu Głównego zaczęła rozpuszczać się w dobrobycie po opanowaniu nowych światów, ochotnicy pochodzili zatem głównie z kolonii, w których warunki życia i sposób kształcenia nierzadko pozostawiały wiele do życzenia. Chętnych do podejmowania ryzykownych wypraw zatem może nie tyle brakowało, nie było ich zauważalnie mniej, ile stanowili z reguły mniej wartościowy materiał ludzki niż niegdyś. Pojawiły się nawet głosy, że wystarczy już tej ekspansji, że należy zadowolić się tym, co zdołano uzyskać, czerpać garściami z zajętych światów, zanim znów podejmie się dalekie wędrówki. Tych, którzy mówili o konieczności postępu, o ciągłym rozwoju, było o wiele mniej niż jeszcze przed dwudziestu, trzydziestu laty. W Układzie Głównym, pępku ludzkiego wszechświata, wyrastały pokolenia hedonistów, którym obojętny był los pobratymców w koloniach.

– Co pani myśli o spiagotach? – spytał Adam, żeby rozproszyć ciężką ciszę, zakłócaną jedynie szumem pracującego medmatu.

– Nie wiem, co myślę – odpowiedziała sucho, nie odwracając oczu od czytnika, który holograficzną kolumną obracał się nad biurkiem, ukazując wskazania kolejnych przyrządów. Równie dobrze mogłaby rozwinąć ekran w panoramę i mieć wgląd w całość, ale widać z jakiegoś powodu preferowała taki wyrywkowy system pracy. – Spiagotami zajmują się Noel z żoną, Martin i, oczywiście, Walter. Mnie podsyłają czasem tylko jakieś próbki do analiz i to wszystko. Mam dość innej pracy.

– Ale jakieś zdanie na pewno pani ma. Skąd na tym globie wzięły się tak potężne istoty? Przecież poza nimi nie ma tutaj zwierząt przekraczających rozmiarami średniej wielkości rybę albo okazałego kraba. Nie dziwi to pani?

– Powiedzmy, że z początku dziwiło – wzruszyła lekko ramionami, nadal patrząc uważnie na odczyty. – Ale po jakimś czasie przestałam się nad tym zastanawiać. Są to są, widać tak tutaj przebiegła ewolucja. Może dawniej ten świat był zamieszkany przez jeszcze inne istoty? Noel wspominał, że kilkaset tysięcy lat temu mogła tutaj nastąpić katastrofa kosmiczna, coś, co sprawiło, że inne duże zwierzęta wymarły, a przetrwały tylko te obrzydliwe kolosy.

– Obrzydliwe? – Adam uniósł lekko głowę.

– Proszę leżeć spokojnie – upomniała go. – Tak, uważam, że są obrzydliwe. Te ich wszystkie wypustki są takie ruchliwe i tak ich pełno.

Lekarz nie powinien mieć tego typu fobii, pomyślał Adam. Wszyscy, tylko nie lekarz. W końcu medycyna to grzebanie się we wnętrzu ciała, które nie prezentuje się w większości rejonów zbyt atrakcyjnie. Ale może to tylko taka wybiórcza obawa, może Zoja w istocie rzeczy jest znakomitym fachowcem? A to przecież najważniejsze. Cała załoga nie musi fascynować się miejscową florą i fauną.

– A czy nie zastanawia się pani, jak to możliwe, że takie wielkie stworzenie w warunkach stosunkowo silnej grawitacji porusza się zadziwiająco sprawnie?

– To równie zagadkowe jak fakt, że życie zaczęło się w oparciu o metan, a planeta wypełniona tym gazem jeszcze nie eksplodowała, choć przecież są tutaj i wyładowania elektryczne, i my sami używamy sprzętu powodującego liczne ogniska zapłonu.

– A mnie się zdaje, że jednak bardziej. – Adam uśmiechnął się do swojego odbicia w lustrze podwieszonym przy suficie. – Ewolucję czy katastrofę można sobie jakoś wytłumaczyć, zaś stabilność atmosfery złożonej w sporym stopniu z metanu nie jest niczym nieoczekiwanym. Chodzi po prostu o brak tlenu przy wysokiej w dodatku zawartości szlachetnego, obojętnego helu. Metan robi się silnie wybuchowy tylko w przypadku powstania mieszanki nasyconej tlenem w określonych proporcjach, prawda? A tutaj tlenu w wolnej postaci prawie nie ma. Ale jak to się dzieje, że kilkudziesięciotonowe zwierzę bez najmniejszego wysiłku utrzymuje się w powietrzu?

– Zadziwiające byłoby, gdybyśmy natrafili na ślady innej cywilizacji, panie Bartold – powiedziała z niezrozumiałą złością. – A to jeszcze nigdy się nie zdarzyło. Spiagot to tylko zwierzę. Zwyczajny, bezmyślny stwór, który żyje nie wiadomo po co.

Adam nie odpowiedział. Wybuch lekarki był zaskakujący, jednak nie mniej zadziwiający niż to, co się tutaj w ogóle działo. Pilot znów spojrzał w lustro. Był zupełnie nagi. Widział swoje nogi, szczupłe, ale umięśnione. Podczas podróży kosmicznej ważne były ćwiczenia fizyczne, więc i tors miał dość potężny, i ramiona. Tylko z brzucha mogłoby zniknąć kilka zbędnych fałdek, zanim zacznie się go czepiać komisja lekarska. Twarz... Prawdę mówiąc, odzwyczaił się trochę od własnej twarzy. Zazwyczaj unikał patrzenia w lustro, a jeśli już to robił, na przykład poprawiając włosy, starał się nie przyglądać sobie zbyt uważnie. Właśnie, włosy... Jeszcze kilka lat temu miał

na głowie prawdziwą burzę jasnych kosmyków, musiał
je strzyc regularnie raz w miesiącu, nie rzadziej. Teraz
były krótko przycięte, nie tak już gęste i puszyste. Człowiek zasadniczo starzeje się skokowo, tak jak i najczęściej
rozwija się nagłymi zrywami. Małe dziecko nagle zaczyna wstawać, sprawnie mówić, potrafi zaskoczyć rodziców
gotowością robienia siusiu do nocnika. Nawet jeśli doro-
słym wydaje się, że te zmiany mają charakter dość płynny,
sprawności nabywane są i przyswajane jakby znienacka.
Ze starością jest podobnie. Oczywiście, Adam ze swoimi
pięćdziesięcioma czterema latami miał przed sobą jeszcze kawał życia, ale dostrzegał już oznaki upływającego
czasu. Może właśnie dlatego nie lubił luster. A może po
prostu nie potrzebował się przeglądać? Tak zwyczajnie,
bez istotnych przyczyn. Z drugiej strony, nic w człowieku nie dzieje się bez powodu. Może ktoś z zewnątrz potrafiłby powiedzieć, dlaczego Bartold ma do tej sprawy
taki a nie inny stosunek. Sam nie wiedział, a poza tym
nie miał ochoty się nad tym zastanawiać. Ten feblik zupełnie nie przeszkadzał mu w funkcjonowaniu. Ale teraz,
chociażby z nudów, śledził swoje odbicie. Jasne włosy, jasna skóra na policzkach, wysunięta lekko do przodu zde-
cydowana szczęka, wydatny nos i niedopasowane oczy:
nieoczekiwanie dla napotkanych po raz pierwszy osób,
dziwnie ciemne przy takim typie urody. Nie brązowe,
czarne, zielone czy orzechowe. W odcieniu bardzo inten-
sywnego, głębokiego szafiru. W pierwszej chwili mogły
przypominać barwą węgiel, ale szybko dawało się zauważyć błękitne odblaski. Wokół oczu utworzyła się siateczka
drobnych zmarszczek. Były to nie tylko charakterystyczne dla wieku kurze łapki, ale zniekształcenia spowodo-

wane mrużeniem oczu podczas długotrwałej obserwacji ekranów i wskazań przyrządów w czasie różnorakich, wymagających ciągłej czujności misji. Niby hologramy były przyjazne dla wzroku, ich światło doskonale filtrowane, ale człowiek i tak odruchowo przymykał powieki podczas długiego wpatrywania się w obrazy i odczyty.

– Łatwiej by się żyło, gdybyśmy zostali wyposażeni w zmysł radiowy – powiedział nagle.

– Nie rozumiem, co ma pan na myśli.

– Przepraszam, głośno myślałem. Chodzi mi o to, że pracowalibyśmy o wiele sprawniej, gdyby nasz mózg potrafił odbierać i przetwarzać nie tylko dźwięki i obrazy, ale także informacje w innych widmach promieniowania elektromagnetycznego. Gdybyśmy mogli komunikować się jak komputer, który łączy się z innym komputerem, w ułamku sekundy pobierając pakiet informacji.

– Ach, pan o tym – pokiwała głową z lekkim politowaniem. – Cóż, to marzenie wielu ludzi. Prowadzono przecież nawet eksperymenty z wszczepianiem odbiorników wprost do mózgu, opatentowano kilka rozwiązań, ale nie bardzo się to sprawdziło w zderzeniu z normalnym życiem. Z tego, co wiem, chyba tylko robotnicy i inżynierowie budujący portale korzystają z tej techniki. Tam to jest konieczne. Ale płacą za to straszliwą cenę.

– Wiem, wiem. Jako istoty żywe, aby zachować równowagę psychofizyczną, jesteśmy skazani na stary świat zmysłów. Nadmiar informacji prowadzi do śmierci albo co najmniej ciężkiego autyzmu. Ale może kiedyś się uda rozwiązać ten problem.

– Może. Ale czy będziemy wtedy nadal ludźmi? Czy w ogóle warto?

Była bystra. Owszem, nijaka, chwilami wręcz odpychająca, ale na pewno bystra. I, wbrew pozorom, nie miała wszystkiego dokładnie gdzieś. W ostatniej jej wypowiedzi zabrzmiała prawdziwa pasja.

– Nie wiem, czy warto, pani Zoju, ale pomarzyć przecież wolno.

– Tak, wolno. – Tym razem wyczuł w jej głosie coś na kształt uśmiechu, który zaraz potem zamienił się w przygnębienie. – Żeby tylko te marzenia nie okazały się początkiem końca.

Drgnął. To zdanie mocno go zaniepokoiło.

– Coś się stało? – spytała natychmiast. – Przyśpieszyła akcja serca, wzrosło ciśnienie.

– Nie, nic takiego – odetchnął głęboko. – Przypomniałem sobie po prostu, jak dzisiaj byłem bliski końca właśnie. Czasem brzmienie słów potrafi człowieka wytrącić z równowagi, nawet jeśli na pozór są neutralne. Nigdy nie wiadomo, co wprawi w drgania tę czy tamtą strunę duszy.

– Dlatego prosiłam, żeby podczas testów zachować milczenie – powiedziała ze źle ukrywaną złością. – A pan wciąga mnie w pogaduszki.

– To chyba naturalne, że kiedy jest się obcym, pragnie się dowiedzieć czegoś więcej o miejscu, w którym przyjdzie mu spędzić trochę czasu.

– Ale może nie podczas badania lekarskiego, co?

Do pokoju wrócił pół godziny później. Senność, która ogarnęła go podczas ostatnich testów, zniknęła. Życie w bazie toczyło się według rytmu dwudziestoczterogodzinnego. O dwudziestej drugiej przygasały światła w korytarzu, pół godziny później paliły się tylko słabe lampki pod sufitem. Były dość jasne, żeby można było sprawnie się poruszać, ale nie zakłócały poczucia, iż oto zapanowała noc. O piątej trzydzieści włączało się jaśniejsze oświetlenie, około szóstej działało już w widmie zbliżonym do zwykłych promieni gwiazdy typu słonecznego. Przez cały dzień zmieniało się lekko, dając ludziom znać, iż upływa czas. Przed wieczorem stawało się nawet lekko czerwonawe, z ciepłymi odblaskami. Człowiek kolonizował kosmos, a jednak stare, zapisane w łańcuchach DNA przyzwyczajenia wciąż istniały. Rytm dobowy był jedną z podstaw zapewnienia zdrowia psychicznego. Ludzie muszą żyć w określonych ramach, niezbyt odbiegających od tego, do czego przywykli przez setki tysięcy lat. Oczywiście, prace zespołu musiały być zgrane z tym, co się działo na zewnątrz, stąd liczne „nocne" dyżury według grafiku wyświetlonego na ekranie w mesie. Valhalla obiegała Thora w ciągu ośmiuset pięćdziesięciu dni standardowych, zaś Zoroaster okrążał gazowego olbrzyma raz na osiemdziesiąt dwie godziny, obracając się przy tym wokół własnej osi w tempie trzydziestu sześciu godzin. Promień satelity stanowił niecałe osiemdziesiąt dziewięć procent promienia Ziemi, lecz księżyc masę miał trzy razy większą. Przez dwadzieścia godzin znajdował się w cieniu Valhalli, wówczas było najspokojniej, badania na zewnątrz nie wiązały się z zagrożeniem sejsmicznym. Ale podczas podróży w promieniach Thora, kiedy dołączał do kompletu blask Fenrira i oddziaływanie olbrzyma, grunt zaczynał się dosłownie gotować. Amortyzatory grawitacyjne bazy, jak przypuszczał Adam, były najsolidniej wykonanym jej elementem, a zarazem niewątpliwie najdroższym. Oszczędzać można na różnych rzeczach, ale w tym przypadku skąpstwo dotyczące systemów bezpieczeństwa skończyłoby się smutno: dla ludzi zamkniętych w stacji śmiercią, a dla wykładających środki na wyprawę dodatkowymi, kolosalnymi kosztami.

Bartold spojrzał na zegar. Siedemnasta. Wszyscy członkowie załogi udali się na odprawę, która mogła przeciągnąć się znacznie z uwagi na ostatnie wydarzenia. Adam zastanawiał się, czy Wintermann opowie innym o tym, co usłyszał od pilota, czy nie będzie chciał siać niepokoju. Powinien coś chociaż napomknąć. Ale, z drugiej strony, mogłoby to skłonić ewentualnego sabotażystę do gwałtownych działań, wykorzystania czasu, zanim na Zoroastra zdoła dotrzeć oficer śledczy. Adam nie zazdrościł Walterowi. Z całą pewnością profesor nie mógł być mentalnie przygotowany na taki rozwój wydarzeń. Na ogół taki dowódca stacji zajmuje się swoją działką, a władza przydaje mu się jedynie okazjonalnie, żeby poskromić narastające nieuchronnie z czasem wybuchy złości i animozje podwładnych. Tutaj nieszczęśnik został rzucony na szerokie wody, miał problem ze śmiercią czterech członków załogi, a teraz pozbawiono go nawet możliwości kontaktu ze zwierzchnikami.

Bartold rozprostował ramiona. Grawitacja dawała mu trochę w kość. Niby na terenie bazy była tylko o połowę większa od normalnej, niby organizm pilota powinien znosić ją dość łatwo, a jednak mięśnie zaczynały boleć. Po kosmicznej podróży aklimatyzacja musiała trochę potrwać.

Usiadł w fotelu. Kajuta gościnna urządzona została jeszcze skromniej niż pozostałe pomieszczenia mieszkalne, wyposażenie stanowiło wąskie łóżko z pasami bezpieczeństwa, niewielki stolik, fotel i krzesło. W jednym kącie widniał panel łączności wewnętrznej i holowizora, w drugi wciśnięto miniaturową umywalkę. Ubikacja na szczęście była na miejscu, wprawdzie wielkości plakietki identyfikacyjnej – kolana wystawały z niej chyba na jedną czwartą pokoju – ale lepsze to niż chodzić gdzieś na koniec korytarza.

Adam uniósł trójwymiarowy schemat stacji, zerknął z boku na świetliste linie hologramu. Placówka składała się z pięciu poziomów. Na najwyższym, wystając częściowo nad powierzchnię gruntu, znajdowało się obserwatorium astronomiczne na jednym końcu, a kopuła tarasu widokowego na drugim. Między tymi dwoma obiektami umiejscowiono śluzy – numer jeden w pobliżu obserwatorium, zaś numer dwa obok platformy widokowej. Z kolei wyjścia dodatkowe, ewakuacyjne, wysunięte zostały po około pięćdziesiąt metrów poza granice wyznaczone przez te cztery punkty. Pośrodku widniała kolista płaszczyzna lądowiska, do którego przylegał wkopany w ziemię hangar, zabezpieczony od góry stosunkowo lekką, ale niezwykle mocną płytą kompozytową. Z boku wyglądało to jakby obiekty leżały w linii prostej, ale kiedy Adam przesunął schemat i spojrzał z góry, mógł zobaczyć, że środek ciężkości stanowiło lądowisko, ale śluzę numer dwa zbudowano nieco po lewej, zaś jeszcze bardziej w lewo umiejscowiono taras widokowy. Z drugiej strony stacji śluza numer jeden została zbudowana także w lewo od osi symetrii, ale obserwatorium astronomiczne

wysunięto już znacznie w prawo. Miało to swoje uzasad-
nienie – gdyby umieścić je bliżej i bardziej przy linii środ-
kowej, pozostałe obiekty mogłyby utrudniać obserwację
nieba, szczególnie nad samym horyzontem. Wyjścia ewa-
kuacyjnie natomiast leżały na jednej osi z lądowiskiem.

Pierwszy poziom znajdował się na głębokości dziesięciu metrów. W zasadzie nazywanie go poziomem byłoby
pewnym nadużyciem, ale tak został oznaczony. To był po
prostu długi korytarz łączący śluzy numer jeden i dwa,
od którego odchodziły rozgałęzienia do przejść ewakua-
cyjnych, a także do szybu windy oraz stromych schodów
prowadzących do hangaru. W razie nieprzewidzianych
okoliczności można było dostać się tędy wprost do pojazdów, bez konieczności odwiedzania niższych poziomów
albo wychodzenia na powierzchnię.

Siedem metrów poniżej znajdowała się prawdziwa
stacja badawcza, a właściwie jej część mieszkalna. Tutaj
biegł po prostu korytarz z drzwiami po obu stronach.
Pokój gościnny, w którym umieszczono Adama, znajdował się na końcu, jeśli spojrzeć na schemat od góry.
Naprzeciwko zlokalizowano drugie bliźniacze pomieszczenie rezerwowe. Przez ścianę Bartold sąsiadował z Zoją
i Grigorijem, dalej mieszkali Vlad i Teresa, następnie
była pusta kwatera pilotów Michelangela i Romy Gennare, a za nimi rozlokowali się Martin i Sandra.

Po drugiej stronie korytarza obok pokoju gościnne-
go kwatera była pusta, przedtem mieszkali w niej Edwin
i Angelina Corrais. W następnej prowadzili wspólne życie Alicja z Noelem, następnie Robert Sorensen z Marie Maguire-Sorensen, a na końcu, naprzeciwko Gautów
znajdowało się mieszkanie Waltera i Elzy.

Poziom niżej można było znaleźć znacznie dłuższy korytarz z drzwiami prowadzącymi do pomieszczeń użytkowych i pracowni. Na skraju linii wyznaczonej przez kopułę obserwatorium, po prawej stronie znajdowała się mesa, potem gabinet lekarski, główna dyspozytornia, laboratorium fizyków, pracownia chemiczna. Po lewej umieszczono gabinet astronomów, laboratorium mechaniki grawitacyjnej, pracownię biologiczną, a na samym końcu gabinet terapeutyczny, królestwo Teresy Harding.

Ostatnie piętro, najbardziej rozległe, znajdowało się na głębokości czterdziestu pięciu metrów. Poziom techniczny. Tutaj korytarz był jeszcze dłuższy. Z prawej jego strony zbudowano całkiem spory schron z dyspozytornią zapasową, zaś po lewej stosunkowo duże pomieszczenie zajmowała bateria generatorów grawitacyjnych, zasilających amortyzatory ciążenia i utrzymujących znośny jego poziom na terenie obiektu. Za nimi znajdowały się maszyny systemu podtrzymywania życia. Za schronem znalazły swoje miejsce magazyny żywności oraz wszelakiego sprzętu. Po tej też stronie, na samym końcu, umiejscowiono reaktor zimnofuzyjny. Zasilanie awaryjne, to znaczy zwykły stos atomowy, było pod nim, na poziomie niejako pięć i pół. Po przeciwnej stronie korytarza, za systemami podtrzymywania życia, znajdowały się drzwi prowadzące do całkiem sporego warsztatu. Ze spisu inwentarza wynikało, że można tam było znaleźć nawet laser przemysłowy i niewielkie techniczne działo plazmowe. Dalej było centrum recyklingu, a za nim sala określona jako izolatka. Zapewne pokój kwarantanny.

Pozornie nic skomplikowanego. A dokładniej schemat stacji nie byłby skomplikowany, gdyby brać pod uwagę tylko główne arterie. Bo na końcach długich, prostych korytarzy zaczynała się prawdziwa plątanina przejść, schodów i wind, a także szybów awaryjnych wyposażonych w metalowe klamry, na wypadek gdyby zawiodło zasilanie, a nie można było skorzystać ze schodów. Z każdego poziomu można było dostać się na inny nie tylko schodami i windą, ale także meandrami korytarzyków i przejść. Przede wszystkim zaś każda kondygnacja miała łączność z szybem ewakuacyjnym. Przy schronie zbudowano pokaźną klatkę schodową prowadzącą na poziom mieszkalny, a stamtąd z obu stron biegły odnogi w kierunku śluz i wyjść awaryjnych. Oczywiście, odchodziły stąd także wąskie korytarzyki kończące się w przejściu na poziomie drugim. Z obserwatorium oraz tarasu widokowego istniała możliwość dostania się bezpośrednio do tegoż przejścia za sprawą klap umieszczonych w podłodze. Pod nimi ziały krótkie szyby wiodące ku schodni obu śluz, a także wyjść awaryjnych. Było jeszcze całkiem sporo przejść łączących wszystko ze wszystkim, lecz Adam nie próbował już nawet tego rozgryźć. W sumie, na trójwymiarowym modelu, konstrukcja tworzyła malowniczy, misterny wzór. Na szczęście nikt nie musiał go zapamiętywać. W razie niebezpieczeństwa każdy członek załogi miał zostać doprowadzony w odpowiednie miejsce za pomocą wyświetlających się na podłodze, ścianach i suficie informacji graficznych, a także komend głosowych. Tak przynajmniej utrzymywali konstruktorzy w opisie specyfikacyjnym dołączonym do schematu.

Bartold odchylił głowę, odetchnął głęboko. Był zmęczony. Potwornie zmęczony. A jednak sen nie przychodził. Przymknął oczy, czując lekkie pieczenie pod powiekami. Czyżby znów dawało o sobie znać zapalenie spojówek, zawodowa choroba pilotów? Dobrze, że zabrał z pokładu leki. Tutaj wprawdzie powinni mieć odpowiednie środki, w końcu dwóch członków załogi latało, lecz czy przewidziano fundusze na taki cel? Nigdy nie wiadomo, jak daleko potrafią posunąć się w skąpstwie i władze, i sponsorzy...

Rozdział 4

Obudził go wstrząs – czyli jednak zasnął, co skonstatował z pewnym zdziwieniem. W dodatku sen zaskoczył go w fotelu. Adam miał teraz zupełnie zdrętwiały kark, nie czuł także rąk i nóg. Zwiększona grawitacja spowodowała, że ucisk na naczynia krwionośne i nerwy okazał się bardziej przykry w skutkach niż w warunkach normalnego ciążenia. Nad drzwiami migało czerwone światło, kontury przedmiotów uległy zamazaniu pod wpływem silnych drgań.

Poderwał się. To znaczy, miał taki zamiar, ale tylko stoczył się z fotela na podłogę. Leżał na boku, zaciskając i rozluźniając pięści, ruszając z trudem stopami i kolanami. Nigdy więcej nie pozwoli sobie zasnąć tutaj w niedogodnej pozycji! Gdyby zamiast oglądać schemat bazy, położył się od razu, czułby się teraz jak nowo narodzony. A tak... Wreszcie krew zaczęła żywiej krążyć w odrętwiałych członkach. Czucie wracało wraz z mrowiącym bólem. Przypominało to nieco cierpienia po przebudzeniu w komorze hibernacyjnej, ale na szczęście trwało o wie

– Proszę zachować spokój – rozległ się głos Waltera. – Nastąpiła seria wyjątkowo silnych drgań gruntu, ale nie ma zagrożenia dla stacji. Po prostu Thor uderzył młotem trochę mocniej niż zazwyczaj, a Fenrir zaczął nas kąsać po łydkach z większą wściekłością. Wszyscy, którzy nie znajdują się na stanowiskach, proszeni są o przypięcie się pasami do foteli lub łóżek. Za trzy minuty przewidujemy kolejną serię wstrząsów.

Adam podczołgał się do koi, czując drżenie podłogi, z trudem przerzucił ciało przez krawędź. Pasy natychmiast wysunęły się ze ściany, chwyciły go w miękki uścisk. Bartold uśmiechnął się pod nosem. *Thor uderzył młotem, a Fenrir zaczął kąsać...* Wśród pewnej grupy ludzi związanych z dalekimi wyprawami nieodmiennie wielką popularnością cieszyły się wikińskie sagi. Pewnie właśnie dlatego tak wiele nowo odkrywanych układów otrzymywało imiona związane z normańską mitologią. Może fascynacja wynikała stąd, że – podobnie jak współcześni odkrywcy – starożytni bohaterowie wyprawiali się na swoich marnych stateczkach w najzupełniej nieznane rejony świata, nie bacząc na niebezpieczeństwa? Może wciąż odczuwano pokrewieństwo dusz? Zazwyczaj jeśli jakiś świat nadawał się do kolonizacji i tak zmieniano mu nazwę. Ciekawe, jak potoczą się losy tego księżyca. Czy ktoś wyasygnuje środki na jego terraformowanie? To zależało od bardzo wielu czynników. Na przykład tego, na ile Zoroaster okaże się przyjazny dla kolonistów i podatny na zabiegi uczynienia zeń kolejnej Ziemi. Jak dotąd pochłonął cztery ofiary. Walter pewnie by twierdził, że dwie, bo tylu członków załogi zginęło podczas wyprawy na powierzchni, a dwoje zaginęło, ale Bartold nie przypuszczał, żeby Komisja Koncesyjna Federalnego Rządu Układu Głównego brała to pod uwagę. Dla nich liczyły się suche liczby i niepodważalne fakty.

Następna seria wstrząsów nadeszła bez ostrzeżenia. Kształty przedmiotów znów uległy rozmazaniu. Stojący na stoliku kubek z wodą zjechał powoli na krawędź blatu i przechylił się w zwolnionym tempie. W tym momencie pilot poczuł wzmożony ucisk w piersiach. Amortyzatory grawitacyjne, przeciążone koniecznością walki z siłami natury, zdjęły całą moc z systemu utrzymującego ciążenie w bazie, żeby skierować ją w obwody zabezpieczeń. To była normalna, rutynowa procedura. Kubek runął na podłogę szybciej niż oczekiwały napięte zmysły przyzwyczajone do nieco innych warunków. Adam złapał się na tym, że to zwyczajne wydarzenie wzbudziło w nim niepokój. A może chodziło o coś innego? Może ten lęk nadpłynął gdzieś z zewnątrz? Potrząsnął głową. Coś podobnego zdarzało mu się ostatnimi czasy coraz częściej. To była cena za lata spędzone w pustce wszechświata, która wcale pustką nie była. Pilot płacił rozstrojem psychicznym za spędzanie długich minut i godzin w zakrzywionej przestrzeni, z generatorem grawitacyjnym pracującym pełną mocą dosłownie tuż za plecami. Niekiedy miał wrażenie, że to nie statek płynie przez kosmos, ale ten ostatni przepływa przez ciało Adama. W każdym razie system nerwowy od czasu do czasu płatał mu takie przykre figle.

Drżenie ustało. Pasy wypuściły Bartolda z objęć. Wstał ciężko, czując wciąż jeszcze odrętwienie w karku. Mrówki biegały po stopach i łydkach, czuł ich ukąszenia w koniuszkach palców.

– Po wszystkim – dobiegło z głośników. – Thor schował młot, a Fenrir wlazł do budy. Nasza ulubiona Valhalla góruje w tej chwili samotnie, więc zespoły badawcze, mające w planie prace na zewnątrz, mogą liczyć na dziewięć godzin pełnego spokoju.

Adam podniósł kubek. Niewielka kałuża niedopitej wody patrzyła nań wyzywająco, ale nie miał ochoty teraz jej ścierać. Niech sobie wyparuje albo wsiąknie w szczeliny, które niewątpliwie pojawiły się w litej plastianowej powierzchni podłogi podczas półtora roku użytkowania stacji i periodycznych wstrząsów. Plastian, materiał legenda... Określenie, które miało się nijak do substancji używanych przy budowie takich stacji, ale wciąż pokutujące w języku ludzi dalekiej przestrzeni. Stary dobry plastian można było jeszcze znaleźć w poszyciach rakiet, stanowił niejako ostatni bastion ochrony przed promieniowaniem kosmicznym, tym wrogim zjawiskiem przez pilotów nazywanym „oddechem kosmosu". Jeśli wszystkie systemy zawodziły, pole siłowe i najnowocześniejsze osłony dostawały ostrej zadyszki, plastian zawsze był na miejscu, redukował przepływ szkodliwych cząstek na tyle, żeby człowiek nie otrzymał śmiertelnej dawki, zanim zostaną dokonane niezbędne naprawy. Był też jedyną tarczą podczas manewrów zwijania i rozrywania przestrzeni, kiedy generator grawitacyjny pochłaniał całą energię jednostki. Zresztą podczas przejścia przestrzennego urządzenia ekranujące i tak musiały pozostawać w uśpieniu.

Komandor wyszedł na korytarz. Lampy jaśniały światłem późnego popołudnia, nieco czerwonawego i lekko męczącego wzrok. Adamowi takie udogodnie-

nia nie były do niczego potrzebne, dawno temu przy-
zwyczaił się do nietypowych warunków, ale ludziom na
stacji zapewne służyły do zaspokojenia potrzeb bezpieczeństwa i zakorzenienia. A może i nie? Przecież takie
światło było charakterystyczne tylko dla Ziemi i planet
jej najbliższych, w koloniach różnie z tym bywało.

Kiedyś czytał, że pamięć genetyczna warunkuje
funkcjonowanie ludzi przebywających z dala od Układu
Głównego, że dzięki zapewnieniu warunków choć trochę przypominających ziemskie, łatwiej im przetrwać na
obcych globach, z dala od starego domu. Domu, którego
bardzo często nie widzieli nawet na oczy. Ale wiedział
też, że już drugie i trzecie pokolenie kolonistów z reguły
przystosowuje się do sposobu życia dyktowanego przez
zasiedlony świat.

Astronauta skierował się do jadalni. Nadchodziła
pora kolacji, ktoś tam powinien już być. Może zdoła pod-
słuchać, o czym była mowa na odprawie.

Ciało Grigorija Tawadze spoczywało na stole laboratoryjnym w dość groteskowej pozycji. Głowa nieszczęśni-
ka wyglądała jak przymocowana do blatu, ręce wyciąg-
nięte były daleko w tył, jakby szykował się do oddania
skoku z miejsca. Nogi miał skrzyżowane, przez co lekko
skręcone biodra sprawiały wrażenie, iż część torsu wraz
z brzuchem odstawały nieco od stołu. Krwi było niewiele. Zapewne akcja serca ustała natychmiast, a przy
pozycji stojącej zmarłego płyn nie bardzo mógł wyciec
w znaczącej ilości. Przy ciele męża stała Zoja. Oczy miała

tak samo puste, jak zawsze, tylko kąciki ust, opuszczone niżej niż zazwyczaj, świadczyły, iż kobieta w ogóle coś przeżywa. Obok niej stanęła Teresa, położyła lekarce rękę na ramieniu.

– Zostaw – powiedziała łagodnie. – Nie ma potrzeby, żebyś sama dokonywała diagnozy. Walter może stwierdzić zgon i podpisać papiery.

Zoja nawet nie drgnęła. Wpatrywała się w trupa bez zmrużenia oka.

W drzwiach tłoczyli się pozostali. Marie Maguire-Sorensen i Vlad Harding mieli na sobie kombinezony, które zakładano pod skafandry. Wiadomość zaskoczyła ich w chwili, kiedy zamierzali wyjść pobrać próbki, dokonać odczytów przyrządów rozstawionych wokół bazy. Adam nieraz zastanawiał się, dlaczego naukowcy zupełnie jak w zamierzchłych czasach wolą dokonywać odczytów osobiście, niż zażądać po prostu regularnych raportów od maszyn. Znajomy biochemik opowiadał coś tam o zafałszowaniu wyników, o lepszym działaniu urządzeń bez wbudowanych systemów łączności, ale Bartold szybko doszedł do przekonania, iż rzecz polega na znalezieniu pretekstu, aby nie siedzieć ciągle w zamkniętej bazie. Dokonywanie odczytów było chyba pewnym urozmaiceniem, szczególnie po dłuższym czasie spędzonym w tym samym miejscu. Sam przecież po przylocie zapragnął chociaż na chwilę wyjść na zewnątrz, dość miał ścian ograniczających pole widzenia. Na mostku statku kosmicznego mógł niby oglądać wielkie przestrzenie, obcował z nieogarnioną naturą wszechświata, a jednak naprawdę głęboko odetchnął dopiero wtedy, kiedy zobaczył linię horyzontu, mdłe gwiazdy i – stosunkowo słabą i małą wprawdzie, ale zawsze – tarczę tutejszego słońca. Nawet wyjście w przestrzeń kosmiczną nie potrafiło dać takiego poczucia zagubienia w świecie. Oczywiście, próżnia przytłacza i zachwyca zarazem, jednak dopiero twardy grunt pod nogami i niebo nad głową nadają temu właściwy sens. Dopiero stojąc na twardym, pewnym globie można doznać tego uczucia zagubienia pomieszanego ze zdrowym przekonaniem o własnym istnieniu. W głębi duszy, na poziomie najgłębszych warstw podświadomości, każdy człowiek, nawet taki jak on – niepotrafiący już żyć bez latania – pozostaje zwyczajnym, ziemskim piecuchem.

– Proszę się rozejść! – Walter przepchnął się przez ciżbę. – Wszyscy natychmiast wracają do swoich kwater i czekają na dalsze dyrektywy! Kolację automaty dostarczą do kajut.

– Czyli będziemy żreć żelazne racje – mruknął ktoś. – Świetnie.

Adam odwrócił się, ale nie zauważył, kto rzucił tę uwagę. Za to Wintermann doskonale rozpoznał głos malkontenta.

– A ty w ogóle zdołasz coś przełknąć, Robercie? – warknął. – Wiem doskonale, jak zresztą wszyscy, że masz wszystko generalnie w dupie, ale w obliczu majestatu śmierci mógłbyś nie przesadzać.

– Co ty pieprzysz, człowieku? – Sorensen wzruszył ramionami. – Jaki majestat śmierci? Ten dureń Tawadze, jak zwykle olał zasady bezpieczeństwa i zamiast przypiąć się do fotela, postanowił dokończyć eksperyment. No to ma teraz pręt laboratoryjny między oczami.

Walter zamarł z otwartymi ustami, nie wiedząc, co odpowiedzieć na tak piramidalne chamstwo. Zoja wreszcie dała znak życia, powoli odwróciła się do Roberta, spojrzała mu głęboko w oczy. Sorensen odpowiedział jej zuchwałym spojrzeniem, ale wycofał się z pracowni.

– Wszyscy wyjść! – Walter odzyskał mowę. – Zostają tylko Teresa, Zoja i ja!

– To nie jest dobry pomysł – zaoponował Adam. – Pani Sarkissian nie powinna tutaj przebywać dłużej niż to bezwzględnie konieczne.

Podchwycił pełne wdzięczności spojrzenie Teresy, ale dowódca zamachał tylko rękami.

– Zoja jest lekarzem. Ja nie czuję się na siłach, by dokonać rozpoznania.

– Znam się trochę na medycynie – powiedział spokojnie Adam.

– Co znaczy „trochę"? – spytał nieufnie Wintermann.

– Na tyle, żeby dokonać oceny sytuacji i podać wstępnie przyczynę śmierci. W tym przypadku zresztą nie potrzeba do tego wielkich kwalifikacji.

– Nie widzę możliwości...

– Och, Walterze – wpadła mu w słowo Teresa – bądź chociaż raz człowiekiem. Skoro pan Bartold mówi, że...

– Nie jest nawet członkiem zespołu! – rozległo się z boku. To Martin Gaut stanął obok psycholożki i patrzył potępiająco na Adama.

– I co z tego? – Harding wzruszyła ramionami. – Co za różnica?

– Regulamin postępowania w wypadku śmierci członka załogi... – zaczął chudzielec.

W tej chwili Zoja zamknęła oczy, osunęła się prosto w ramiona Adama.

– To chyba rozwiązuje kwestię – zauważyła Teresa. Walter nie odpowiedział. Ruchem głowy wskazał Bartoldowi ciało. Komandor wziął lekarkę na ręce. Przelotnie pomyślał, że na szczęście systemy antygrawitacyjne zaczęły znów działać, bo inaczej miałby z tym spore trudności. Sarkissian nie była może okazałą kobietą, ale swoje jednak ważyła. Rozejrzał się, niewiele myśląc podał zemdloną Gautowi. Ten cofnął się w pierwszej chwili jak oparzony, ale skarcony wzrokiem przez dowódcę, przejął brzemię.

– Zajmijcie się nią. Włóżcie do medmatu, niech jej zaaplikuje coś na uspokojenie – powiedział Adam. – W końcu nie co dzień znajduje się trupa własnego męża.

Laboratorium opustoszało, zostali we trójkę. Adam pochylił się nad ciałem, zajrzał w twarz, na której zamarł wyraz bardziej zaciekawienia niż przestrachu.

– Śmierć go zaskoczyła – mruknął. – Nie bardzo nawet wiedział, że coś się dzieje.

Cienki laboratoryjny pręt, na którym umocowana została niewielka kolba z burą cieczą, wszedł prosto w mózg naukowca. Przebił nasadę nosa, przeszedł lekko na skos ku dołowi, łamiąc blaszkę kostną i wbijając się prosto w mózg, z pewnością uszkadzając jego pień. Adam był przekonany, że koniec hartowanego drutu oparł się o wewnętrzną powierzchnię czaszki.

Walter był blady, wyglądał, jakby miał za chwilę zwymiotować. Stanowczo Teresa przesadziła, mówiąc, że to właśnie on mógłby stwierdzić przyczynę śmierci i wystawić akt zgonu. Sama zresztą też nie prezentowała się najlepiej. Trudno wymagać od naukowców, żeby byli przygotowani na taką sytuację.

– Tak przy okazji, czy mógłbym się dowiedzieć, kto przedtem znalazł pilota i drugiego lekarza? – spytał, oglądając uważnie skręcone ciało.

– To się stało w bazie. Nie trzeba było ich szukać – odparła psycholog. – Wypadek był bardzo spektakularny, a automaty same ich dostarczyły do ambulatorium. Na szczęście.

– Dlaczego na szczęście?

– Bo ktoś, kto by musiał ich zabierać osobiście, mógłby to przypłacić poważnym rozstrojem nerwowym. Nikt z nas nie jest przygotowany na podobne widoki.

– Jaka była przyczyna ich śmierci?

– Zaraz, zaraz – wkroczył do akcji Wintermann. – Po co zadaje pan takie pytania? Tamte zgony nie mają związku z tym wypadkiem...

– Nie mają, albo i mają. – Adam wziął od Teresy spray, natrysnął na dłonie rękawiczki chirurgiczne, ujął odwiedzioną daleko od ciała dłoń nieboszczyka.

– Zaczyna pan te swoje sztuczki? – zirytował się dowódca stacji. – W ogóle nie powinienem pozwolić, żeby ktoś postronny grzebał przy trupie.

– Może nie jestem wcale taki postronny, jak się panu wydaje. – Adam wyprostował się, spojrzał mężczyźnie prosto w oczy.

– Co pan chce przez to powiedzieć?

– Żeby się pan wreszcie zamknął i przestał wszystkim udowadniać, że nic się nie dzieje! Jeśli tak jest rzeczywiście, tego typu zapewnienia są najzupełniej zbędne. A jeśli nie, puste gadanie niczego nie zmieni.

Wintermann zmrużył oczy, w jego źrenicach zabłysły złe ogniki.

– Proszę wyjść, panie Bartold – warknął.

– A kto dokona oględzin? – powstrzymała go Teresa. – Ty rzygniesz, jak tylko się zbliżysz do Grigorija. Ja też nie dam rady, nie jestem lekarzem. A pan Bartold, jako pilot dalekiego zwiadu, na pewno niejedno już widział.

Adam nie zwracał na nich uwagi. Przysunął się do twarzy Tawadze, przeniósł wzrok na jego kark. Poczuł charakterystyczny zapach potu zmieszanego z substancją chemiczną.

– Czy denat miał zwyczaj pracować pod wpływem narkotyków lub alkoholu? – zapytał.

– Grigorij był zagorzałym abstynentem – Teresa zmarszczyła brwi. – Nie brał do ust żadnych używek poza kawą. Nawet herbalinu nie ruszał, chociaż to przecież legalne. A wódka jest zabroniona na terenie bazy, gdyby pan nie wiedział.

– Wiem. Podobnie jak na statkach dalekiego zasięgu. Ale osobiście nie znam szypra, który by nie miał na pokładzie tego zakazanego owocu.

– Długo będzie go pan tak obwąchiwał? – spytał z rozdrażnieniem Walter.

Adam zignorował dowódcę stacji, znów pochylił się nad trupem, uważnie obejrzał jego potylicę. Mylił się. Pręt nie oparł się o czaszkę. Jego końcówkę widać było tuż pod skórą. Przebił opony mózgowe, zgruchotał kość, ale nie przebił się zupełnie na zewnątrz.

– Grigorij Tawadze nie żyje – oznajmił pilot.

– To wiemy bez pana – rzekł ironicznie Walter.

– Stwierdzam formalnie zgon. – Adam zachował kamienny spokój. – Pan, jako dowódca placówki, powinien potwierdzić moją diagnozę. Zgodnie z regulaminem.

– Stwierdzam zgon – powtórzył niechętnie Wintermann. – Godzina...

– Osiemnasta jedenaście czasu uniwersalnego – podpowiedziała Teresa.

– Osiemnasta jedenaście. – Walter wyglądał, jakby za moment miał wyjść z siebie.

Adam przyglądał mu się z ciekawością. Niby profesor, jajogłowy zaprzątnięty tylko badaniami, a przecież niezwykle łatwo nadepnąć mu na odcisk. Irytuje go ubezwłasnowolnienie, jakim było zdanie się na osąd obcego człowieka. Nieprzypadkowo jednak został szefem tego projektu. Miał niezłe zadatki na tyrana.

– Ciekaw jestem, ile pan ukrywa – powiedział Bartold, patrząc Wintermannowi prosto w oczy.

Tamten wzdrygnął się, przez chwilę milczał z lekko uchylonymi ustami.

– Niczego nie ukrywam – powiedział wreszcie nieoczekiwanie spokojnie. – Może nie wie pan o nas wszystkiego, ale też nie widzę powodu, aby kogoś, kto skorzystał z naszej uprzejmości i gościny, zaraz wprowadzać w zagadnienia, które zupełnie go nie dotyczą.

– Bardzo słusznie – uśmiechnął się Adam. – Nie spodziewałem się innej reakcji.

– Po co więc rzuca pan takie uwagi?

– Żeby podtrzymać rozmowę – oznajmił pilot najbardziej bezczelnym tonem, na jaki go było stać.

I tym razem Walter wykazał się pełnym opanowaniem.

– Kiepski sposób na zawieranie przyjaźni – wymamrotał ni to do siebie, ni do rozmówcy.

– Za to skuteczny, jeśli chce się poznać naturę interlokutora – Adam nie złagodził brzmienia głosu.

– Gówno, z przeproszeniem, obchodzi pana moja natura – Walter wreszcie nie wytrzymał.

Adam zerknął na Teresę. Przysłuchiwała się wymianie zdań z wielkim zainteresowaniem.

– A pani korzysta z okazji, taksuje nas i ocenia. – Bartold znów pochylił się nad ciałem. – Co tam zostanie zapisane w kajecie obserwacji? Wiem już! Coś w takim stylu: „Dwudziesty ósmy czerwca kalendarza uniwersalnego. Przybyły dwa dni wcześniej komandor floty kosmicznej Adam Bartold wykazuje kryzys aklimatyzacyjny. Objawia się on wzmożoną drażliwością, zachowaniami paranoidalnymi, delikatnym zespołem splątania. Należy obserwować obiekt w celu zapobieżenia wzrostowi konfliktów w załodze". Zgadza się?

Harding zacisnęła wargi w wąską kreskę i leciutko poczerwieniała.

– Właśnie, pani doktor. Proszę jednak nie osądzać drugiego człowieka zbyt pochopnie. Pozory czasem mylą, w pani zawodzie ta prawda powinna być podstawą funkcjonowania. Bo naszemu dowódcy gotowa pani zrobić taki zapis: „Walter Wintermann, dowódca. W sytuacji brzegowej, po śmierci kolejnego podwładnego wydaje się zagubiony, widoczne wyraźnie symptomy kompleksu niższości połączonego z reakcją wycofania na skutek działania czynników stresogennych. Konieczna obserwacja i – być może – łagodna terapia farmakologiczna". Trafiłem? Tak, widzę, że trafiłem.

– Szef ma rację. – Kobieta zdążyła się już opanować. – Wybiera pan naprawdę marny sposób na zawieranie znajomości.

– Tak jest – Adam kiwnął głową. – Brawo. Załoga powinna trzymać się razem. Nawet jeśli jej członkowie nie pałają do siebie sympatią.

Przez dobre pół minuty panowała ciężka cisza. Przerwał ją Wintermann.

– Trzeba przenieść ciało do chłodni – powiedział z westchnieniem. – Ale najpierw...

Wskazał nieruchomego Grigorija, nieco pobladł.

– Ja to zrobię. – Adam chwycił nieboszczyka pod ramiona, przełożył ręce przez jego pierś, założył klamrę i ostrożnie podciągnął trupa w górę. Pręt wysunął się z cichutkim mlaśnięciem, które sprawiło, że Teresa zasłoniła usta, zrobiła się zielona. – Niech pan przywoła nosze – Bartold zwrócił się do Waltera.

– Uważa pan, że to był wypadek? – Harding wzięła głęboki oddech.

– Wszystko na to wskazuje – odparł Adam. – Ale tak czy inaczej medmat powinien dokonać sekcji. O tym już jednak zadecyduje dowódca placówki.

– Dowódca placówki musi się jeszcze zastanowić – głos Wintermanna ociekał jadem.

– To niech się zastanawia. Ale najpierw niech sprawdzi, czy pani Zoja Sarkissian opuściła już ambulatorium – Adam odpowiedział równie nieprzyjemnym tonem. – Nie chcielibyśmy chyba, żeby znów musiała patrzeć na zwłoki męża.

Adam wszedł do gabinetu lekarskiego w towarzystwie Teresy.

– Dlaczego pan tak? – spytała, robiąc nieokreślony ruch dłonią. – Podczas wspólnej kolacji wydawał się pan całkiem sympatyczny, a przed chwilą...

Mężczyzna popchnął nosze w stronę ściany, na której umieszczono trzy rzędy solidnych drzwiczek. Nosze popłynęły z gracją, zatrzymały się kilka centymetrów przed lodówką. Bartold pokiwał w duchu głową. Trzy rzędy komór zamrażających po pięć stanowisk w każdej. Piętnaście stanowisk dla szesnastu członków załogi. Znów świadectwo skrajnej oszczędności. Wiadomo przecież, że jeśli zginęliby wszyscy po kolei, ostatni i tak nie zdoła zamknąć się w lodówce. Wprawdzie mógłby wydać odpowiednie polecenia automatom, ale po co? W takim wypadku smród rozkładającego się ciała nikomu nie będzie przeszkadzał.

– Dlaczego? – powtórzyła pytanie psycholog.

– Podobno to błąd w sztuce psychologicznej pytać „dlaczego?". Odkrywa przed pacjentem, jak wielki jest ocean niewiedzy rozmówcy. Należy dojść do prawdy inną drogą, bez takiego stawiania kwestii.

– Właśnie – zmarszczyła brwi. – Znów pan to robi. Skąd tyle agresji?

– To nie agresja – podniósł głowę. Dopiero w tej chwili zdał sobie w pełni sprawę, że kobieta była od niego nieco wyższa. Niewiele, ale na tyle, żeby patrząc jej w twarz musiał leciutko zadzierać brodę.

– Co w takim razie?

– Nie lubię chowania głowy w piasek, a widzę, że wasz dowódca jest w tym prawdziwym mistrzem.

Przez chwilę zastanawiała się nad jego słowami.

– Coś w tym jest – przyznała w końcu. – Ale ugryzł pan nie tylko jego, mnie też się oberwało.

– Nikt nie powinien czuć się osamotniony i porzucony – odpowiedział sentencjonalnie.

Znów zamilkła. Czuł wręcz namacalnie, jak intensywnie pracuje jej umysł, analizując nowe dane i modyfikując postawę wobec człowieka, którego zdołała już jakoś zaszufladkować.

– Ale pan, postępując w ten sposób, skazuje się właśnie na osamotnienie.

– Możliwe. Ale jako taki także pozostaję w pewnym towarzystwie. Na przykład jego – wskazał ciało na noszach.

– Jest pan niesamowity – pokręciła głową. – Czy wszyscy piloci są tacy... tacy... – Szukała słów, żeby nie urazić zbyt mocno Adama.

– Tacy dziwaczni? – pomógł jej. – Tylko niektórzy, ci zdrowsi na umyśle. Reszta to zwyczajni wariaci.

– Nie rozumiem.

– Trzeba być albo skończonym mizantropem, albo szaleńcem, żeby wybrać życie w dalekiej pustce zamiast korzystać z tego, co daje wspaniale rozwinięta cywilizacja.

– Mam rozumieć, że według pana my, którzy poświęcamy czas i życie w imię dobra nauki, także jesteśmy niespełna rozumu?

– Może to pani rozumieć, jak chce – uśmiechnął się, łagodząc w ten sposób ton wypowiedzi.

– Zatem skoro nie jest pan szaleńcem, musi być mizantropem.

Adam nie odpowiedział. Zapatrzył się na ścianę z lodówkami. Przy dwóch z lewej strony na dole paliły się czerwone wskaźniki temperatury. Reszta pozostawała w uśpieniu.

– Tu leży tych dwoje? – zapytał, nie oczekując odpowiedzi.

Ale Teresa czuła się na tyle nieswojo w towarzystwie trupa oraz obcego, zjadliwego mężczyzny, że postanowiła odpowiedzieć pełnym zdaniem.

– Tak, leżą tutaj. Roma Gennare i Edwin Corrais.

– Ona była pilotem, prawda? A on...

– Astronomem i specjalistą łączności kwantowej.

Adam pokiwał głową.

– Jak to się stało?

Teresa rozłożyła ręce.

– Naprawdę nieprzyjemny wypadek. Roma miała zabrać Edwina na orbitę, żeby sprawdził, co się stało z satelitą. – Patrzyła, jak Bartold sprawnie radzi sobie z noszami. Otworzył trzecie drzwi chłodni, zręcznie przykrył prześcieradłem ciało, przetoczył przy pomocy serwomechanizmu z noszy na wyściełaną białym materiałem szufladę lodówki. – Pan już to kiedyś robił?

Spojrzał jej głęboko w oczy.

– Proszę pamiętać, że przez ponad dwadzieścia lat służyłem w dalekim zwiadzie, latałem do najbardziej oddalonych portali. Wypadki w tamtych strefach zdarzają się stosunkowo często.

– Rozumiem. – Odwróciła wzrok.

– I co było nie tak z tym lotem?

– Z lotem nic nie było, gdyż do niego nie doszło. Śmierć spotkała ich w transporterze, kiedy przejeżdżali z hangaru do wahadłowca. Wybuchł zbiornik z ciekłym helem. Ktoś zostawił go w bagażniku, a ani Roma, ani Edwin nie sprawdzali, czy wszystko w porządku. Zresztą, kto by się przejął butlą ze szlachetnym gazem? Przecież nie stanowi zagrożenia.

– Tym razem jednak stanowiła.

– Tak – skinęła głową. – Zawór okazał się niesprawny.

– Dało radę to stwierdzić?

– Z dużym prawdopodobieństwem. Elza Wintermann przeprowadziła analizę szczątków pojazdu. Wybuch butli spowodował krytyczny wzrost ciśnienia w generatorze łazika, a to wyzwoliło silną reakcję w ogniwach. W każdym razie biedną Romę i Edwina nie tylko rozerwało na kawałki, ale na dodatek całą kabinę zalało elektrolitem. Nie ustawia pan pełnego zamrażania? – spytała, widząc, jak Adam programuje chłodnię.

– Nie. W ciągu dwudziestu czterech godzin należy przeprowadzić autopsję, pobrać próbki. Pod warunkiem, że dowódca placówki zastanowi się w porę – dodał, naśladując głos Waltera.

Teresa uśmiechnęła się mimo woli, ale natychmiast spoważniała, patrząc na drzwiczki, za którymi zniknął Grigorij.

– Mówi pani, że Edwin Corrais był specjalistą łączności kwantowej. A pan Tawadze?

Teresa milczała przez kilka sekund.

– Zasadniczo fizykiem jądrowym. Ale miał też inne zainteresowania... – mówiła coraz wolniej, patrząc z uwagą na Adama. – Po co pan o to wszystko wypytuje?

– Ze zwyczajnej, ludzkiej ciekawości. I ostrożności. Tutaj coś się dzieje i żadne wykręty dowódcy stacji tego nie zmienią. Wolę zatem wiedzieć raczej za dużo niż za mało.

– A po co?

– Żeby poczuć się bezpieczniej. Pani nie ma ochoty rozwikłać zagadki, która – być może – stanowi zagrożenie dla nas wszystkich?

Psycholog wzruszyła lekko ramionami.

– Teraz to i tak bez większego znaczenia. Łączności nie mamy, a żaden śledczy czy inny przedstawiciel władz nie dotrze do nas przed upływem trzech, czterech, a może i pięciu miesięcy. Przeklęta nova...

– Ma pani pretensje do umierającej gwiazdy? – uśmiechnął z lekką drwiną.

– Mam pretensje do tych, którzy nie zadbali o należytą liczbę portali tranzytowych w tej części wszechświata.

Bartold pokiwał głową, odwrócił się od rzędu lodówek.

– To nie jest teren, który jakoś szczególnie interesuje wielki przemysł czy rząd. Przynajmniej w tej chwili.

– W tej chwili? – Zmarszczyła śmiesznie nos. – A ma się to zmienić?

– Nie wiem, Tereso. Ale nigdy nic nie wiadomo. W zamierzchłych czasach odkrycie złóż ropy naftowej postawiło na nogi różne kraje, nawet te leżące na samych krańcach cywilizacji. Kto wie, czego zdołacie tutaj dokonać?

– A czy pan wie, nad czym pracujemy?

– Nie, lecz to nie znaczy, że nie mogę się domyślać, iż to coś naprawdę ważnego.

– I jakie są te pańskie domysły?

– Czy to istotne? Chodźmy już lepiej do kabin... Przepraszam, mieszkań, bo tak przecież należy nazywać te klateczki. Jest wtedy bardziej domowo?

– W każdym razie przytulniej. Wie pan zresztą, że dla niektórych członków zespołu, wychowanych w surowych warunkach odległych kolonii, te klitki mogą się wydawać nawet komfortowe. Wprawdzie narzekają wszyscy, ale to dlatego, że człowiek szybko przyzwyczaja się do lepszych warunków, a poza tym nie wypada inaczej. Psioczenie jest jednym z podstawowych mechanizmów obronnych.

Lekki ból w karku przypomniał o popołudniowej przygodzie z drzemką. Tym razem Adam nie próbował usypiać na siedząco, dlatego nie sięgnął po lekturę. Nie miał też ochoty oglądać filmów ani nagranych na potrzeby wyprawy audycji rozrywkowych. Od dawna najbardziej cenił sobie wypoczynek przy muzyce, albo nawet w zupełnej ciszy.

Cały czas pilot był zmęczony. Nie zjadł nawet kolacji; wrócił z gabinetu medycznego tak późno, że nie miał już ochoty na jedzenie. Musiał za to koniecznie przemyśleć kilka spraw.

Zażądał od komputera odtworzenia „Rapsodii Słonecznej" Timo Vargi. Słodkie brzmienia, które w zamierzeniu miały koić słuchacza, na Adama nieodmiennie działały pobudzająco. To znaczy denerwowały go okropnie. Timo Varga był sprawnym wyrobnikiem, doskonałym plagiatorem pozbawionym zarówno skrupułów, jak i prawdziwego talentu. Zapewne dlatego właśnie zrobił tak wspaniałą, galaktyczną karierę. Pod tym względem ludzkość pozostała taka sama jak wieki temu – szerokiej publiczności najbardziej podobały się dzieła pomysłowych pacykarzy, różnych półgrafomanów i poronionych kompozytorów. Zazwyczaj paradoksalna mobilizacja za pomocą oratoriów, symfonii czy krótszych form Vargi powodowała u komandora przyśpieszenie procesów myślowych, ale dziś nie potrafił się skupić, puścić mimo uszu melodyjnych pień chóru z towarzyszeniem multiinstrumentów, zignorować idiotycznych fraz tak zwanej poezji, pogodzić się z kretyńskim klaskaniem wykonawców, wrzuconym w najmniej odpowiednie miejsca wiekopomnego „dzieła".

– Mózg, stop – powiedział z rozdrażnieniem. – Daj mi „Emmeleię".

Cisza panowała zbyt długo jak na możliwości superkomputera.

– Jakiś problem?

– Nie mam w zasobach zespołu o takiej nazwie.

– To nie zespół, to utwór pewnej grupy tworzącej kilkaset lat temu.

– Niestety, nie posiadam czegoś podobnego w zbiorach muzycznych.

Adam przymknął oczy. A miał taką ochotę posłuchać właśnie utworu śpiewanego *a cappella*... Przy czym to, że „Emmeleia" była wykonywana bez muzyki, do słuchacza docierało z dużym opóźnieniem. Śpiew grupki ludzi brzmiał niczym najcudowniejszy, najbardziej kunsztowny instrument.

Sutha mon o'tratall no tratreia mon
Uto trajja satija to tajja-to[*]

Bartold zanucił początek piosenki pod nosem, żałując, że nie zabrał z uszkodzonego statku własnego archiwum. Mózg odezwał się prawie natychmiast.

---

[*] Dead Can Dance, *Emmeleia*, album *Into The Labirynth* (utwór w transliteracji autora).

– Oczywiście, że mam ten utwór, komandorze. Ale nosi on prawidłowo tytuł „Amalayya".

Adam nie odpowiedział. Nie miało sensu sprzeczać się z komputerem, zwłaszcza takim, który reprezentował najnowszą generację sztucznej inteligencji. Przez wieki tytuł pieśni mógł ulec nawet znacznemu zniekształceniu, szczególnie w niektórych, obcych językowo rejonach międzygwiezdnej cywilizacji. Najważniejsze, że utwór przetrwał. Bartold był pewien, że to właśnie on zna właściwą nazwę, ale czy miało to jakieś znaczenie? Grunt, że z głośników popłynęły niesamowite tony, słowa w nieznanym dialekcie niosące niepokój, ale i ukojenie zarazem, pełne niewysłowionego uroku, prawdziwej słodyczy niemającej nic wspólnego z lukrem utworów pisanych pod gust publiczności. Bartold przymknął powieki, pogrążył się bez reszty w doznaniach płynących z muzyki.

Pieśń dobiegła końca. Mężczyzna otworzył oczy, chciał zażądać powtórzenia. Wtedy usłyszał jakby drapanie do drzwi. Nad wejściem zapłonęło delikatne pomarańczowe światło. Ktoś chciał go odwiedzić. Ciekawe. Czyżby Noel zamierzał podpytać gościa, co ustalono w związku ze śmiercią Tawadze? Boranin był człowiekiem niezmiernie wścibskim, więc taka wizyta byłaby prawdopodobna. Komandor przez chwilę rozważał, czy zlekceważyć intruza, czy raczej dowiedzieć się, o co mu chodzi. Z jednej strony nie miał ochoty na rozmowę, ale z drugiej może dzięki temu zdoła dowiedzieć się czegoś ciekawego?

Wstał nieśpiesznie, licząc po trochu na to, że człowiek za drzwiami zniechęci się i odejdzie. Na próżno. Skrzywił się, otworzył.

– Witam, komandorze Bartold.

Patrzyły na niego duże, błękitne oczy o niewinnym wejrzeniu.

– Wejdź – odsunął się na bok, odruchowo wyjrzał na korytarz. Było pusto.

Sandra rozglądała się z ciekawością po pokoju gościnnym.

– Wiesz, że nigdy tutaj nie byłam? – powiedziała z lekkim uśmiechem. – Niby każdy mógł swobodnie wejść do pokoju zapasowego, ale jakoś nigdy nie miałam ochoty.

– A co się zmieniło, że nagle jej nabrałaś?

– Tajemnica. – Jej uśmiech stał się nieco kokieteryjny. – Przedtem pomieszczenie było puste, nie zawierało żadnej zagadki.

Adam wskazał jej miejsce na fotelu, sam przysiadł na brzegu łóżka.

– Ale ja nie jestem tajemniczy.

– Jesteś, jesteś, a to dla każdej normalnej kobiety wielkie wyzwanie.

Atmosfera zgęstniała. Oczy Adama i Sandry spotkały się. Jego były spokojne, jej miały miękki, zachęcający wyraz. Odwróciła się w fotelu przodem do niego. W ciasnym pomieszczeniu ich kolana praktycznie się dotykały. Doleciał go delikatny zapach słodkich perfum i rozgrzanego kobiecego ciała. Najwyraźniej jeszcze przed kilkoma minutami leżała w łóżku. Dostrzegł wyraźnie zaokrąglone wzgórki sporych piersi. Ciasno opinający sylwetkę materiał przepisowego kombinezonu podkreślał ich krągłość. Włosy, spięte hiszpańskim grzebieniem, wymykały się na skroniach, tworząc urokliwe, lekko skręcone kosmyki spływające na policzki.

– Sandro, powiesz mi, po co do mnie przyszłaś?

– Czy muszę aż tyle mówić?

Zanim zdążył się zorientować, przesiadła się na jego kolana. Znów był zaskoczony figlami, jakie płatała tutejsza grawitacja. Przywykł już do własnego zwiększonego ciężaru, ale ta niewielka kobieta okazała się nieoczekiwanie masywna. Nic dziwnego, zamiast góra sześćdziesięciu kilo, w tych warunkach ważyła dobre dziewięćdziesiąt. Gdyby nie amortyzatory grawitacyjne, przeleciało mu przez głowę, trudno byłoby się spod niej wydostać.

– A twój mąż? – zaczął, ale położyła mu palec na ustach.

Po chwili poczuł jej rozpalone wargi. Zapach podnieconej kobiety sprawił, że zakręciło mu się w głowie.

– Nie powinniśmy – spróbował jeszcze.

– Dlaczego? – zatrzymała się.

– Twój mąż.

Zaśmiała się krótko, nerwowo.

– Mój mąż, komandorze Bartold, nie jest mną w ogóle zainteresowany. W tej chwili najprawdopodobniej przebywa ze swoim ukochanym.

– Ukochanym? – zdziwił się Adam. – Pracuje na jakimś cennym ulubionym sprzęcie?

– Nie wiem, czy cennym, ale na pewno ulubionym. To znaczy na naszym dzielnym dowódcy, Walterze Wintermannie.

Przez chwilę Bartold nie wiedział, o czym kobieta mówi. Kiedy wreszcie do niego dotarło, z wrażenia omal nie zrzucił jej z kolan.

– Ci dwaj są?...

– Tak, właśnie – powiedziała twardo. – Mężowie mój i Elzy są pedałami. Nie widziałeś w mesie, jak Walterowi zapaliło się w gaciach, kiedy tylko Martin go dotknął? Wszyscy musieli zauważyć.

– Widziałem, ale byłem przekonany, że to pod wpływem żony...

Sandra wybuchła niepohamowanym śmiechem.

– Tak, Elza to fantastyczna babka, ale możesz mi wierzyć, jej wdzięki nie robią wrażenia na Wintermannie już od dłuższego czasu.

– Dlatego do mnie przyszłaś?

– Dlatego. Brakuje mi po prostu chłopa, a ty jesteś naprawdę niezły. Spałam już ze wszystkimi oprócz Roberta, bo to straszny cynik, drań i nie lubię go. Jakoś muszę sobie z tym wszystkim radzić.

– A Elza?

– Och, ona jest zbyt dumna, żeby się puszczać. Płacze teraz w poduszkę, zamiast wziąć sprawy w swoje ręce. A raczej między swoje nogi.

Adam przez chwilę trawił niespodziewaną informację, a tymczasem Sandra zabrała się do rozpinania jego bluzy.

– Jesteś pewna, że...

– Możesz się zamknąć, komandorze? – Oderwała się od niego na moment. – Naprawdę musisz tyle gadać?

Nie musiał.

Panowała nieprzenikniona ciemność. Nie były jej w stanie rozproszyć słabe światełka panelu umieszczonego w pobliżu drzwi ani zwiewny poblask uśpionego sygnalizatora końcówki mózgu stacji. Świetlne punkty przywodziły na myśl gwiazdy. Obce gwiazdy na obcym niebie.

W ciepłym, aksamitnym mroku płynął monotonny, cichy głos mężczyzny:

– One zawsze wydają się takie same, ale kiedy się przyjrzysz, za każdym razem ukazują inne oblicze. Widziałem miliony gwiazd z daleka i tysiące z bliska, ale nigdy nie spotkałem dwóch dokładnie takich samych. A nawet dwóch na tyle podobnych, żeby można było je pomylić. Gwiazdy są jak ludzie, a przecież nawet bliźniacy różnią się między sobą. Ale najwspanialszy i zarazem najbardziej zapierający dech w piersiach widok, to masywna czarna dziura umiejscowiona w centrum jasnej mgławicy. Widziałaś kiedyś coś takiego z bliska?

– Tylko na zdjęciach i filmach. – Kobieta oparła brodę o jego pierś, przysparzając mu nieco bólu, ale nie zwracał na to uwagi.

– To nie to samo. Kiedy materia opada na wielki kolapsar, pułapka grawitacyjna zaczyna wyglądać jak kobieta owinięta szczelnie w przepiękną suknię z jedwabiu. Jak śmiertelnie niebezpieczna, lecz nieprawdopodobnie piękna panna młoda. Kiedy wyłączy się wszystkie systemy statku, zdejmie ekrany, wystawi się ciało na promieniowanie kosmicznej pustki, zrzuci elementarne osłony plastianowe, można usłyszeć jej niesamowity śpiew. Przypomina daleki, tęskny głos przyzywający podróżnika, aby zbliżył się, zaznał odpoczynku i nieznanej dotąd rozkoszy. W mitologii greckiej tak miał działać na żeglarzy śpiew syren...

– Wolno ot, tak sobie wyłączać systemy bezpieczeństwa? – zdziwiła się kobieta.

– Wszelkie regulaminy stanowczo tego zabraniają – odparł krótko. Milczał przez chwilę, zanim podjął: – Ale żeby usłyszeć zew takiego zjawiska w całej pełni, trzeba porzucić osłonę statku, wyjść w przestrzeń. Medmat ma potem sporo roboty z naprawianiem uszkodzonych tkanek, ale zapewniam cię, że warto. Wtedy czujesz łączność z czarną dziurą. Zaczynasz rozumieć, po co została stworzona.

– Mój ojciec mawiał, że to wejście do piekła – wtrąciła.

– Twój ojciec był religijny?

– Jak chyba prawie wszyscy na mojej planecie. Kiedy żyjesz w świecie, na którym z jednej strony czyhają setki niebezpieczeństw, a z drugiej obcujesz z najwspanialszymi zjawiskami przyrody, musisz wierzyć w Boga. Jakiegokolwiek.

Kiwnął głową, choć nie mogła tego widzieć.

– Wejście do piekła – rzekł powoli. – Możliwe. Jednak jestem bliższy poglądu, że to bramy raju.

– Dlaczego? Są przecież takie groźne, niszczą wszystko, co znajdzie się w ich zasięgu.

– Wiem. Lecz ich śpiew jest, jak by to powiedzieć... dobry? Chyba tak. Zupełnie jakby ich potęga i groza miały zostać złagodzone przez ten niesamowicie cudowny głos. Żeby coś takiego zrozumieć, trzeba to przeżyć samemu.

– Nigdy o tym nie słyszałam.

– Bo też żaden pilot przy zdrowych zmysłach nie opowiada o podobnych eksperymentach każdemu napotkanemu człowiekowi. Żeby doświadczyć tego, o czym mówię, należy znaleźć się na samej granicy oddziaływania czarnej dziury, w odległości, która pozwala jeszcze na ucieczkę, ale na tyle blisko, żeby poczuć coś, co można nazwać szarpnięciem horyzontu zdarzeń. To dość ryzykowne.

– I najzupełniej niezgodne z regulaminem – uzupełniła.

– Właśnie.

– A ty, jak rozumiem, uczyniłeś coś takiego?

– Nigdy mi tego nie zdołano udowodnić.

Zaśmiała się. Ten głośniejszy dźwięk zakłócił na chwilę spokój pogrążonego w mroku pokoju, po czym został wchłonięty przez ściany, utonął w miękkich okładzinach ścian i podłogi.

– Opowiedz.

– Wyszedłem na zewnątrz najwyżej na dziesięć minut. To w sam raz, żeby nie zginąć. Nastawiłem mózg jednostki, żeby ściągnął mnie automatycznie. I bardzo dobrze, Sandro. Kiedy zdjąłem wszystkie systemy zabezpieczeń, wyłączyłem generator pola ochronnego kombinezonu, usłyszałem ją. Nie, to źle powiedziane. Poczułem ten śpiew. Bo nie chodzi tylko o dźwięki, to doświadczenie wszechzmysłowe i zarazem pozazmysłowe. To tak, jakbyś otrzymała dodatkowe oczy i uszy, ale postrzegające świat w zupełnie inny sposób, niż do tego przywykłaś. Jestem pewien, że gdybym podążył za głosem, poznałbym wszelkie tajemnice świata. Mógłbym objąć umysłem to, czego człowiek nie jest w stanie zrozumieć. Dowiedziałbym się, czy naprawdę jesteśmy sami w nadającym się do poznania wszechświecie, czy też gdzieś jednak wykluły się także inne cywilizacje.

– Jesteśmy sami – szepnęła.

– Dlaczego tak sądzisz?

– A czy ty uważasz inaczej?

– Nie, jednak czasem mam słabą nadzieję.

– A ja nie. – Kobieta westchnęła ciężko, ze smutkiem.

– Czemu?

– Nie wiem, po prostu tak czuję. Jeszcze sto lat temu nie sięgaliśmy tak daleko w przestrzeń, mogliśmy przypuszczać, że gdzieś tam w głębi dzieje się coś, co powołało do życia istoty nam pokrewne. Ale objęliśmy badaniami taki szmat kosmosu, dotarliśmy wreszcie do innej galaktyki... I nic. Najmniejszego, najmarniejszego śladu. Tylko prymitywne stworzenia, zwyczajne zwierzęta, a czasem coś, czego zupełnie nie rozumiemy. Myślisz, że jestem głupia?

– Nie, Sandro. To, co mówisz, jest oparte na bardzo solidnych podstawach. Cóż, może jednak gdzieś tam kiedyś coś albo kogoś wreszcie znajdziemy. Na razie musimy uznać, że jesteśmy osamotnieni jako istoty wyżej rozwinięte.

– Powiedz jeszcze o tym, jak słuchałeś... jak odczuwałeś...

Uśmiechnął się pod nosem. Sandra była równie ciekawa jak Wysoka Komisja Dyscyplinarna Marynarki, która przesłuchiwała go pewnego razu w sprawie zmiany trajektorii lotu i nieuprawnionego opuszczenia pojazdu międzygwiezdnego dalekiego zwiadu, będącego własnością Floty Centralnej Wojsk Federacji Międzygalaktycznej. Tyle że sposób przesłuchiwania przez kobietę był nieporównanie przyjemniejszy. I nie musiał przed nią zbyt wiele ukrywać. Przed nikim już nie musiał. Sprawa tak czy inaczej uległa przedawnieniu.

– Czułaś kiedyś tak ogromną tęsknotę, że miałaś wrażenie, jakby twoje serce zostało uwiązane na niewidzialnej nici i ktoś przyciągał je do siebie? Nie, to nie jest uczucie podobne do miłości. To coś więcej i mniej zarazem. Bo miłość w ostatecznym rozrachunku obiecuje prędzej czy później albo ból straty, albo rozczarowanie. Dlatego zew czarnej gwiazdy jest czymś więcej: on cię nie rozczaruje. A dlaczego czymś mniej... Cóż, oferuje tylko samotność. Spokojną, godną pożądania, ale samotność. Żyjącemu może się to wydawać odpychające, lecz po śmierci...

– Przerażasz mnie – powiedziała drżącym głosem. Poczuł, że faktycznie przeszedł ją dreszcz.

– Dlaczego?

– Opowiadasz o czymś, co nie mieści się w głowie. Nie jestem tego w stanie zrozumieć.

– Mówiłem przecież, że trzeba samemu doświadczyć takiego stanu. Nie będę cię dłużej męczył.

– Nie – szepnęła. – Chcę jeszcze posłuchać... Jak było potem?

– Potem mózg sprowadził mnie na pokład, włączył wszystkie systemy. Wydawało mi się, że upłynęło zaledwie pół minuty, byłem zły, wręcz wściekły, że przerwano mi tak fascynujące doświadczenie, że komputer nie posłuchał rozkazów. Okazało się jednak, że przebywałem w otwartej przestrzeni całe dziesięć minut. Potem medmat leczył mnie dobry tydzień, a pół roku byłem osłabiony.

– Słono zapłaciłeś za to doświadczenie.

– Ale opłaciło się. Wiem już przynajmniej, jak chcę umrzeć.

– To znaczy?

– Jak gwiazdy.

– Co masz na myśli?

– W wielkiej pustce przestrzeni i w milczeniu. Gwiazdy, Sandro, zawsze umierają w milczeniu. W milczeniu i samotności, bez głupiego współczucia, bez lęku.

Przez chwilę panowała cisza. Przerwała ją kobieta.

– A jak to jest podróżować w nadprzestrzeni?

– Nie ma czegoś takiego jak nadprzestrzeń, skarbie – zaśmiał się.

– Wiesz, o czym mówię, jak to jest, kiedy dokonuje się skoku?

– To nie jest też skok.

– Dobrze, dobrze. Ty wiesz swoje, ja swoje.

– O tym opowiem ci następnym razem. Jest już późno, trzeba choć trochę pospać.

Uderzyła go pięścią w ramię.

– A skąd wiesz, że zgodzę się na następny raz?

– Mam po prostu nadzieję. A teraz tym większą, że chyba będziesz ciekawa kolejnej opowieści, prawda?

– Drań z ciebie – stwierdziła bez złości.

Rozdział 5

Zoja Sarkissian wyglądała jak z krzyża zdjęta. Ta noc musiała ją kosztować mnóstwo nerwów, a jednak przyszła na śniadanie. W mesie zgromadziło się siedem osób. Oprócz Elzy, wyglądającej niewiele lepiej od lekarki, z trudem maskującej zapuchnięte oczy obfitym makijażem, przyszedł jeszcze Noel z żoną, Robert Sorensen i Vlad Harding. Adam usiadł na tym samym miejscu, co poprzednio. Sorensen spojrzał na niego z niechęcią, zajął się swoją porcją. Noel i Alicja siedzieli ze spuszczonymi głowami. Wyglądało na to, że pokłócili się, i to poważnie, łypali bowiem na siebie ze źle ukrywaną wrogością. Jedynie Vlad wyglądał w miarę normalnie, tyle tylko, że znać było po nim zmęczenie.

– Robił pan w nocy jakieś badania? – spytał Bartold, zwracając się w jego stronę.

– Tak – kiwnął głową Harding. – Obserwowaliśmy z Alicją i Noelem migrację spiagotów. Wielkie stado przelatywało z południowego wschodu na zachód.

– Podążały pasem dwieście kilometrów na południe od nas. Wysłaliśmy tam sondy obserwacyjne. Jeśli jest pan ciekaw, mamy nagrany spory materiał zdjęciowy.

– Chętnie obejrzę przy okazji. – Adam uśmiechnął się lekko, żeby pokryć zdawkowy nieco ton. – To musi być ciekawe widowisko.

– Fascynujące! – Noel poderwał głowę, zapominając o troskach, w jego oczach zapłonął ogień. – To niesamowite stworzenia, a podróżując w grupie, tworzą na tle nieba cudowne wzory. Za parę dni będzie okazja podziwiać je w pobliżu stacji. Grigorij obliczył, że powinny... – urwał nagle i zamilkł, skarcony groźnym spojrzeniem Alicji i pełnym wyrzutu Elzy.

Adam zerknął na Zoję. Siedziała pobladła nad nie ruszoną porcją. Wypiła tylko kawę, a teraz mieszała bezmyślnie łyżką w pustej filiżance.

Sorensen ziewnął przeciągle, wrzucił do ust kawałek mielonki. Zoja drgnęła, spojrzała na niego jak obudzona z głębokiego snu, a potem wstała i prawie wybiegła z sali.

– Chyba mnie nie lubi – mruknął Robert.

– I ma za co, prawda? – spytała jadowitym tonem Alicja. Nieświadomym gestem poprawiła krótkie włosy.

– Ma albo i nie ma. Nie zabiłem jej starego, więc po co się czepiać? A zresztą, gdyby nawet, powinna być wdzięczna.

Bartold pilniej nadstawił uszu. Ciekawa wypowiedź i nietuzinkowy pogląd na śmierć kolegi wzbudziły jego czujność.

– Pan się zastanawia, dlaczego tak mówię? – Sorensen spojrzał na komandora. – To żadna tajemnica. Nasz drogi, smagły kolega Grigorij był zdeklarowanym impotentem. W ogóle ten nasz wspaniały zespół badawczy to jakaś okropna banda nieudaczników. Na dodatek mocno perwersyjnych nieudaczników.

– Poza tobą, co? – rzekł drwiąco Vlad. – Ty jesteś ostatni normalny.

– W życiu nie odważyłbym się twierdzić czegoś podobnego – prychnął Robert. – Można zamiatać pod dywan wszystkie brudy, ale jeśli się pod nim uzbiera zbyt dużo, prędzej czy później ktoś się o to potknie. A wtedy zaczynają się dziać różne rzeczy.

Adam zmarszczył brwi. Słowa Sorensena były co najmniej zastanawiające, ale Bartold nie zadał nasuwającego się w oczywisty sposób pytania, bojąc się, iż może w ten sposób coś popsuć.

– A jak tam szanowny nieboszczyk? – Robert spojrzał z drwiącym uśmieszkiem na Adama. – Ustalił pan przyczynę śmierci?

– Bezpośrednią tak, ale nie ma jeszcze wszystkich danych, aby odtworzyć prawdopodobny ciąg wydarzeń. W tym celu trzeba przeprowadzić regularną obdukcję, której nie mogę dokonać bez pomocy pani Sarkissian.

– Nie rozumiem – odezwała się Elza. – Przecież to chyba oczywiste. Grigorij nie zachował należytej ostrożności, podczas wstrząsów nabił się na pręt laboratoryjny.

– Zapewne tak – Adam wzruszył lekko ramionami. – Ale należy zrobić badania toksykologiczne, wykluczyć zdarzenia w rodzaju zawału serca, zapoznać się z wszelkimi odczytami medmatu.

– Sporo pan o tym wie. – Harding popatrzył podejrzliwie. – Robił pan już coś takiego?

Bartold odpowiedział mu długim, twardym spojrzeniem.

– Zapomina pan, że służba w dalekim zwiadzie wiąże się z ryzykiem i wypadkami. Zapoznawano nas na szkoleniach z wszelkimi możliwymi zasadami postępowania. Zresztą, przepisy w tym względzie są jasne i znane każdemu, kto wybiera się w kosmos, panu z pewnością także.

– Ale przecież sekcję powinno się wykonać jak najszybciej. Najlepiej niezwłocznie, bo w przypadku rzekomych toksyn czas bardzo się liczy.

– Sporo pan o tym wie – rzucił Adam ironicznie. – Miał już pan z czymś podobnym do czynienia?

Harding nie odpowiedział, za to rozległ się śmiech Sorensena.

– O czasie wykonania badań decyduje dowódca placówki – ciągnął Bartold, nie zwracając na niego uwagi. – W tym wypadku musi zapewne wziąć pod uwagę stan psychiczny żony ofiary.

– Nasz szanowny gość potrafi ugryźć, jak widać i słychać – parsknął Robert. – Przywalił tobie, Vlad, a potem na dodatek kochanemu Walterowi. „Musi zapewne wziąć pod uwagę", powiada pan? To „zapewne" stanowi klucz do wszystkiego. Profesor Wintermann jest zapewne naszym dowódcą i zapewne znakomitym fachowcem w swojej specjalności, ale z całą pewnością powinien otrzymać najwyższe laury za umiejętność dekowania się i zwlekania w sytuacjach trudnych.

– Możesz się odczepić od mojego męża? – syknęła Elza.

– Powinnaś powiedzieć „mojego kochanego męża", prawda?

– Jesteś po prostu obrzydliwy. Nie wiem, jak Marie może z tobą wytrzymać.

– Bo w łóżku też jestem prawdziwym szatanem – odparł Robert z nieprzyjemnym uśmieszkiem – a to jej niewątpliwie wynagradza całe moje sławetne chamstwo. Gdybyś chciała się kiedyś przekonać...

– Zamknij się! – warknął Harding. – Ktoś kiedyś wybije ci zęby.

– Być może. Ale na pewno nie ty, za bardzo jesteś tchórzem podszyty.

Adam przysłuchiwał się sprzeczce, udając, że przede wszystkim interesuje go śniadanie. Sorensen był co najmniej zastanawiającym typem. Musiał nieźle się kamuflować podczas serii testów oceniających predyspozycje społeczne. Chyba że odbiło mu dopiero tutaj, lecz to by znaczyło, że zespół kwalifikujący zawalił robotę, nie zauważając tendencji do podobnych zaburzeń emocjonalnych informatyka.

– Wydaje ci się, że seksem można wszystko załatwić? – zapytała zjadliwym tonem Elza.

– W każdym razie sporo.

– Oznajmiłeś tak radośnie, że Grigorij był impotentem. Dlaczego o tym trąbisz? Może też masz jakiś problem?

– Powiedziałem tylko to, co wszyscy i tak wiedzieli od dawna. A czy mam problem, sama możesz...

– Ale Zoja go kochała – powiedziała Teresa. Mówiła cichym głosem, jednak tak sugestywnie, że wszyscy wlepili w nią oczy. – Była nieszczęśliwa, czuła się porzucona, zagubiona, może nawet zdradzona przez los, ale kochała męża nad życie. Bo to, w odróżnieniu od ciebie, Sorensen, był wspaniały człowiek.

Czy to właśnie było przyczyną nijakości oraz pustego spojrzenia lekarki? Adam zastanowił się. Możliwe, chociaż mało prawdopodobne. Niepowodzenia łóżkowe bywają dotkliwe, ale nie zabijają w człowieku całej radości życia. Lepszym wytłumaczeniem byłaby depresja, nieważne, czy endogenna czy reaktywna. Po prostu depresja...

– Tak, tak – szarpnął się Robert. – Wspaniały człowiek. To samo powiedziałaś o nieodżałowanym Michelangelu, jego żonie i małżeństwie Corrais. Sporo tutaj mieliśmy wspaniałych ludzi. Obawiam się jednakowoż, że przetrwać mogą tylko skurwysyny. Ewolucja jako taka jest jedną wielką pochwałą wrednej chujozy.

Adam chrząknął znacząco. Tym razem obecni spojrzeli na niego.

– Co pan miał na myśli? – spytał, patrząc prosto w oczy Sorensenowi.

– Gówno ci do tego, komandorze – wzruszył ramionami zapytany. – Zajmij się lepiej naprawą swojego stateczku, jeśli w ogóle da się coś z nim zrobić, bo nic tu po tobie. Gdyby zjawił się u nas oficer śledczy, może wtedy byście zobaczyli, co znaczy, jak strach zajrzy do dupy.

Wstał, kiwnął uprzejmie głową, po czym wyszedł dostojnym krokiem.

– Kiedyś nakładę mu po mordzie – mruknął Vlad Harding.

Nikt się nie odezwał. Dokończyli śniadanie w zupełnej ciszy.

Znalazł go tam, gdzie się spodziewał – w pracowni fizyki grawitacyjnej. Walter siedział nad jakimiś wykresami, palcem zaznaczając na wyświetlaczu ciągi obliczeń.

– To bardzo niezdrowy nawyk – powiedział Adam, a Wintermann podskoczył z zaskoczenia.

– Jak pan tu wszedł? – zapytał agresywnie. – Zabezpieczyłem zamek przed intruzami. Bez mojej wiedzy i zgody...

– Mam swoje sposoby – wpadł mu w słowo Adam.

– Rozumiem – profesor wydął drwiąco wargi. – Służba w dalekim zwiadzie i tym podobne bzdury...

– Niezupełnie o to chodzi, ale niech i tak będzie. W każdym razie to niezdrowo dłubać gołymi rękami w hologramach, dowódco – ostatnie słowo wypowiedział takim tonem, że Walter zesztywniał i zaciął wargi. – Można się od tego nabawić paru niebezpiecznych schorzeń.

– Nie pańska sprawa.

– Nie moja. Po prostu ostrzegam po przyjacielsku.

– Po przyjacielsku niech się pan stąd lepiej wynosi.

Adam, zamiast odpowiedzieć, podszedł do stołu rozrządowego pracowni, przejechał dłonią nad rzędem przycisków. Holoekran zwinął się i zniknął, wszystkie lampki zaświeciły na zielono, w gotowości do pracy. Wintermann patrzył na to z otwartymi ustami. Najpierw oburzenie odebrało mu dech, a po chwili zaczął wściekle sapać.

– Na co pan sobie pozwala, panie Bartold?! Te obliczenia...

– Te obliczenia mogą zaczekać. W tej chwili musimy porozmawiać.

– Nie mamy o czym.

– Mamy. Grigorij Tawadze został zamordowany.

Wintermann znów zamilkł. Długo wpatrywał się w świecący zielonkawo pulpit. Potem przeniósł wzrok na banię próżniową z przezroczystego szkła tytanowego, wreszcie spojrzał na rozmówcę.

– Skąd ten pomysł? Przecież sam pan wczoraj mówił...

– Zrobiłem autopsję.

Dowódca stacji zgrzytnął zębami.

– Bez mojej wiedzy i zgody?

– Bez. Podobnie jak bez pańskiej wiedzy i zgody wszedłem do tego laboratorium.

– A udział lekarza w sekcji? Nie powie mi pan, że Zoja była w stanie to zrobić.

– Nie. Ale była w stanie podpisać zgodę, żebym ja to uczynił, posługując się standardowymi procedurami użycia medmatu.

– Nie miał pan prawa. Odpowie pan za to!

– Być może. Ale gdybym zwlekał jeszcze kilkanaście godzin, czekając aż się pan zdecyduje, mógłbym nie znaleźć już dowodów, że pański podwładny padł ofiarą zabójcy.

Walter pokręcił głową z niedowierzaniem.

– Jakich dowodów?

– Znalazłem w jego krwi mekarę. Całkiem sporo mekary. Wygląda na to, że ktoś mu podał narkotyk, a potem, korzystając z okoliczności...

– Zanim się pan zapędzi, komandorze – przerwał mu profesor – i wysunie jakieś niesamowite, sensacyjne wnioski, powinien pan o czymś wiedzieć. Wbrew temu, co mówiła nasza dyskretna i słodka pani psycholog, Grigorij Tawadze był uzależniony.

– Od mekary? – spytał z niedowierzaniem Adam.

– Między innymi.

– Jak w takim razie przedostał się przez sito selekcji?

Wintermann odetchnął głęboko.

– Bo to sito, komandorze, jest naprawdę znacznie rzadsze niż może się wydawać. W zasadzie można znaleźć w systemie miejsca, przez które przy odrobinie wysiłku sprytny człowiek jest w stanie prześliznąć się niezauważony.

– Bzdury – prychnął Adam. – Selekcja na pewno nie jest tak ostra jak dawniej, ale człowiek chory psychicznie albo narkoman nie może oszukać zespołu fachowców.

– A jednak – wzruszył ramionami Walter. – W każdym razie Tawadze ćpał, korzystając z faktu, że w posiadaniu jego żony jest całkiem potężny zapas medykamentów, z których zdolny naukowiec może sporządzić naprawdę porządną mekarę.

– Pan o tym wiedział i nie przeciwdziałał?

– Nic panu do tego. Na podobne pytania będę odpowiadał oficerowi śledczemu.

– Albo inkwizytorowi – dodał Adam.

– Nie daj Boże – pokręcił głową Wintermann. – Zresztą, inkwizytorów nie wysyła się do zwykłych wypadków.

Bartold podszedł do stołu rozrządu, znów powiódł dłonią nad blatem. Hologram pojawił się w tej samej postaci, w jakiej zniknął.

– Pan jest ateistą? – spytał cicho.

– Powiedzmy, że wyznaję agnostycyzm.

– Rozumiem. Jak ten rabin, który powiedział coś takiego: „Jeśli, co daj Boże, Pana Boga nie ma, to dzięki Bogu. Ale jeśli, co nie daj Boże, Pan Bóg jest, to niech nas ręka boska broni".

– Myślałem z kolei, że pan jest niewierzący. Tak przynajmniej wywnioskowałem z wczorajszej rozmowy przy śniadaniu.

– Nie zadeklarowałem się przecież.

– Ale powiedział pan, że nie zna żadnego pilota dalekiego zwiadu, który by wierzył.

– Błąd, panie profesorze. Logiczny błąd. Ja tylko zapytałem Martina Gauta, czy zna jakiegoś wierzącego astronawigatora dalekiego zwiadu.

– Właśnie... – Walter pokiwał ze zrozumieniem głową. – Ach, rozumiem, to taki unik z pana strony. Martin nie zna żadnego pilota latającego w głęboką przestrzeń, który by wierzył w Boga, bo przecież nie zna blisko ani jednego takiego człowieka.

– W każdym razie tak założyłem.

– Czyli mam rozumieć, że jest pan wierzący?

– Tego nie powiedziałem.

Wintermann machnął ręką.

– Niech pan już lepiej idzie. Taka rozmowa do niczego nie prowadzi.

– A zabójstwo Grigorija Tawadze?

– Myślałem, że to już sobie wyjaśniliśmy. Narkotyk w jego krwi mógł się przyczynić do śmierci, bo łatwiej stracił równowagę, ale nie jest dowodem morderstwa.

– Za to stanowi dowód pańskiej indolencji jako dowódcy zespołu.

Walter poczerwieniał, jednak zachował spokój.

– Z tego będzie mnie rozliczał ktoś inny – oznajmił zimno. – A teraz proszę już stąd wyjść.

Na stanowisku widokowym zastał Martina Gauta. Mężczyzna obrzucił Adama ponurym spojrzeniem, a potem wlepił wzrok w przezroczystą kopułę. Wschodzący nad horyzontem dysk Valhalli zajmował dobrą jedną piątą część nieba. Zakrzywienie promieni w gęstej atmosferze księżyca sprawiało, że wydawał się po prostu przeogromny. Zielona powierzchnia wyglądała w tej chwili jak seledynowy marmur, delikatnie zdobiony jaśniejszymi i ciemniejszymi żyłkami.

– Michał Anioł wyrzeźbiłby z czegoś takiego prawdziwe arcydzieło – powiedział Adam bardziej do siebie niż Martina. Tamten spojrzał na niego czarnymi oczami jak na szaleńca.

– Kto? – spytał. – Jaki anioł?

Bartold zdał sobie sprawę, że dla kogoś wychowanego z daleka od Ziemi i Układu Głównego to nazwisko może brzmieć równie egzotycznie, jak dla ziemskiego niedouczonego mieszczucha nazwy odległych, nieznanych gwiazd i planet.

– Żył kiedyś wielki artysta o takim imieniu, stworzył dzieła, które przetrwały wiele wieków. Niektóre z nich można obejrzeć jeszcze dzisiaj na Ziemi, kilka rzeźb stoi w westybulach najbogatszych korporacji handlowych. Nie chcę nawet myśleć, ile właściciele musieli zapłacić za możliwość przewiezienia tych cudów na statkach kosmicznych.

Gaut patrzył przenikliwym wzrokiem na przybyłego.

– Podobno samowolnie przeprowadził pan sekcję zwłok Grigorija.

– Wieści szybko się tutaj rozchodzą. – Adam kiwnął głową. – Ale nie myślałem, że aż tak szybko. Przecież ledwie kwadrans temu rozmawiałem z dowódcą.

Martin wydął lekko wargi.

– A ja rozmawiałem z wdową. Ma pan może coś przeciwko? – odparł dziwnym, ostrym tonem, niepasującym do sytuacji. Zupełnie jakby chciał opryskliwością pokryć niepewność. Albo złość sięgającą gdzieś bardzo głęboko, aż do trzewi. Adam spotkał się parę razy w życiu z taką właśnie reakcją, ale występowała ona u ludzi wracających z długich podróży, którym w gruzy waliło się życie osobiste. Mieli to samo nienawidzące wszystkiego i wszystkich spojrzenie, wargi wykrzywione ku dołowi, opuszczone kąciki oczu. Twarz wydaje się wtedy zmięta, zupełnie jak maska niedokładnie odwzorowana i byle jak przyklejona przez marnego rzemieślnika. Ale mogło tutaj też chodzić o co innego. Może Gaut po prostu taki był. Kolejny dziwaczny członek zespołu badawczego, którego przepuściły komisje kwalifikacyjne.

– Ma pan coś przeciwko? – powtórzył jeszcze bardziej napastliwie.

– Czemu miałbym mieć? – Adam wzruszył lekko ramionami. – W ten sposób nie popełnił pan przestępstwa.

– A gdybym popełnił, to co? Aresztuje mnie pan? Zachowujesz się, człowieku, jakbyś miał prawo pytać nas o wszystko, oceniać, wtrącać się w sprawy, które cię nie dotyczą. Czy może masz do tego jakieś prawo?

Adam nie odpowiedział, patrząc na wznoszącą się sylwetkę Valhalli.

– Właśnie – sapnął Gaut, uspokoił się nieco. – Dlaczego więc pan to robi?

– To taki odruch – uśmiechnął się Adam. – Przywykłem przez lata służby, że jeśli coś się dzieje na mojej jednostce, muszę to jak najszybciej wyjaśnić.

– Ale to nie jest pańska jednostka, prawda?

– Siła przyzwyczajenia – Bartold uśmiechnął się jeszcze szerzej. – A w dodatku skoro widzę, że nikt tutaj nic nie robi...

– To rzecz śledczych – przerwał mu rozmówca. – Oddelegują kogoś, kiedy tylko skończą się zakłócenia spowodowane przez nową. A pan będzie mógł się z nimi potem zabrać. A może wtedy już pana tutaj nie będzie?

Adam zmrużył oczy, zmierzył wyciągniętą w fotelu długą postać Martina uważnym spojrzeniem.

– To ostrzeżenie czy groźba? – spytał oschle.

Gaut poderwał się, zamachał rękami z lekko przerażoną miną.

– Miałem na myśli tylko to, że do tego czasu chyba zdąży pan zreperować jednostkę i odlecieć.

– To zależy od tego, jak sprawią się automaty. Na razie nie ma możliwości ruszyć statku z orbity, zaś maszyny naprawcze bez dozoru człowieka mają tendencję do kręcenia się w kółko, jeśli napotkają problem wymagający zastosowania niekonwencjonalnych rozwiązań.

– Dlaczego się pan w takim razie nie zabierze na pokład, żeby ich dopilnować? A jeśli nie, dlaczego nie połączy się pan ze swoją centralną jednostką logiczną?

– Z dwóch prostych względów, doktorze Gaut. Połączenie z komputerem uniemożliwia awaria systemów nadawania. Kiedy padły generatory grawitacyjne, oberwały także układy zasilające wzmacniacze antenowe. Nawet jeśli uruchomimy przepływ danych, będzie on obciążony sporymi zakłóceniami, a to do niczego dobrego nie doprowadzi. A co do lotu na orbitę... Moja kapsuła ratunkowa nie nadaje się do powtórnego użytku, w tej przeklętej gęstej atmosferze, przy zwiększonej grawitacji i tak

wylądowałem na resztkach paliwa. Musiałbym wypoży-
czyć wasz wahadłowiec.

– W czym problem?

– Ano w tym, że wymagałoby to zużycia kolejnej porcji zapasów, które skurczyły się znacznie po moim ostatnim locie.

Martin Gaut uśmiechnął się krzywo, zerknął drwiąco na komandora.

– Bezsensownym locie, trzeba dodać. Nie przyniósł
nic poza uszkodzeniem satelity.

– I paroma interesującymi informacjami. Ale rzeczywiście, w gruncie rzeczy okazał się zupełnie jałowy.

– Właśnie. Nadal jesteśmy pozbawieni łączności bez-
pośredniej. Należy mieć tylko nadzieję, że wydelegowany przez władze urzędnik przywiezie nowe kryształy. Bo
te, które pan przywiózł z orbity do niczego się podobno
nie nadają.

Adam chciał coś odpowiedzieć, ale Martin uciszył go
niecierpliwym gestem.

– Teraz cicho, patrz pan, zaraz zacznie się najlepsze.

Znad krawędzi wielkiego dysku Valhalli wychynął nagle oślepiający, pojedynczy promień. Zaigrał na powierzchni
księżyca, przefiltrowany przez atmosferę gazowego olbrzyma. W tym momencie Adamowi wydało się, że nie tyle
widzi niesamowitą feerię barw, ile ją wręcz słyszy. To było
coś, co przywodziło na myśl symfonię stworzoną przez
prawdziwego geniusza. Barwy zmieniały się, przechodzi-
ły jedna w drugą w najzupełniej zaskakujący, sprzeczny
z oczekiwaniami sposób. Ludzka estetyka musiała skapi-
tulować przed zjawiskiem, które z jednej strony druzgotało
ją, rozbijało w pył, raziło oczy przykrym zgiełkiem barw,

a z drugiej natychmiast zlepiało doznania w nowy kształt, sprawiało, że rozdarta w pierwszej chwili dusza doznawała ukojenia, zaczynała rozkoszować się obcym pięknem. Jedyne skojarzenie, jakie przychodziło do głowy Adamowi, to rozszczepienie promieni słonecznych w pryzmacie, widziane pierwszy raz w życiu przez małe dziecko. Niosło ze sobą to samo poczucie nowości i ten sam zachwyt. Jednak widmo tęczy jest przecież dla człowieka bliskie i naturalne, ani przez moment nie wydaje się obce.

Bartold chłonął widowisko całym sobą, zapominając o obecności Gauta. W tym momencie wszystko zdawało się nie mieć znaczenia, istniał tylko ten groźny, urokliwy świat oraz przybysz z sąsiedniej galaktyki, zbłąkany podróżny, dla którego siły przyrody wzniosły się na wyżyny możliwości, aby pokazać marność człowieka w obliczu prawdziwej urody świata.

– Już? – wyrwało mu się, kiedy spektakl został ucięty jak nożem, a na przezroczystą płaszczyznę kopuły nasunęły się osłony.

– Tak, to koniec. Szkoda, co? Niestety, tak właśnie następuje finał. Jest nagły i przykry, zupełnie jak kres ludzkiego życia. Ale to była tylko przygrywka, czy raczej mierne echo prawdziwego widowiska, kiedy na niebo włazi jeszcze Fenrir.

Adam westchnął, usiadł w fotelu naprzeciwko Gauta. W tej chwili ponury mężczyzna wydawał się bardziej przystępny, wręcz sympatyczny. Wrażenie minęło jednak natychmiast, kiedy się odezwał:

– A wracając do rozmowy i pana bezsensownego lotu, to czy nie miałem racji, mówiąc, iż trzynastka przynosi pecha?

Adam nie wiedział, czy Gaut kpi, czy mówi poważnie. Z jego twarzy nie można było wyczytać nic poza niechęcią.

– Mnie pecha przyniósł człowiek, nie liczba – odparł równie suchym, nieprzyjemnym tonem. – I to nie trzynastka zniszczyła obwody transpondera aparatu łączności kwantowej. Tego dokonał ktoś z załogi.

– Ach, ci ludzie – westchnął z drwiną Gaut. – Wszystko dzieje się przez nich, wszystkim kieruje ich zła wola. Walka przeciwstawnych sił, które zmuszają człowieka, żeby opowiedział się po jednej ze stron, nawet jeśli nie ma na to najmniejszej ochoty. – Spoważniał, spojrzał w górę, na pociemniałe płaszczyzny wielkich, wypukłych okien. – Zła wola... – powiedział cicho. – Wszyscy jesteśmy na nią skazani.

– Po co to zaciemnienie? – spytał Adam. – Czy w tej chwili promieniowanie jest niebezpieczne dla wzroku?

– Nie, nie – machnął ręką Gaut. – Wydałem polecenie, żeby po wschodzie Thora zasunęły się blendy. Nie spodziewałem się, że ktoś przyjdzie tutaj posiedzieć.

Poderwał się nagle.

– Żegnam pana, komandorze – rzucił, idąc do wyjścia. – Obowiązki wzywają. Nie każdy ma tyle szczęścia, żeby móc się obijać, kiedy inni pracują.

Zatrzymał się jeszcze w drzwiach, odwrócił głowę.

– A to – wskazał kopułę – wygląda jeszcze lepiej, jeśli stoi się na zewnątrz lub wejdzie do obserwatorium. Tam jest także nasłuch. Do kolorów dołączają się dźwięki i wibracje.

– Oddziaływanie pływowe Valhalli?

– To też. Ale Edwin Corrais, zanim zginął, zdążył poczynić pewne obserwacje. Okazuje się, że prócz grawitacyjnego pola olbrzyma mają tu znaczenie interferencje wzbudzane przez gwałtowne zmiany widma promieni w powietrzu. Wibracje czuje się nie tylko pod stopami, ale całym ciałem... I jeszcze więcej... Ale to trudno opowiedzieć, trzeba przeżyć.

Adam został zupełnie sam. Odchylił się, oparł o zagłówek, przymknął oczy. Pomyślał, czy nie kazać zdjąć filtrów z kopuły, ale zrezygnował. Półmrok panujący w pomieszczeniu był całkiem przyjemny, sprzyjał rozmyślaniom.

– Mózg – powiedział. – Oblicz mi zużycie paliwa przez wahadłowiec, biorąc pod uwagę trajektorię na spotkanie z „Delfinem" na orbicie.

– Dopuszczalne przeciążenie?

– Maksymalne dla wahadłowca.

– Siedemset osiemdziesiąt kilogramów.

– Precyzyjnie, mózg. Siedemset dla tutejszego ciążenia czy ziemskiego?

– Podaję masę w jednostkach standardowych, komandorze Bartold.

To było, oczywiście, niemożliwe, ale Adam mógłby przysiąc, że usłyszał w głosie komputera nutę urazy czy pretensji. No tak, powinien to wiedzieć. I wiedział. Ale w sytuacjach odbiegających od normy należy zachowywać najdalej posuniętą ostrożność. A sytuacja w placówce badawczej na Zoroastrze bez wątpienia odbiegała od normy.

Teresa Harding siedziała w swoim gabinecie. Nie był wyposażony imponująco, ale zawierał rozszerzony zestaw narzędzi potrzebnych w pracy terapeutycznej. Na zdrowiu psychicznym pracowników daleko wysuniętej placówki nie można było za bardzo oszczędzać. Rozmieszczono więc na ścianach holoekrany wizualizacyjne, w kącie stała kozetka wyposażona w całą gamę różnorodnych przystawek, fragment aparatury do masażu wewnętrznego wystawał zza wzorzystego parawanu, a za przepierzeniem znajdowała się z pewnością maszyna diagnozująca. Poza tym na półkach zalegały pudła z dodatkowym sprzętem.

– Jest pani sama? – spytał Adam pro forma, widząc, że kobieta zapisuje coś w staromodnym dzienniku z płaskim wyświetlaczem. – Możemy porozmawiać?

– Zoja właśnie wyszła, więc mam chwilę, zanim przyjdzie następny klient.

– Ma pani sporo pracy, prawda?

– Zaskakująco dużo – przytaknęła. – Na początku siedziałam tutaj i nudziłam się jak mops. W sumie spędzałam więcej czasu w obserwatorium astronomicznym albo pracowni na początku korytarza. Wszyscy zachłysnęli się nowym miejscem, nowymi obowiązkami, rzucili w wir pracy. Dopiero po upływie sześciu czy siedmiu miesięcy zaczęły się pierwsze wizyty. Z początku wpadali tu niby na chwilę, tylko pogadać, ale potem... – zamilkła, spojrzała na niego czujnie. – Dlaczego właściwie panu o tym wszystkim mówię? Nie powinnam, przecież jest pan obcy, a mnie obowiązuje tajemnica zawodowa.

– Bo uprzejmie zapytałem, a pani jest miła.

Roześmiała się krótko.

– To trochę za mało na to, żebym się tak rozgadywała. Zupełnie jakby w panu było coś, co skłania do zwierzeń...

– A może po prostu pani tego potrzebuje, Tereso?
Wysłuchuje pani skarg ludzi, musi się pochylać nad ich
problemami, to trudne.

– I sama muszę się czasem wygadać? – spytała z lekkim uśmiechem. – Nawet przed kimś, kto potrafi być tak
przykry, jak pan?

– Jak sama pani zauważyła, jestem obcy. Przybyłem
na chwilę i odlecę. Z całą pewnością nie zostanę pani
pacjentem...

– Klientem – poprawiła odruchowo.

– Co za różnica?

– Staram się tego bardzo pilnować, komandorze. Pa-
cjent to człowiek chory, wymagający interwencji medycz-
nej. Psycholog-terapeuta ma klientów, to znaczy ludzi,
którzy potrzebują pomocy, a nie twardego manipulowa-
nia w ich organizmach.

– Rozumiem. Nie jestem więc pani klientem i nie
będę, a zatem łatwiej opowiedzieć mi coś, czego nie może
pani wyjawić na co dzień. Nie chodzi o tajemnicę zawo-
dową, ale o zaburzenia interakcji między panią a resztą. Musi być pani zawsze gotowa, w każdej chwili służyć
radą, wysłuchiwać tych wszystkich bzdur. Współczuję.

– Bzdur? – zmarszczyła brwi. – Nie mogę tak do tego
podchodzić. To, co dla mnie czy dla pana wydaje się dro-
biazgiem, dla kogoś, kto ma za sobą przeżycia trauma-
tyczne, może urosnąć do rozmiarów góry nie do zdobycia.

– Racja – skinął głową. – Na przykład głupia uwaga
Sorensena przy stole na temat nieboszczyka, która mnie
mogła co najwyżej zirytować, dla wdowy może stać się
właśnie taką górą.

– Przyszedł pan o tym porozmawiać?

W tej chwili przerwało im wejście Sandry. Wsunęła głowę, na widok Adama uniosła ze zdziwieniem brwi.

– Nie wiedziałam, że potrzebujesz konsultacji psychologicznej już trzy dni po wylądowaniu – zaśmiała się.

– Tak to bywa – odparł lekkim tonem. – Ale jeśli chcesz pogadać z panią doktor, zaraz wychodzę.

– Nie przeszkadzajcie sobie, to nic pilnego.

Drzwi zasunęły się bezgłośnie. Teresa patrzyła z ciekawością na Bartolda.

– Przeszliście na ty? To nawet ciekawe.

– Dlaczego?

– Bo z innymi członkami zespołu pozostaje pan w o wiele mniej zażyłych stosunkach. Ale w sumie to nie moja sprawa. Chciał pan zapytać o coś w związku z dzisiejszą awanturą w jadalni.

Zastanawiał się przez chwilę, jak ująć w słowa to, co odczuwał, słuchając kłótni osób zgromadzonych na śniadaniu. Zresztą, nie chodziło przecież tylko o śniadanie. Teresa milczała z lekko uniesionymi w wyrazie oczekiwania brwiami.

– Proszę mi powiedzieć, czy pani koleżanki i koledzy wykazywali takie rysy osobowości od początku pobytu w bazie, czy przyszło to z czasem?

– Nie to pytanie zamierzał pan zadać, prawda?

– Prawda – roześmiał się. – Ale to także mnie interesuje.

– Nieprawda. – Kobieta zachowała powagę. – Pan się zastanawia, co tak na nich wpłynęło. Uważa pan, że przy tendencji do podobnych zachowań, jak chociażby chamstwo Sorensena albo totalne puszczalstwo Sandry, zostaliby zdyskwalifikowani jako materiał ludzki biorący udział w wyprawie w odległy rejon eksplorowanego wszechświata.

– Coś w tym rodzaju – przytaknął. – Nie chciałem być jednak aż tak dosadny.

– I to też nieprawda. – Tym razem na ustach Teresy zagościł leciutki uśmiech. – Wolał pan, żebym to ja wypowiedziała te wszystkie przykre słowa.

– Pani jest niebezpiecznie inteligentna – kiwnął z uznaniem głową. – Piękna i inteligentna.

– Z tym drugim mogę się zgodzić – odparła, nie zmieniając tonu – ale co do pierwszego... Proszę nie zapominać, że każda kwatera jest zaopatrzona w lustro. Piękna jest Elza Wintermann.

Adam popatrzył jej prosto w oczy. Widział na ich dnie iskierki rozbawienia, pomieszane ze zdziwieniem i chyba obawą.

– Kobieta nie musi być śliczna, żeby ją można było nazwać piękną – powiedział po chwili. – Piękno to coś więcej niż regularność rysów, barwa i gęstość włosów, nienaganna figura. Piękno to coś, co płynie z wewnątrz, to także odpowiedni zestaw feromonów, to sposób bycia. No i, rzecz jasna, inteligencja. A raczej mądrość.

– Proszę mnie nie raczyć takimi banałami – prychnęła, ale nie wyglądała na oburzoną.

Wstała z fotela, podeszła do Bartolda, pochyliła się nad nim. Nie poruszył się, czekał spokojnie. Teresa przegięła się jeszcze bardziej, nagle gwałtownym ruchem przylgnęła do jego warg. Połączyli się w długim, namiętnym pocałunku. Ich języki splotły się w obłędnym tańcu pożądania. Mężczyzna poczuł rękę kobiety pełznącą między jego nogami. Zatrzymał ją zdecydowanie.

– To nie jest najlepszy pomysł – mruknął, kiedy oderwała się od niego. – Jest bardzo przyjemnie, ale jednak chyba nie powinniśmy.

Wyprostowała się. Była znów opanowana i chłodna.

– Wiem – powiedziała cicho, wracając na miejsce. – Chciałam się tylko przekonać, czy jest pan zwyczajnym kogutem i bigotem, czy kimś więcej.

– I którą z dwóch opcji pani wybrała?

– Trzecią. Jest pan zwyczajnym kogutem i bigotem, ale także kimś więcej. Dlaczego przespał się pan z Sandrą?

– A skąd taki wniosek?

– Nie bądźmy dziećmi, po co to udawanie? Zresztą, może pan być pewien, że madame Gaut o wszystkim mi opowie. Robię tutaj nie tylko za terapeutę, ale także kogoś w rodzaju duchownego. Niektórzy traktują mnie zupełnie jakbym miała moc odpuszczania grzechów. Powtórzę pytanie: dlaczego przespał się pan z Sandrą?

– Powiedzmy, że trafiła na chwilę mojej słabości. Czułem się osamotniony i przygnębiony, a ona zaoferowała mi zapomnienie.

Teresa przyglądała mu się długo, a potem wydęła wargi.

– Akurat! Mnie czegoś podobnego nie da pan rady sprzedać. Osamotniony i zagubiony biedaczek? Stary kosmiczny wyga?

– No to uznajmy, że miałem ochotę na seks, dawno nie byłem z kobietą, a Sandra jest bardzo pociągająca...

– Na swój puszysty sposób – wpadła mu w słowo. – To ciekawe, że mężczyźni wzdychają do eterycznych niewiast, ale wolą się kochać z bardziej obfitymi.

– Kto jak kto, ale pani powinna znać tego przyczynę. Antropologia wchodzi przecież w system kształcenia psychologów, prawda? Cielesność to coś mniej niż wielka, romantyczna miłość, ale nie należy jej nie doceniać. Szerokie biodra i duży biust od tysiącleci sygnalizowały naszym przodkom, że samica z łatwością urodzi, a potem wykarmi młode.

– Jednak w warunkach zaawansowanej cywilizacji...

Nie pozwolił jej dokończyć, machnął niecierpliwie ręką.

– Zaawansowana cywilizacja nie czyni z nas od razu innych istot. Wiemy coraz więcej, umiemy też więcej, ale pewne rzeczy się nie zmieniają. Instynkt przetrwania jest zakorzeniony głębiej niż na poziomie wyższych funkcji mózgu. To informacja zawarta w genach, ale to już pani na pewno wie lepiej ode mnie. Zresztą, to jeden z najlepszych pomysłów natury. Przecież jako wielka ludzkość zakładamy kolonie nie tylko w pobliżu Układu Głównego. Wysyłamy nieszczęsnych śmiałków coraz dalej, skazujemy ich na życie w surowych warunkach. Jestem na sto procent przekonany, że w takich miejscach największym powodzeniem cieszą się właśnie rozłożyste, bujne kobiety.

Patrzyła na niego ze zmrużonymi oczami. Wyglądała w tej chwili naprawdę ładnie. Adam pożałował przelotnie, że nie postarał się wykorzystać okazji przed chwilą, ale zaraz odegnał tę myśl. Wyszedłby na głupca, bo z jej strony było to rzeczywiście tylko zagranie i test, zaś gdyby nawet nie, wprowadziłby kolejną zmienną w już i tak dość skomplikowany układ tutejszych stosunków.

– Czy ta porcja truizmów miała czemuś służyć? – spytała Teresa niby to znużonym głosem.

– Niczemu. Wróćmy może do kwestii, którą kilka minut temu tak pięknie pani sformułowała w moim imieniu.

– Może właśnie dlatego ją tak sprecyzowałam, żeby mieć możliwość uprzejmej odmowy?

– Tajemnica zawodowa?

– O takie rzeczy nie może pytać nawet oficer śledczy federacji. To znaczy, pytać może, ale nie powinien spodziewać się odpowiedzi.

– A inkwizytor? – spytał z uśmiechem.

– Inkwizytor? – Kąciki jej warg uniosły się w górę. – Podobno tak. Ale czy inkwizytorzy zajmują się takimi sprawami? Moim skromnym zdaniem, lęk przed nimi, to tylko coś w rodzaju legendy. Ludzie lubią się czegoś bać. Odegnaliśmy dawne, zakorzenione w kulturze strachy, przestaliśmy obawiać się nawet inwazji obcych, bo jesteśmy w kosmosie zupełnie sami, więc wymyślamy jakieś złowróżbne postacie.

– Podobno w każdej komisji kwalifikacyjnej siedzi inkwizytor – stwierdził prowokacyjnie.

– Doprawdy? Nie zauważyłam. Może w moim przypadku to przeoczono, bo w składzie miałam tylko psychologów, psychiatrów, lekarzy i naukowców.

– Dlatego powiedziałem „podobno". Mogę liczyć na chociaż maleńką informację? Jakieś wskazówki?

– Jeśli to wszystko – powiedziała zimno, podnosząc się – to żegnam uprzejmie. Mam jeszcze sporo pracy.

– Oczywiście. – Bartold również się podniósł. – Dziękuję za rozmowę.

– Nie ma za co.

– Ależ jest, Tereso. Nawet pani nie wie, jak wiele dała mi ta wymiana zdań.

Schron okazał się niezwykle interesującym miejscem. Adam zszedł tam po rozmowie z Teresą, żeby odetchnąć i przemyśleć kilka spraw. Wejście do pomieszczenia zamykały nie przesuwane drzwi, ale gruba na prawie pół metra pokrywa umieszczona na solidnych zawiasach. Można ją było otworzyć za pomocą kołowrotu zarówno od zewnątrz, jak i wewnątrz. Tym właśnie różnił się od podobnych konstrukcji o przeznaczeniu wojskowym. Tutaj możliwość otwarcia powinni mieć zarówno członkowie zespołu badawczego zamknięci wewnątrz, jak i ekipa ratunkowa. Albo ekipa mająca za zadanie zbadać przyczynę ich zagłady. To tutaj umiejscowiono zapasowe stanowisko dyspozytora, a po zatrzaśnięciu drzwi i przekręceniu rygli, wszystkie nagrane rozmowy i filmowane wydarzenia musiały zostać obejrzane i zinterpretowane przez specjalną komisję, czy to dyscyplinarną, czy powołaną do wyjaśnienia przyczyn ewentualnej tragedii. Tak czy inaczej, schron jako jedyne pomieszczenie na stacji nieodmiennie pozostawał otwarty. Adam rozejrzał się po surowych ścianach, sprawiających wrażenie, jakby zostały wykonane z kamienia. Znajdowało się tutaj wszystko, co mogło zapewnić podtrzymanie życia szesnastu osób przez co najmniej sześć miesięcy. Nieprzypadkowo magazyn żywności umiejscowiono tuż za ścianą. Można tam było wejść przez specjalną, niewielką śluzę powietrzną, przy której wisiały trzy skafandry na wypadek, gdyby skład uległ rozhermetyzowaniu podczas katastrofy. Tutejsze mury zostały wykonane z feridianu, najdroższego i najtrwalszego z dostępnych materiałów, jakie wynaleziono od początku historii ludzkości. W zasadzie cała baza powinna zostać zbudowana właśnie z czegoś takiego i dawniej placówki były wzmacniane jak należy, ale – jak wszystkim innym – wyprawami naukowymi w pewnym momencie zaczął rządzić przede wszystkim rachunek ekonomiczny. W stacji na Zoroastrze należycie zadbano właściwie tylko o jedno – wyposażenie w amortyzatory grawitacyjne, zatopione w solidnym płaszczu ze specjalnego cementu charakteryzującego się ogromną wytrzymałością na udary i odkształcenia.

Bartold końcami palców dotknął ściany. Była sucha i dokładnie w temperaturze otoczenia. To też stanowiło jedną z cech charakterystycznych materiału – znakomicie izolował ciepło, a w zasadzie zwracał je do środka, nie wypuszczając na zewnątrz praktycznie ani jednej kalorii. To oznaczało, że jeśliby padł reaktor główny, zapasowy, mający o wiele mniejszą wydajność i działający na zasadzie konwencjonalnego stosu atomowego zasilającego potężne akumulatory, nie byłby obciążony znacząco przez konieczność stałego ogrzewania. Kilkanaście ciał ludzkich wśród nieprzepuszczalnych ścian dawałoby dość ciepła, żeby utrzymać znośną temperaturę przy niewielkim wspomaganiu ze strony systemu awaryjnego.

Po lewej stronie od wejścia znajdowała się zapasowa dyspozytornia. Można ją było potraktować bez ryzyka jako osobne, wyizolowane pomieszczenie, osłonięte pancernymi płytami. Wewnątrz nie pozostawiono wiele miejsca, ale dwie osoby od biedy mogłyby się tam zmieścić. Większość przestrzeni zajmowały bloki uśpionego teraz mózgu rezerwowego, niewielkiego syntetyzera mogącego przerobić na pastę odżywczą wydzieliny ciała – pożywienie wstrętne i na dłuższą metę nie do wytrzymania, ale w sytuacji ekstremalnej mogące się okazać wręcz zbawiennym – oraz przezroczysta szafka z ciężkim skafandrem uniwersalnym. W razie zagrożenia całości bunkra, dowódca miał możliwość przetrwać tutaj razem z wybranym członkiem załogi. Adam podszedł do pancernego kiosku, przez chwilę zastanawiał się, kogo by wybrał Wintermann – żonę czy kochankę? A może jeszcze kogoś innego? Z pewnością otrzymał w tym względzie jakieś wytyczne. Ani rząd, ani koncerny nie pozostawiały niczego przypadkowi.

– Węszymy, co?

Komandor obejrzał się. Przy wejściu stał Robert Sorensen. Miał czujne, nieufne spojrzenie, ściągnięte usta. W niczym nie przypominał teraz marnego kpiarza i kiepskiego żartownisia z jadalni. Wyglądał imponująco w obcisłym kombinezonie uwydatniającym potężne mięśnie. Zapewne już przed przylotem odznaczał się niezłą muskulaturą, która teraz została powiększona przez kilkanaście miesięcy roku przebywania w ciążeniu półtora g.

– Witam, doktorze – powiedział Adam.

– Nie jestem doktorem – wzruszył ramionami Robert. – Jako jedyny tutaj nie dochrapałem się stopnia naukowego. Możesz zgadywać dwa razy, dlaczego.

– W zupełności wystarczy mi raz – odparł Bartold z lekkim uśmiechem. Nie chciał okazać, że „tykanie" przez mało sympatycznego mężczyznę wyprowadziło go nieco z równowagi.

– W takim razie słucham.

– Nie chciał pan dać buzi swojemu promotorowi.

Sorensen roześmiał się głośno. Zbyt głośno.

– Niezły jesteś, komandorku! Ale trafiłeś w samo sedno. Nie włażę nikomu w dupę. Nigdy, zapamiętaj to sobie.

– Nie przypominam sobie, żebyśmy przechodzili na ty – zauważył uprzejmie Adam.

– Gówno tam. Mówię, jak mi się podoba. Jeśli będę miał ochotę, zacznę cię nazywać księciem pedałów, i co mi zrobisz?

Bartold zmrużył oczy. Z jakiegoś powodu ten facet próbował go sprowokować. Z jakiego?

– Co chcesz tutaj wywęszyć? – Sorensen zbliżył się powoli, stanął dwa kroki od pilota.

– O co panu chodzi? – spytał Adam spokojnie. – Dlaczego miałbym węszyć?

– Bo jesteś wścibską świnią.

– Posuwa się pan za daleko. – Bartold odetchnął głęboko, uspokajając walący w skroniach puls.

– Może. Ale za to ty posuwasz, kogo nie trzeba – warknął Sorensen.

Do Adama dotarło wreszcie, o co chodzi. Rozdrażnionym mężczyzną powodowała najstarsza możliwa motywacja – zazdrość.

– A to już nie pańska sprawa – rzekł ostro.

– Może moja, a może nie. Odpieprz się od niej!

Adam nie wytrzymał. Złość i zaskoczenie znalazły ujście w krótkim, choć nieco nerwowym chichocie.

– Co cię tak śmieszy? – spytał groźnie Sorensen.

– Przecież masz żonę, człowieku!

– I co z tego? Czy to znaczy od razu, że mam trzymać fiuta na smyczy?

– Mniej więcej. Oczywiście, o ile się orientuję w warunkach małżeńskiego kontraktu. Na jak długo został zawarty? Na pewno przynajmniej do końca wyprawy, inaczej nie puszczono by was tutaj. W takim razie powinieneś albo wziąć się w garść, albo ścisnąć tą garścią jaja tak, żeby odeszła ochota na rżnięcie cudzej baby.

Robert zacisnął pięści. Widać było, że znajduje się na skraju wybuchu.

– Odpieprz się od niej, mówię! Jest moja!

Uderzył nagle, bez ostrzeżenia, trafił Adama w skroń. Komandor zatoczył się, oparł plecami o ścianę zapasowej dyspozytorni. Uniknął drugiego ciosu zupełnie odruchowo, schodząc nisko balansem ciała. Idiotyzm. Prędzej spodziewałby się, że zaatakuje go zdeterminowany morderca, który z jakiegoś powodu likwiduje ludzi z zespołu, ale żeby zraniony kochanek? A to rozpalona kotka z tej Sandry!

Sorensen nie tylko nie był typem chuderlawego naukowca, ale najwyraźniej miał też pojęcie o walce wręcz. Komandor musiał po pierwszym uniku wykonać następny i jeszcze jeden. Wreszcie przeciwnik trafił go samym skrajem pięści w ucho. Zabolało. Adam odskoczył, wyprostował się, popatrzył prosto w oczy szarżującemu mężczyźnie. Tamten zamachnął się znowu, ale zatrzymał cios tuż przed twarzą Adama. Zaskoczyło go najwyraźniej to, że pilot nie zamierza się w ogóle wdawać w bijatykę, a teraz nawet nie drgnął, choć twardy kułak celował wprost w jego szczękę. A poza tym powstrzymało go spojrzenie przeciwnika. Było twarde, bez śladu lęku, za to jakby z wyrazem rozbawienia.

– Walcz! – wydusił wściekle Robert. – Ty... Ty pierdolona cioto!

Adam zacisnął wargi w wąską kreskę, ale się opanował. To nie miało najmniejszego sensu.

– Skoro jestem, jak mówisz, ciotą, dlaczego niby chcesz się bić o kobietę?

– Nie łap mnie za słówka, bo...

Nie dokończył. Nastąpiło coś, czego się nie spodziewał. Nie zdążył zauważyć nawet, kiedy Bartold znalazł się przy nim. Sorensen jęknął przeciągle, czując znienacka ból w dole brzucha i jeszcze niżej.

– Złapię cię lepiej za jaja, psycholu – wydyszał mu prosto w twarz komandor. – Uspokój się, bo jak zrobię kręcenie wora, przestaniesz w ogóle myśleć o babach!

Sorensen wytrzeszczył oczy, syknął wściekle, ale nie zebrał się na odwagę, aby dokonać próby wyrwania się z uścisku.

– Już, wystarczy? – spytał spokojnie Adam.

Informatyk bez słowa skinął głową. Bartold puścił go, odstąpił krok, gotów odeprzeć kolejny atak, ale ten nie nastąpił. Mężczyzna patrzył na niego przekrwionymi oczami dobre pół minuty, które zdawało się wiecznością, a potem także się cofnął.

– Zostaw ją w spokoju, albo cię załatwię – wycedził.

– Pan powinien skorzystać z usług psychoterapeuty – Adam wrócił do tonu z początku rozmowy. – Takie zachowanie nie przystoi naukowcowi – dodał drwiąco.

Robert odwrócił się na pięcie i wyszedł, lekko utykając i stawiając szeroko stopy. Adam znowu odwrócił

się do dyspozytorni, kontemplując jej wnętrze, a myśląc
o zupełnie czymś innym. Znów miał jasny dowód na
potwierdzenie swojej ulubionej tezy, że człowiek od czasów najdawniejszych nabrał może ogłady, zaczął udawać
przed samym sobą, iż jest tworem stanowiącym ukoro-
nowanie bytu, ale w istocie pozostał taki sam jak kiedyś.
Oto przed chwilą pilot został zaatakowany przez osobnika starającego się odgrywać w stadzie rolę rozpłodow-
ca, samca alfa. Te usiłowania wydawały się może żałosne i na dłuższą metę mało skuteczne, lecz były faktem.
W związku z tym nastąpiła najprostsza możliwa relacja
z samcem przybyłym z zewnątrz. W dodatku samcem,
który najwyraźniej wlazł do ogródka, czy raczej haremu
konkurenta. Atak stanowił najbardziej naturalną reakcję.
Oczywiście, naturalną w świecie zwierząt, ale niezmiernie zaskakującą u cywilizowanego człowieka.

– A podobno już wieki temu zabiliśmy w sobie dra-
pieżnika, pozbyliśmy się irracjonalnej agresji – mruknął
do siebie Bartold.

Jednak czy istnieje w ogóle pojęcie agresji irracjonalnej? Przecież każde zachowanie musi być w jakiś sposób
umotywowane. Zewnętrzny obserwator nie musi znać
jego podłoża, nawet dla samego osobnika przyczyna reakcji nie musi być do końca czytelna. Przykre przeżycia,
trauma z dzieciństwa... Każde mocne doznanie kształ-
tuje psychikę, wzmacnia ją lub wypacza. To chyba nigdy
nie ulegnie zmianie. A to z kolei oznacza, że tacy ludzie
jak Teresa Harding nie zostaną bez pracy. Prędzej za-
braknie zapotrzebowania na pilotów, astronomów czy
innych naukowców. W tym momencie pożałował trochę,
że posłużył się przemocą w stosunku do rozwścieczone-

go mężczyzny. Zniżył się do jego poziomu, to po pierwsze, ale po drugie – i co gorsze – pokazał przeciwnikowi, że jest sprawniejszy i lepiej wyszkolony niż mogło się wydawać. Nie powinno ujawniać się wszystkich atutów bez wyraźnej potrzeby.

– Idiota – powiedział głośno, nie wiadomo, czy mając na myśli Sorensena czy siebie.

A potem wyszedł ze schronu. Spojrzał jeszcze przelotnie na masywny luk. Dopiero teraz zauważył, że powierzchnia pokrywy została wypolerowana tak dokładnie, iż przypominała lustro. Zawrócił, przejrzał się, korzystając z okazji, wyprostował przygarbione ramiona. Nigdy nie lubił zwiększonej grawitacji. A poza tym wyglądał teraz nieszczególnie – miał podkrążone oczy i ziemistą cerę. Intensywna noc spędzona z Sandrą odbiła się nie tylko na jego stosunkach z pewnym członkiem załogi, ale także na kondycji. Nie te już jednak lata...

– Komandorze Bartold – rozległ się głos w przestronnym schronie brzmiący dość głucho. – Jest pan proszony do obserwatorium astronomicznego. Warto.

Mówiącym na pewno nie był Wintermann. Tembr głosu miał o wiele wyższy i nie tak wibrujący. Czyżby Noel Boranin? Ale czego mógł chcieć, na dodatek w obserwatorium? Przez chwilę Adam zastanawiał się, czy skorzystać z zaproszenia. Najchętniej położyłby się chociaż na pół godziny.

Widowisko było rzeczywiście niesamowite. Nad zachodnim horyzontem wisiała wielka kula Valhalli, na niebie górował Thor, a Fenrir właśnie wyłaniał się znad południowo-wschodniego widnokręgu. W połączonym świetle krewniaka starego dobrego Słońca i zimnej fioletowej gwiazdy grunt dookoła stacji zaczął wibrować, zupełnie jak woda gotująca się w ogromnym garnku. Suche badyle zimnolubnych roślin zatańczyły, jakby znienacka powiał niezwykle silny wiatr. Adam zdał sobie nagle sprawę, że faktycznie tak się stało. Spokojna na ogół atmosfera zbudziła się do życia. Huragan widoczny za pancerną panoramiczną szybą biegnącą dookoła wieży przypominał te, które Adam widział na Michi, planecie w dziewięćdziesięciu procentach pokrytej skałami, piachem i nędzną roślinnością. Tam siła Coriolisa rozpędzała orkany do prędkości kilkuset kilometrów na godzinę. Ale to była planeta ziemiopodobna, umiejscowiona w strefie oddziaływania gwiazdy centralnej zapewniającej gorący, suchy klimat. Tutaj zaś Bartold miał do czynienia z globem mroźnym, na którym gęsta atmosfera, za sprawą energetycznego oddziaływania gazowego olbrzyma, nie podlegała znaczącym fluktuacjom termicznym, a klimat zdawał się bardziej stabilny od warunków panujących w morskich głębinach. Ot, jakieś niewielkie prądy, drobne zmiany ciśnienia...

Spojrzał z mimowolnym niepokojem na kopułę tarasu widokowego. Tamta konstrukcja wydawała się o wiele mniej solidna od dobrze osadzonego obserwatorium. Oczywiście, tak jak powinien się tego spodziewać, na przezroczyste płaszczyzny tarasu nasunęły się blendy zabezpieczające. Noel podchwycił wzrok Adama.

– Tam nie wolno przebywać w czasie burzy – wyjaśnił cicho. – Ten taras to jedno wielkie nieporozumienie.

Z jednej strony, chcieli nam zapewnić taki elementarny komfort za niewielkie pieniądze, ale z drugiej, to tylko kłopot. Po każdej większej nawałnicy trzeba wszystko sprawdzać, zalewać nieszczelności.

– Ale przynajmniej jest skąd popatrzeć w samotności na niebo.

– Może i tak. Ja tam wolę obserwatorium.

Tymczasem na zewnątrz podniósł się pył. Jednak nie był to zwyczajny kurz wzniecony przez silny wicher, lecz barwny kobierzec, zupełnie jakby przeplatające się promienie obu gwiazd potrafiły wykrzesać z szaropopielatej ziemi zaskakująco żywe kolory. Adamowi widok skojarzył się z tym widzianym rano z platformy widokowej, ale było do skojarzenie dość mętne i odległe. To jakby porównać poświatę księżyca ze światłem słonecznym.

– Niesamowite – szepnął komandor. – Ta planeta... To znaczy, ten księżyc nie powinien się nazywać Zoroaster, ale Tycjan!

Noel obdarzył pilota nieprzytomnym spojrzeniem, a potem znów zagapił się w okno.

– Marie – poprosił – włącz fonię chociaż na chwilę.

Marie Maguire-Sorensen kiwnęła głową, dotknęła palcem panelu sterowania. Głośniki ożyły. W pierwszej chwili Adam miał ochotę zawołać, aby natychmiast zlikwidowali tę kakofonię, ale w momencie, kiedy już otworzył usta, dotarło nagle do niego, że coś w tym potwornym ryku jest. Zaczął powoli rozpoznawać dziwną harmonię dźwięków, doskonale współgrających z symfonią barw. Przez wycie huraganu przebijały się subtelne tony o niespotykanym, niesamowitym brzmieniu, przechodzącym w niskie wibracje przenikające ciało.

Czyżby tak właśnie reagowały minerały ukryte tuż pod powierzchnią na zespolone promieniowanie obu gwiazd? A poza tym z pewnością miało tu coś do rzeczy grawitacyjne oddziaływanie Valhalli. Bartold chciał się nad tym głębiej zastanowić, ale to co widział i słyszał rozproszyło jego myśli. Barwna kurzawa siekła bezlitośnie budynki bazy, łamała gałęzie czarniawych roślin, polerowała srebrzyste skały. Paradoksalnie, mimo zawiei i wznieconego pyłu, widoczność była doskonała.

– Niesamowite – szepnął Adam.

Dźwięki przenikały go, wpływały do wnętrza orzeźwiającym potokiem. W tej chwili nie czuł się zmęczony, miał wrażenie, że huragan zmiata cały osad z jego duszy, oczyszcza umysł. Bartold nie wiedział tylko, czy bardziej chodzi o sferę wizualną, czy dźwięki układające się w czytelne teraz, pełne harmonii brzmienie. Stacja zadrżała w posadach, światło przygasło. Zapewne znów cała dostępna energia została skierowana w amortyzatory grawitacyjne.

Zapadła ciemność. Nie tyle zresztą zapadła, co nadciągnęła z ołowianymi chmurami, przechodząc od szarości w głęboką nieprzeniknioną czerń. Adam osunął się w aksamitny mrok, najpierw zalękniony, a zaraz potem uspokojony kołysaniem ogarniającym nie tylko ciało, wydającym się masować każdy jego centymetr, każdy organ z osobna. Mężczyzna odprężył się, wyciągnął na miękkiej materii. Gdzieś z oddali dobiegała delikatna melodia grana na harfie... Nie, nie na harfie – na jakimś instrumencie o podobnym brzmieniu, ale o wiele subtelniejszym. Nie była to konkretna muzyka, lecz nagromadzenie dźwięków przeplatających się w pozornie chaotycznych konstelacjach, ale w ostatecznym rozrachunku ułożonych w nieprawdopodobnie jasnych proporcjach. Jak każdy chaos, także i ten dążył do równowagi, był trudny, właściwie niemożliwy do ogarnięcia, a jednocześnie zdawał się podporządkowany czyjejś potężnej woli.

A potem znowu wybuchły kolory. Pochłonęły Adama w całości, wessały w wirującą spiralę doznań. To było coś, co w odległy sposób przypominało obcowanie z oddziaływaniem czarnej dziury, z tym, że tam człowiek miał poczucie łączności z niszczycielskim, obcym i niedostępnym pełnemu poznaniu żywiołem, zaś tutaj wszystko było o wiele bliższe, nieco bardziej zrozumiałe. A może chodziło po prostu o świadomość skali zjawiska? Burza na zewnątrz mogła zabić pojedynczą istotę, ale nie była w stanie zagrozić całej planecie czy Układowi Słonecznemu, jak to się działo w przypadku potężnej pułapki grawitacyjnej.

Przytomność powróciła równie nagle jak przedtem odeszła. Adam otworzył oczy... to znaczy, chciał je otworzyć, ale w tej samej chwili dotarło do niego, że w ogóle nie zmrużył powiek, wpatrzony w widok za oknem i zasłuchany w wycie wichury. Potrząsnął głową. Koniec nawałnicy? Nie. Za grubą szybą nadal szalał huragan, a feerie barw wznosiły się i opadały w regularnym, hipnotyzującym rytmie. Marie wyłączyła dźwięk. Spojrzał w stronę konsoli. Kobieta półleżała, odchylona w fotelu, wpatrzona nieruchomo w widok na zewnątrz. Noel, który zamarł na fotelu obok Adama, także miał rozszerzone oczy, wyglądał na pogrążonego w ekstazie. Dopiero po dłuższej chwili drgnął, spojrzał na Bartolda.

– To już? – mruknął. – Marie, musisz następnym razem dać nam więcej czasu.

Maguire-Sorensen potrząsnęła głową, parsknęła cicho, próbując się otrząsnąć.

– Dłużej nie wolno – powiedziała powoli. – Przecież wiesz, co się stało z... – zawiesiła głos, przypominając sobie, że nie jest sama.

– Wiem, ale chciałbym chociaż raz spróbować pójść dalej.

Adam przysłuchiwał się tej wymianie zdań, rozumiejąc, co oboje mają na myśli. Nieprawdopodobny magnetyzm zjawiska wywołanego przez pobliskie ciała niebieskie mógłby chyba uzależnić, podobnie jak narkotyk. Ale dlaczego Marie przerwała? Kogo miała na myśli? Kto przekroczył granice rozsądku? To, co się działo na tej stacji, stawało się coraz bardziej zagadkowe i niepokojące.

– Ktoś ucierpiał w zetknięciu z tym... tym... – szukał właściwego słowa, aby oddać naturę tego, co przed chwilą przeżył. – Z tym spektaklem?

Noel zerknął spłoszony na kobietę, tamta odpowiedziała ostrzegawczym spojrzeniem. Ale Adam zaczął się domyślać, o co mogło tutaj chodzić. I wiedział, że od tych dwojga niczego się nie dowie. Przynajmniej w tej chwili.

– To było... niesamowite – sapnął z zachwytem, żeby zatrzeć niemiłe wrażenie, jakie wywołało zawisłe w powietrzu pytanie.

– Mówiłem przecież – ożywił się natychmiast Boranin. – Nie da się tego z niczym porównać.

– Ale nie przypuszczałem, że to aż takie przeżycie. Mówił pan o widowisku, ale nie ostrzegał, że będę obcował z czymś, co jest bardziej zbliżone do mistycznej sztuki.

– Prawda? – Noel rozprostował ramiona.

– Mówił pan przedtem, że Zoroaster powinien się nazywać inaczej – wtrąciła się Marie.

Adam przez chwilę zbierał myśli, zanim pojął, o co pyta kobieta.

– Ach, tak. Tycjan.

– Dlaczego właśnie Tycjan? Kto to jest? Albo może co?

Bartold popatrzył na nią z pewnym niedowierzaniem. Znowu ta wąska specjalizacja... Z pewnością kobieta nie wiedziała także, o co chodzi z Zoroastrem w nazwie księżyca... Chociaż może to akurat objaśniono jej podczas przygotowań do wyprawy, a może uczynił to już ktoś na miejscu. Na przykład Teresa Harding, dla której archetypy i symbolika miały duże znaczenie w pracy.

– Tycjan to starożytny, z naszego punktu widzenia, artysta. Malarz przede wszystkim. Jego obrazy są tak nasycone barwami, potrafił tak sprawnie operować kolorem, że nawet z pozornie nieistotnego detalu wydobywał głębię, czynił go widocznym i ważnym.

Marie kiwnęła głową w niemym podziękowaniu. Wstała, zachwiała się lekko, podeszła do pancernego okna. Zapatrzyła się w kurzawę rozświetloną promieniami słońc.

– A jeżeli jest zachmurzenie? – spytał Adam. – Czy wtedy też dzieje się coś podobnego?

– Tutaj zachmurzenie występuje bardzo sporadycznie – odpowiedział Noel. – A jeśli nawet, nigdy nie jest całkowite. I muszę powiedzieć, że wówczas odcienie zjawisk stają się chyba jeszcze bardziej interesujące.

– Zupełnie jakby filtr obłoków zmieniał widma barw, tony i natężenie dźwięków.

Bartold zastanawiał się chwilę, rozważał, czy zadać to pytanie, aż wreszcie zdecydował się.

– Czy wy, po którymś kolejnym seansie, słyszycie jeszcze odgłosy burzy, czy już tylko te... te dźwięki? Muzykę?

– A jak pan myśli? – Boranin uśmiechnął się.

– Inni też tu przychodzą popatrzeć na nawałnicę?

Tym razem odpowiedziała Marie.

– Rzadko. Regularnie starał się bywać chyba tylko Grigorij i Roma Gennare z mężem. Ona opowiadała kiedyś o wrażeniach po wyjściu w przestrzeń w jakichś zakazanych miejscach. Czasem zjawiają się też Sandra i Teresa.

– A pozostali?

– Nie. – Maguire-Sorensen wzruszyła nieznacznie ramionami. – Nie zachwyca ich to albo udają, że nie zachwyca. Niektórzy chyba po prostu się boją. Ale pana to nie przeraziło, prawda?

– Nie. Rozumiem jednak, że dla kogoś nieobeznanego z otwartym dalekim kosmosem może to być faktycznie przeżycie ekstremalne.

– Mnie tam wzięło od pierwszego razu – rzucił Noel – a przecież statek międzygwiezdny pierwszy raz w życiu zobaczyłem, lecąc tutaj.

– Widać ma pan zadatki na pilota dalekiego zasięgu – zaśmiał się Adam.

– Myśli pan? – Boranin spojrzał na niego z zastanowieniem.

– Nie wiem – przyznał szczerze komandor – ale jeśli ktoś potrafi zachwycić się czymś tak obcym, musi mieć duszę włóczęgi.

Noel westchnął głęboko, pokiwał głową.

– Zachwycić, mówi pan? Pewnie tak. Jak już wspomniałem, w dzieciństwie chciałem zostać właśnie astronawigatorem dalekiego zwiadu.

– Jednak życie na planecie albo chociaż stacji kosmicznej jest o wiele wygodniejsze i przyjemniejsze niż pętanie się w kruchych łupinach po krańcach wszechświata bez gwarancji powrotu – zauważyła cierpko Marie.

– Krańcach wszechświata! – prychnął Noel. – Pamiętasz jeszcze ze szkoły? „To mały krok dla człowieka, ale wielki dla ludzkości".

– Pamiętam, pamiętam – wzruszyła ramionami. – Takie było motto mojej uczelni.

– Wtedy też wydawało się ludziom, że właśnie zaczęli ujarzmiać kosmos...

– Ale my go naprawdę ujarzmiamy! – zaprotestowała, zanim egzobiolog zdążył zakończyć myśl. – Sięgamy do coraz to nowych gwiazd, odkrywamy nowe planety nadające się do zamieszkania albo chociaż terraformowania, a na dodatek...

– Bzdury! – Teraz Boranin nie pozwolił jej doprowadzić myśli do końca. Widać było, że prowadzą podobny spór nie po raz pierwszy. – Mówisz o tych kilkuset globach i bazach kosmicznych? Toż to żałosne. Zasiedliliśmy zaledwie część ramienia naszej kochanej Drogi Mlecznej, wyprawiliśmy się do najbliższej galaktyki. Naprawdę uważasz, że to takie wielkie osiągnięcie?

– Mam też na myśli portale, które są w stanie przenieść nas w najdalsze rejony wszechświata!

– Przenieść tak, ale gorzej jest z powrotem, jeśli wylądujesz w miejscu, w którym nie ma takiego urządzenia, prawda? Najpierw trzeba poświęcenia i cierpień wielu ludzi, żeby gdzieś tam, w dalekiej przestrzeni wybudować portal! Lecą, pracują przez lata, marnują życie. Muszą harować w koszmarnych warunkach, a jeśli coś się wydarzy, nikt nie jest w stanie im pomóc. Bo jaki sens ma wysyłanie jednostek ratowniczych w rejon, z którego nie mogą powrócić? Dlatego coraz mniej jest chętnych do takiej roboty, dlatego posyła się tam skazańców. Ludzkość leniwieje powoli, degeneruje się po raz kolejny. Musi się stać coś, co znów nas pchnie w objęcia przygody, co starzejącej się cywilizacji pozwoli przerwać narastający marazm. Może tym razem ruszą to wszystko kreacjoniści do spółki z destrukcjonistami? Może doprowadzą do zmian, dzięki którym znów poczujemy smak egzystencji?

– Chcesz, żeby zginęły miliardy ludzi?! – oburzyła się kobieta. – Przypomnij sobie bunt Herzoga! To był stosunkowo niewielki konflikt, ale zniszczono przecież całą infrastrukturę na Księżycu, Marsie, Ganimedzie, zanim wojska federacji poradziły sobie z zamieszkami... Trzeba było zaczynać prawie od początku.

– Właśnie o tym mówię, Marie! Ludzkość potrzebuje co jakiś czas impulsu, który staje się w efekcie początkiem aktu tworzenia, gdyż jest zniszczeniem, dzięki któremu pojawia się postęp! W tym celu muszą upadać imperia, ginąć jednostki i całe populacje. Inaczej nie da się zamienić gnuśnego, bezcelowego trwania w serię twórczych impulsów! Gdzieś tam, daleko od nas, spiskują zwolennicy teorii kreacji i teorii destrukcji, zwalczają się, działają w ukryciu, na razie zbyt słabi, aby dobijać się swego zbyt głośno. Ale prędzej czy później doprowadzą do rozpadu tego gnijącego organizmu, jakim stała się nasza Federacja

Międzygalaktyczna. Nie, Marie, wcale nie chcę tego widzieć, co więcej: mam nadzieję, że coś podobnego nastąpi dopiero po mojej śmierci, ale tak stać się musi!

Spojrzał na Adama rozjaśnionymi podnieceniem oczami, zaczął uspokajać przyśpieszony oddech.

– Przepraszam za ten przydługi wywód – uśmiechnął się z zażenowaniem. – Lubimy się z Marie posprzeczać, a jeśli jeszcze przysłuchuje się temu ktoś z zewnątrz, najwyraźniej ponosi nas... To znaczy, mnie.

Bartold ściągnął brwi, przyglądając się widokowi za oknem. Burza nie cichła, ale zdawała się zamieniać w stabilny wir barwnej kurzawy. Zupełnie jakby potężny wicher zastygł albo zaczął poruszać się tak szybko, że ludzkie oko przestało rejestrować zmiany. Światło nadal było przyćmione, odczuwalne ciążenie wyraźnie większe, co świadczyło o tym, że zasilanie amortyzatorów, zabezpieczających teraz przede wszystkim integralność konstrukcji, pracuje na najwyższych obrotach.

– W zasadzie trudno się z panem nie zgodzić, Noelu – powiedział w zamyśleniu komandor. – Zaczynamy przypominać mrowisko, w którym każdy ma wyznaczoną rolę, a cała społeczność dba tylko o to, żeby siedziba trwała bezpiecznie, rozrastała się tylko do określonych rozmiarów.

– W przeciwieństwie do mrówek, człowiek myśli – zauważyła cierpko Marie. – A to skłania go do tworzenia czegoś więcej.

– Teoretycznie ma pani rację – Adam kiwnął uprzejmie głową. – Ale tylko jeśli spojrzeć na sprawę z punktu widzenia jednostki. W całej złożoności przypominamy jednak te mrówki.

– Zakładamy przecież kolonie, powiększamy stan posiadania...

– Pani nie urodziła się w kolonii, prawda?

– Miałam to szczęście, że rodzice mieszkali na Ziemi. A jakie to ma znaczenie?

– Gdyby urodziła się pani w kolonii, łatwiej by to było wytłumaczyć. Pani jest przywiązana do Układu Głównego, świadoma swoich korzeni. – Mimo totalnego niedouczenia, dodał w myślach. – Ale dla mieszkańców spoza niego staje się on czymś mało czytelnym, odległym, czymś na kształt dawnych mitów, po których pozostają tylko nazwy. Te kolonie miały nas pchnąć dalej, sprawić, że zaczniemy dokonywać ekspansji bez końca, że przełamiemy zasadę mrowiska. A tymczasem same stają się takimi mrowiskami.

– Widzisz? – wtrącił Noel. – Zawsze to powtarzam. W pewnym momencie nasza cywilizacja rozpadnie się na milion maleńkich kawałków. I każdy kawałek będzie żył tylko dla siebie, przestanie istnieć władza federacji. Chyba że zdarzy się coś, co skruszy lód zastoju.

– A ja uważam, że uda się tego uniknąć – powiedziała z uporem Marie. – Ludzie naprawdę nie są mrówkami.

– To dobrze, że jest pani optymistką – stwierdził poważnie Adam. Kobieta spojrzała na niego podejrzliwie, ale nie dostrzegła najmniejszych śladów kpiny. – Dzięki takim ludziom, jak pani, można zacząć wierzyć w nieograniczony rozwój człowieka.

Zaczerwieniła się lekko. Bartold zdawał sobie sprawę, że Maguire-Sorensen nadal nie jest pewna, czy pilot mówi poważnie. Nie zamierzał jej pomagać w zrozumieniu swoich intencji. Tak było bardziej interesująco.

– Rewolucja nie jest oczywiście najlepszym rozwiązaniem – ciągnął. – Wspomniał pan, Noelu, o kreacjonistach i destrukcjonistach. Tak, są, istnieją, być może wcale nie tacy słabi, jak się wydaje. Na pewno przenikają do najróżniejszych instytucji, przejmują całe agendy i wielkie firmy przemysłowe. Powoli stają się drugą i trzecią, niewidoczną, lecz znaczącą siłą, która może zagrozić spójności Federacji Międzygalaktycznej.

– Na razie chyba jednak przede wszystkim zwalczają się nawzajem – Boranin kiwnął głową.

– I najlepiej by było dla nas, gdyby tak zostało – podsumował Bartold.

Marie znów włączyła fonię.

Rozdział 6

Tym razem Adam obudził się tak wypoczęty, jak już od dawna mu się nie zdarzyło. Usiadł, spojrzał na zegar. Było wpół do piątej rano. Obok posapywała cicho Sandra. Przyszła wcześnie, niedługo po kolacji. Kolacji bardzo brzemiennej – może nie w bezpośrednie skutki, ale w nagromadzenie znaczących słów i wydarzeń. Adam spóźnił się kilka minut, może dlatego trafił na wymianę zdań, której w jego obecności chyba by nie rozpoczęto.

Naprzeciwko siebie stali Vlad Harding i Robert Sorensen. Ten sam niewyraźny, nijaki Vlad Harding, sprawiający wrażenie zagubionego jajogłowego, teraz sypał z oczu iskry. Kiedy Bartold wszedł, mówił właśnie:

– Jesteś zwykłym, płaskim kutasem!

Sorensen wydawał się nieco rozbawiony, a może nie, może skrzywienie warg w drwiącym wyrazie było jego zwyczajnym grymasem. W każdym razie to, co mówił, miało zmiażdżyć przeciwnika.

– Widziałeś kiedyś w życiu płaskiego kutasa, durniu? Ach, rzeczywiście – z rozmachem uderzył się dłonią w czoło. – Z pewnością nie dalej niż godzinę temu, kiedy się odlewałeś! Ty niedorobiony geniuszu!

Harding zacisnął pięści. Teresa siedziała nieruchomo niczym kamienna figura, nawet bladość cery przywodziła na myśl podobieństwo do marmuru.

– Uspokójcie się – zawołał Walter ze swojego miejsca. Podniósł się, starał przybrać groźny wyraz twarzy, ale bezradność wyciekała wszystkimi porami jego spoconej z emocji skóry. – Macie się natychmiast zamknąć!

Robert spojrzał na niego jak na obrzydliwego płaza, a potem wbił palący wzrok w Hardinga.

– Będę mówił i robił, co mi się podoba i kiedy mi się podoba! – warknął. – A taki kurzy móżdżek jak ty nie będzie mi dyktował warunków!

– Mówię ci, zostaw... – W tej chwili Vlad zauważył Adama. – Zostaw tę sprawę, bo się na niej przejedziesz!

– Nie będziesz mnie pouczał – Sorensen nieco spuścił z tonu na widok niedawnego pogromcy.

Wyszedł z jadalni. Bartold mógłby przysiąc, choć to niemożliwe, że drzwi za nim zasunęły się z głośniejszym syknięciem niż zazwyczaj.

– O co poszło? – Usiadł obok Teresy.

Kobieta wciąż jeszcze była blada, popatrzyła na pytającego zalęknionymi oczami. Zamiast niej odezwał się Walter.

– Robert znów podkpiwał ze śmierci Grigorija. Powiedział, że Tawadze miał dużo szczęścia, bo ktoś, kto tyle ćpał, powinien zrobić sobie krzywdę dawno temu. Boże, dobrze, że Zoja nie przyszła na kolację.

– Przy niej by się chyba nie odważył.

– Odważyłby się – rzuciła Sandra, która wyglądała, jakby jej ta sprawa w ogóle nie obeszła. – To naprawdę kawał... dobrego człowieka.

Adam obserwował kątem oka psycholożkę. Siedziała sztywno wyprostowana, grzebała łyżką w talerzu z jakąś zupą o oryginalnej, ciemnobordowej barwie.

– Przepraszam, co to jest? – Bartold wskazał potrawę.

– Sanajja – odpowiedziała martwym głosem. – Nie zna pan tego? Robi się ją na bazie przecieru z sanhi. Hodują tę roślinę na Malahanie, w układzie Zang-3.

– Smaczne? Właśnie się zastanawiam, co zamówić.

Lekki ton pogawędki sprawił, że napięcie nieco opadło. Teresa spojrzała na niego z wdzięcznością.

– Trzeba się przyzwyczaić – powiedziała głośniej niż było trzeba – bo pierwsza łyżka sprawia wrażenie, jakby nabrało się w usta niezbyt pięknie pachnącego szlamu. Ale potem, kiedy znajdzie się już smak, trudno się bez tej zupy obejść.

– Niech pan jej nie słucha – zawołał Noel. Nadal wyglądał mocno nieswojo, ale starał się robić dobrą minę do złej gry. – Ta jej sanajja to gorsze świństwo niż sfermentowana pulpa z filtrów recyklingu. Żeby w tym znaleźć smak, trzeba nie mieć języka, a poza tym jeszcze węchu. Raz spróbowałem i więcej nie zamierzam.

Elza roześmiała się nerwowo, prawie histerycznie. Adam był pewien, że zaszło tutaj coś więcej niż tylko kłótnia spowodowana chamstwem Sorensena. W jadalni oprócz Zoi i Roberta, brakowało także Marie. Martin Gaut jadł swoją porcję ze wzrokiem wlepionym w blat stołu, reszta niemrawo zabierała się do posiłku. Adam zamówił z wyświetlonej na małym hologramie listy lazanię ze szpinakiem. Nie cierpiał szpinaku. Nienawidził wręcz. Ale czuł, że dziś musi złamać własny gust. Po kilkunastu sekundach mały robot przywiózł porcję. Bartold skrzywił się od zapachu zielonej masy wyglądającej spomiędzy warstw makaronu, ale wziął się do jedzenia.

– Mógłbyś trochę uważać! – krzyknęła nagle Elza, zrywając się od stołu. Na udach miała żółtawą maź.

Jakaś egzotyczna potrawa?, zastanawiał się Adam. Wystarczy poznać upodobania kulinarne współmieszkańców, aby bez trudu rozpoznać, kto pochodzi z okolic Układu Głównego, a kto z kolonii. Ci pierwsi zasadniczo hołdowali starym zwyczajom kulinarnym. Zachłyśnięcie się sprowadzanymi z głębi przestrzeni specjałami minęło dość szybko. Zresztą, do każdej diety trzeba przecież przywyknąć. A po nogach Elzy spływała jajecznica na bekonie.

– Ty cholerny niezdaro!

– Przepraszam, kochanie – powiedział szybko Wintermann. – Przecież nie chciałem.

Sandra parsknęła krótkim śmiechem, co jeszcze bardziej rozsierdziło żonę dowódcy.

– A ty, pękata kulko, czego chichoczesz?! – zaatakowała Elza. – Rozwiązła jędza.

– Cnotliwa Zuzanna – nie pozostała jej dłużna Sandra, dając przy okazji świadectwo, że nieobce są jej określenia zakorzenione w historii języka.

Elza wybiegła, rzucając żonie Gauta wściekłe spojrzenie. Zaraz za nią podążył Walter, czerwony jak burak. Martin odprowadził go wzrokiem, po czym wrócił do jedzenia.

– Czy to może taki miejscowy obyczaj opuszczać salę jadalną w pośpiechu i z żalem w sercu? Czyżby miało to jakiś nieznany mi, zbawienny wpływ na trawienie? – zapytał uprzejmym tonem Adam.

Nikt się nie odezwał, tylko Sandra posłała mu długie, znaczące spojrzenie. Milczenie panowało do końca posiłku, a atmosfera rozluźniła się dopiero, kiedy w jadalni został tylko Noel z Sandrą i nadeszła Marie Sorensen. W odróżnieniu od jej życiowego partnera, kobietę lubili chyba wszyscy. W każdym razie na to wyglądało.

– Nie śpisz już? – Sandra poruszyła się leniwie, nie otwierając oczu. Obfite piersi otarły się o jego biodro. Podstawił dłoń, żeby poczuć ich ciężar. Kobieta mruknęła niczym zadowolona kotka. – Przyjemnie, co, malutki?

– Przyjemnie – szepnął, czując, że znów nabiera na nią ochoty. Odetchnął głęboko, odsuwając natrętne myśli. Było coś, o co musiał zapytać kochankę. – Słuchaj, wczoraj zaatakował mnie twój adorator.

– Jaki adorator? – Uchyliła powieki, przeciągnęła po wargach językiem.

– Jaki? – Bartold uśmiechnął się. – Powinnaś raczej zapytać chyba, który.

– Nie czepiaj się – prychnęła, także siadając. Naciągnęła prześcieradło na piersi. – Jaki, który, co za różnica? Powiedz.

– Sorensen.

Przez chwilę milczała, a potem parsknęła śmiechem, ale nie złośliwym chichotem jak wieczorem w jadalni. To był objaw zdrowej, niekłamanej wesołości.

– Robert Sorensen jest ostatnim facetem, którego wzięłabym do łóżka, przecież ci mówiłam! – Uspokoiła się, przytuliła do ramienia Adama. – Prawdę mówiąc, raz spróbowałam i wystarczy. To prawdziwy, stuprocentowy samiec. I jak każdy taki samiec jest okropnym krótkodystansowcem. Parę ruchów i koniec, odchodzi dumny z siebie. Dla niego seks jest bardziej pokazem dominacji niż grą, czy po prostu przyjemnością.

– Wyraźnie powiedział, że mam się od ciebie odczepić. Może w ogóle nie lubi konkurencji? Jakiejkolwiek?

– Nie wierzę. To baran, wariat i obrzydliwy typ, ale nie jest aż takim kretynem. Na pewno chodziło o mnie?

– A o kogo?

– Nie wiem. – Odchyliła głowę, spojrzała mu zalotnie w oczy. – Może nie jestem jedyną twoją klaczką, ogierze? – znów dała wyraz zamiłowaniu do starych powiedzonek.

– Problem w tym, że jesteś.

– Powiedział „masz się odczepić od Sandry Gaut", czy coś takiego?

– Nie, po prostu „odpieprz się od niej".

– To skąd wiesz, że chodziło o mnie?

– Przecież to chyba logiczne. – Oparł się o ścianę, wyciągnął nogi.

Sandra wykonała nagle krótki skok, wylądowała na jego udach.

– Miałeś opowiedzieć jak to jest, kiedy się dokonuje skoku nadprzestrzennego.

– Nie ma czegoś takiego jak skok nadprzestrzenny, mówiłem przecież.

– I co z tego? – Uśmiechnęła się, ocierając się lekko pośladkami o jego uda. – Obiecałeś.

Skupił się na rozkosznym doznaniu płynącym od lędźwi, rozgrzewającym wnętrzności, eksplodującym jasną gwiazdą w samym środku głowy. Sandra doskonale wiedziała, czego potrzeba mężczyźnie. Położył jej ręce na ramionach, zatrzymał ją w pół ruchu.

– Jeśli chcesz czegoś się dowiedzieć, muszę mieć chociaż względny spokój.

Zmrużyła oczy, pokiwała głową.

– Więc mów.

– Podróż statkiem międzygwiezdnym na niewielkie dystanse to kwestia wykorzystania potęgi grawitacji.

– Niewielkie, to znaczy ile? Parsek, dwa, więcej?

– Zgadza się mniej więcej. Pięć do dziesięciu lat świetlnych. Widzisz, lepiej by to wyjaśnił fizyk zajmujący się mechaniką grawitacji.

– Ale ja nie chcę znać technicznych szczegółów, tym bardziej, że coś tam wiem, tylko usłyszeć, jak to jest z tym... skokiem.

– Przejściem – poprawił ją Adam. – To określenie też nie oddaje istoty rzeczy, ale jest bliższe rzeczywistości. Bez pewnego wprowadzenia dotyczącego napędu nie dam rady tego wyjaśnić. Statek jest wyposażony w generator grawitacyjny, który zajmuje większą część maszynowni. Żeby wykonać maksymalne przejście, przez ponad tydzień, dokładnie sto dziewięćdziesiąt osiem godzin ładują się kondensatory. Przez ten czas w ich wnętrzu tworzy się coś, co można w bardzo zgrubny sposób porównać z procesami zachodzącymi w kolapsarze. Oczywiście, dzieje się to w skali mikro, wszystko jest pod kontrolą mózgu statku. Swoją drogą, niezawodność systemów znacznie wzrosła od czasu, kiedy do budowy obwodów logicznych jednostek centralnych zaczęto używać nie tylko nanokryształów, ale też kwasów nukleinowych.

– Dlaczego?

– Nie udawaj, skarbie, że jesteś taka niedouczona. Komputer funkcjonuje wtedy o wiele sprawniej, szczególnie w sytuacjach trudnych. Podejmuje aktywność nieporównanie bardziej heurystycznie niż zwykła maszyna. Tak czy inaczej, kiedy kondensatory są pełne, można wykonać przejście. Pilot kładzie się do kapsuły z płynem tonizującym, który przenika do tkanek, zmniejszając skutki przeciążeń. Potem włącza się hibernator.

– Hibernator? – zmarszczyła śmiesznie nos. – Rozumiem, że nas po wyjściu z portalu wsadzili do komór, ale to dlatego, że nikt z załogi, poza Romą i może Michelangelem nie byłby w stanie przeżyć przejścia, więc musieliśmy zasuwać napędem konwencjonalnym. Podróż tutaj zajęła prawie dwa lata. Ale przecież przejście trwa krótko, po co się zamrażać?

– To też pomaga przetrwać szok grawitacyjny. Pilot nie podlega pełnej hibernacji, jego ciało jest schładzane, funkcje życiowe ulegają spowolnieniu, ale nie takiemu jak w przypadku pełnego zamrożenia. Nie traci się nawet całkowicie świadomości.

– To niebezpieczne – szepnęła, przytulając się do niego.

– Nigdy nie wiadomo, czy przeżyjesz – odparł lekko. – Mimo zastosowania zabezpieczeń, czasem przeciążenie dochodzi przez ułamki sekundy do sześćdziesięciu G. Nie każdy może coś takiego znieść. Wytrzymałość uzyskuje się przez długi trening, ale trzeba też mieć dar od Boga.

– To boli?

– Trudno powiedzieć. Roztwór tonizujący i częściowa hibernacja nieco zmieniają sposób odczuwania. Przyjemnym doznaniem w każdym razie bym tego nie nazwał, przynajmniej w pewnych aspektach, bo czasem... Ale do rzeczy. Kiedy wszystko jest gotowe, mózg rozpoczyna procedurę przejścia. Kondensatory grawitacyjne gwałtownie się rozładowują, zakrzywiając czasoprzestrzeń, a właściwie zwijając ją w coś, co możemy sobie wyobrazić z grubsza i w przybliżeniu jako spiralę. Jednocześnie zostają odpalone z całą mocą silniki. Gwałtowny ruch statku powoduje charakterystyczne zaburzenia w zwyrodniałej czasoprzestrzeni. Polega to na tym, że zostaje naruszona siatka czterowymiarowa. Do czego by to porównać...

– To akurat rozumiem bez problemu – zaśmiała się. Znów zaczęła się ocierać o jego uda. – Specjalizuję się w fizyce cząstek elementarnych. W takich warunkach ulegają zerwaniu nie tylko wiązania czasoprzestrzenne, ale także wszelkie zasady mechaniki i funkcjonowania wrzecion czasu obowiązujące w makroświecie i mikroświecie. Taki impuls grawitacji to po prostu katastrofa. Potrafi rozłożyć wszystko na najdrobniejsze kawałki. Tego nikt nie może przeżyć. Jak to się dzieje, że...

– Cała rzecz polega na tym, że w chwili, kiedy następuje tak wielkie zwyrodnienie czasoprzestrzeni i cząstek, statek znajduje się już po drugiej stronie otwartego działaniem kondensatorów tunelu. Dlatego właśnie bezpieczniej mówić na to przejście niż skok. Trwa on tysięczne części sekundy, ale w tym czasie pilot przeżywa coś więcej niż tylko przeciążenia. Zupełnie jakby czas w tunelu ulegał niesamowitemu rozciągnięciu. Zresztą, tak poniekąd właśnie jest. W naturze nic nie dzieje się bez przyczyny i niczego nie można uzyskać za darmo. Z jednym wyjątkiem – prezentu od natury w postaci tych właśnie przeżyć. Każdy odczuwa to na swój sposób. Ja, na przykład, doświadczam wówczas takiego wrażenia mocy, jakbym był w stanie jednym oddechem gasić gwiazdy, a nawet całe galaktyki. Jakbym mógł skupić całą materię wszechświata w zaciśniętej dłoni, a potem jednym pstryknięciem zapoczątkować nowy Wielki Wybuch.

– Wielki Wybuch – powtórzyła niskim, wibrującym głosem. – O, tak...

Dopiero w tej chwili zdał sobie sprawę, że kobieta wprawdzie przestała się poruszać w przód i w tył, ale za to dosiadła go i zaczyna pogrążać się w zapomnieniu.

– Mów – mruknęła. – Mów, to takie podniecające.

– Problem w tym – ciągnął, czując, że za chwilę nie będzie w stanie sensownie sformułować myśli – że nie mam płuc, w które mógłbym wciągnąć powietrze, ust, przez które byłbym w stanie je wydmuchnąć, ani tym bardziej rąk, aby zacisnąć w nich kosmos... Unoszę się w pustce. Ale nie takiej zwyczajnej, jak ta w przestrzeni, która próżnią jest tylko z nazwy, którą przenikają drobiny materii, kosmicznego pyłu oraz wszechobecne promieniowanie. To pustka całkowita, nie ma w niej ani jednej cząsteczki, najmniejszego kwantu, bozonu, czegokolwiek. Niesamowite uczucie. Potęga zmieszana z bezsilnością...

– Po-tę-ga – wyjęczała, coraz szybciej pracując biodrami. – Cu-dow-nie.

– Tak. – Zaczął się osuwać w otchłań przyjemnego zatracenia. – To jest jak wielki, nieskończony orgazm.

Ale milion razy potężniejszy. Jestem wtedy nieograniczonym istnieniem w przestrzeni zredukowanej do objętości mniejszej niż proton.

– O, tak! – zawołała. Odchyliła się, położyła sobie jego ręce na piersiach, dając znak, żeby je pieścił, a sama sięgnęła za plecy, aby zintensyfikować jego doznania. – Mów!

Ale pilot nie był już w stanie wydusić słowa. Czując, że za chwilę w partnerce eksploduje nagromadzona energia, postarał się jak najszybciej do niej dołączyć.

Kilka minut później leżeli zdyszani obok siebie. Adam z zadowoleniem skonstatował, że najwyraźniej zaczął już lepiej funkcjonować w warunkach zwiększonej grawitacji. A na pewno nie był tak zmęczony, jak poprzedniej nocy.

– Dokończysz? – spytała Sandra leniwie.

Musiał przez chwilę zbierać sennie krążące myśli, żeby skojarzyć, o co jej chodzi.

– W zasadzie powiedziałem wszystko. Tak to przeżywam. Inni piloci odczuwają coś podobnego, ale każdy na swój sposób. Może dlatego, że czas i przestrzeń są w dużej mierze zjawiskami psychicznymi.

– To znaczy?

– Znów udajesz pierwszą naiwną, skarbie. Jako fizyk cząstek elementarnych powinnaś wiedzieć to lepiej ode mnie. Każdy inaczej postrzega otaczające nas cztery wymiary.

– Wiesz, kotku, ja zasadniczo nie zajmuję się czasoprzestrzenią. – Potarła brodą jego pierś. – Skupiam się raczej na badaniu pozostałych wymiarów zaklętych w najmniejszych cząstkach.

– Pozostałych pięciu czy dwudziestu jeden? – uśmiechnął się lekko, całując jej włosy.

– Dokładnie trzech z drugiej wymienionej liczby – odparła poważnie. – Oddziaływania strun są niezmiernie fascynujące.

– Nigdy nie mogłem tego zrozumieć. Pewnie dlatego wolałem zostać zwykłym pilotem niż naukowcem. Te wasze wszystkie teorie, rozważania na temat natury materii... Dla mnie koszmar.

– Nie przesadzaj. Opowiedz lepiej, co dzieje się potem.

Z pewnym zdziwieniem zauważył, że Sandra stała się nagle uważna, zniknął jej zwyczajny, lekki i nieco lekceważący sposób bycia. Czyżby jego relacja naprawdę tak bardzo ją zainteresowała?

– Na czym skończyłem?

– Na tym, że czujesz się mniejszy od kwantu materii.

– Słuchałaś jednak, szelmo – zaśmiał się. – A już myślałem, że jesteś bez reszty zajęta przyjmowaniem najwygodniejszej pozycji. Dobrze, nie złość się, mówię dalej! Chociaż nie za bardzo w sumie jest co opowiadać. Po tym uczuciu bezsilnej potęgi, o którym mówiłem, następuje coś w rodzaju eksplozji. Zupełnie jakby każda komórka ciała ulegała rozerwaniu, a potem była tworzona na nowo. To nie boli, ale jest bodaj najbardziej przykrym doznaniem, jakiego kiedykolwiek doświadczyłem. Mam wtedy wrażenie, że na chwilę umieram, aby zaraz potem znów zachłysnąć się powietrzem. Następnie powoli wszystko wraca do normy, jednak przy skokach dłuższych niż półtora parseka trzeba się regenerować dobry tydzień.

– Podróż przez portal to jednak o wiele mniej dramatyczne przeżycie – mruknęła.

– Bo portale działają na zupełnie innej zasadzie. Tam kompresor grawitacyjny jest tylko środkiem wspomagającym proces, a nie sposobem przemieszczania samym w sobie. Podróżni zostają wypromieniowani jako wiązka energii, a potem odtworzeni po drugiej stronie. Zakrzywienie przestrzeni nie musi być wówczas tak wielkie.

– Wiem, wiem – kiwnęła głową. – Wiesz, coś mi się zdaje, że to całe przejście wiąże się jakoś z funkcjonowaniem strun w cząsteczkach subatomowych. To właśnie na ich poziomie czas i przestrzeń zaczynają działać inaczej niż w makroświecie.

– Istnieje ze dwanaście teorii wyjaśniających to zjawisko. – Przytulił ją, czując chłodniejszy powiew z klimatyzatora. Systemy stacji dawały znać, że nadchodzi tak zwany ranek. – To znaczy, dwanaście jest mniej lub bardziej sensownych, bo spotkałem się już także z wyjaśnieniami wręcz magicznymi. To, co powiedziałaś, jest całkiem prawdopodobne, ale w żadnym razie pewne. To znaczy, tak twierdzą naukowcy zajmujący się fenomenem zjawisk występujących podczas zakrzywienia i zerwania czasoprzestrzeni. Ja z tego wszystkiego rozumiem ledwie ułamek procenta, tyle, ile wystarczy, abym mógł latać.

Zamilkł, Sandra także się nie odzywała. Było ciepło i przyjemnie w pobliżu rozgrzanego miłosnymi zapasami ciała kobiety.

– Teraz ja mam prośbę – powiedział po długiej chwili.

– Co tylko zechcesz – roześmiała się. – Ale myślałam, że jesteś już zupełnie wypompowany.

– Nie o to chodzi, maleńka. Chcę, żebyś mi opowiedziała, jak to się stało, że zaginęli Michelangelo Gennare i Angelina Corrais.

Kobieta zesztywniała, podniosła na niego czujne nagle oczy.

– Po co ci to? Dlaczego w ogóle się tym interesujesz?

– Opowiedz – zażądał. – Ja ci nie żałowałem, więc oczekuję tego samego. Obiecuję, że jakoś ci to wynagrodzę.

Sięgnął pod kołdrę.

– Świntuch – zaśmiała się radośnie.

Sorensen, mijając go na korytarzu, odwrócił głowę, jakby poczuł nagle przykry zapach. Zmierzał do laboratorium fizyki grawitacji. Adam przystanął, odprowadził go wzrokiem. Czekał aż Robert obejrzy się, ale tamten udawał, że nie zdaje sobie sprawy z wbitego w plecy drwiącego spojrzenia. Komandor poszedł więc dalej, na koniec korytarza. Nad drzwiami pracowni chemicznej paliły się dwie lampki – zielona i pomarańczowa. Według obowiązujących kodów oznaczało to, że w środku ktoś jest i nie należy mu przeszkadzać bez bardzo istotnego powodu. Bartold machnął ręką nad czujnikiem otwierającym drzwi. Mechanizm nie zareagował. Przebywający w środku zablokował możliwość wejścia bez uprzedzenia. Ale w takim układzie powinna się palić także dioda fioletowa. Adam wzruszył lekko ramionami. Jak widać, obyczaje na Zoroastrze odbiegały nieco od ogólnie przyjętych. Nie było w tym też nic bardzo dziwnego – nawet na okrętach liniowych pozwalano sobie na pewne odstępstwa od przepisów, a niektóre jednostki, szczególnie mające za sobą długą historię służby, były wręcz dumne z takich właśnie pozaregulaminowych tradycji. Komandor nacisnął klawisz wywołania. W większości baz i stacji, w których miał okazję gościć, obok drzwi na ścianie umieszczano małe holoekrany albo przynajmniej niewielkie płaskie wyświetlacze. Tutaj nic podobnego nie zauważył. Oszczędność, oszczędność i jeszcze raz oszczędność. Pod tym względem stacja na księżycu Valhalli była wręcz wzorcowa, przynajmniej jeśli chodziło o niektóre aspekty sknerstwa organizatorów wyprawy.

– Słucham, komandorze Bartold – rozmyślania przerwał mu nieprzyjemny głos Waltera.

– Musimy porozmawiać.

– W tej chwili przyjmuję raport z badań doktora Hardinga, proszę więc znaleźć mnie później.

– Profesorze Wintermann – w głosie Adama pojawiły się syczące tony – niech pan przestanie wreszcie udawać zabieganego szefa placówki i otwiera.

– Jak już mówiłem, przyjmuję raport pana Hardinga...

Bartold wyjął z kieszeni podłużne, lśniące polerowanym srebrem pudełko, zbliżył je do panelu. Drzwi natychmiast odjechały na bok. W pracowni siedzieli naprzeciwko siebie, przedzieleni stołem laboratoryjnym, Vlad Harding oraz Walter Wintermann. Nic nie wskazywało na to, żeby chemik zdawał szefowi jakąkolwiek relację – ekran wbudowany w blat nie działał, a Harding nie pokazywał żadnych wykresów, nie miał przed sobą nawet wyświetlacza standardowego notatnika.

– Posuwa się pan zbyt daleko! – warknął dowódca stacji, podnosząc się z miejsca. Wyglądał, jakby chciał uderzyć intruza. – Co pan sobie wyobraża?

– Mógłbym zadać to samo pytanie, profesorze. –
Adam wszedł do środka. Drzwi zasunęły się bezgłośnie. – Co pan sobie wyobraża, udając, że nic się nie dzieje? Siedząc z obecnym tutaj naukowcem i pieprząc nie
wiadomo o czym, nie rozwiąże pan swoich problemów.

– Po pierwsze, nie mam żadnych problemów, a po
drugie, gdybym je nawet miał, jest pan ostatnią osobą,
która powinna się tym interesować.

Komandor parsknął krótkim, paskudnym śmiechem.
Walter poczerwieniał, zacisnął pięści tak mocno, że po-
bielały mu knykcie.

– Może nie jestem, a może jestem. Nie panu o tym
decydować, Wintermann. Tak się jednak składa, że powinien mi pan wyjaśnić to i owo w związku z zaginię-
ciem Michelangela Gennare i Angeliny Corrais.

– Gówno ci do tego, przybłędo! – Dowódca nie wytrzymał, brysnął nie tylko jadem słów, ale i gęstą śliną.

Vlad Harding wodził spojrzeniem od jednego mężczyzny do drugiego. Widać było, że sytuacja go przera-
sta, a jedynym jego pragnieniem jest wyjść z pracowni
jak najszybciej i zostawić tych dwóch samych, żeby się
pozabijali bez świadków.

– Doprawdy? – Uśmiech Adama stał się jeszcze bardziej paskudny. – Czy zna pan, panie profesorze, taką
formułę: „Bezpieczeństwo Federacji oraz racja stanu wymagają, abym na mocy nadanych mi uprawnień zażądał
wszelkiej możliwej pomocy"? Mówi to panu coś?

– Mówi. – Wintermann nadal wyglądał jak wściekły,
gotowy do ataku brytan. – Ale ten przywilej przysługuje
tylko oficerom śledczym, legitymującym się odpowied-
nimi uprawnieniami.

– Zgadza się – Adam kiwnął głową z wyraźnym zadowoleniem. – Oficerom śledczym, a także...

Wintermann pobladł, ale gniew zbyt mocno w nim jeszcze kipiał, żeby pogodził się z tym, co podpowiadał mu rozsądek.

– Tego mi pan nie wmówi!

– A to? – Adam pokazał mu srebrne pudełko. – To SDS. Czy sądzi pan, że dostałem takie cacko jako standardowe wyposażenie statku międzygwiezdnego?

Walter potrząsnął głową.

– To niemożliwe.

– Możliwe, panie profesorze. A nawet pewne. Proszę bardzo.

Wyjął z pudełka mały kryształ, podał go Wintermannowi. Walter przeszedł na drugą stronę stołu, niecierpliwym gestem odsunął osłupiałego Hardinga, włożył przedmiot w czytnik holoekranu. Przezroczysty słup światła wystrzelił z blatu, uformował się w sześciokąt. Wewnątrz pojawiło się charakterystyczne logo – złocista kula otoczona czterema koncentrycznymi, jasnobłękitnymi kręgami. Następnie przez ekran przemknęły ciągi liczb i liter, wreszcie pojawiła się ta sama kula ze świecącym srebrzyście prostokątnym polem pośrodku.

– To tajny dokument rządowy – powiedział cicho, prawie szeptem, Vlad. – Nie powinienem wyjść?

– I tak się pan dowie – kiwnął mu głową Adam.

– Jako dowódca stacji do odczytywania takich pism jestem upoważniony tylko ja lub, w razie mojej śmierci, zastępca – zaprotestował Wintermann.

– Przecież mówię... – zaczął Bartold, ale przerwał mu Harding.

– Nie, nie! Lepiej będzie, jak sobie pójdę.

Zanim Adam zdążył cokolwiek powiedzieć, Vlad zniknął za drzwiami.

– Kod dwa, czterysta pięćdziesiąt trzy, dziesięć, osiemnaście.

– Mało oryginalne – prychnął Walter, wstukując sekwencję liczb. – Data dotarcia pierwszego statku do Proximy Centauri.

– Oryginalne będzie to, co znajdzie pan wewnątrz zapisu – Adam wzruszył ramionami.

Wintermann czekał chwilę na potwierdzenie hasła i wyświetlenie danych. Przebiegł szybko wzrokiem połyskujący złocisto-błękitnymi punktami dokument. Potem zwrócił wzrok na pilota, kiwnął lekko głową.

– A jednak – powiedział spokojnie. – Czy rząd musi przekazywać informacje w takiej kiczowatej oprawie?

– To pytanie nie do mnie.

– Ale to pan jest przedstawicielem rządu, prawda?

– Proszę przestać gadać głupoty i zwołać odprawę. Za dwadzieścia minut na platformie widokowej.

– Z reguły spotykamy się na odprawach w dyspozytorni lub jadalni – dowódca wydął wargi.

– Zdaję sobie sprawę. Ale z pewnych względów wolałbym kopułę.

– Z jakich względów, jeśli można zapytać?

– Estetycznych.

Patrzyli na niego ponuro, spode łba. Wszyscy bez wyjątku, nawet Sandra. Nie dziwił się. Już jego pojawienie się w roli potrzebującego pomocy gwiezdnego rozbitka zaburzyło im spokój. A teraz nieprzyjemny powiew, przyniesiony przez zaświatowca, zamienił się w prawdziwy huragan.

– Pan inkwizytor. – Zdawało się, że Wintermann za chwilę splunie mu pod nogi. – Prawdziwy inkwizytor. Jeśli ktoś z was – zwrócił się do podwładnych – kiedykolwiek wątpił w istnienie takiego urzędu, macie tu jego namacalny dowód.

– To nie urząd – zaoponował Adam. – To tylko funkcja.

– Tylko?! – Walter prychnął z niedowierzaniem. – Pan to poważnie? Najszersze uprawnienia, jakie można sobie wyobrazić, nieograniczona władza wszędzie, gdzie się pojawi...

– Prawda jest taka – przerwał mu Bartold cichym głosem – że ta władza nie jest wcale zupełnie nieograniczona, a tak naprawdę w dużej mierze uzależniona od waszej dobrej woli.

– Na moją możesz nie liczyć – rzucił Sorensen. – Powiem więcej i możesz to potem wykorzystać przeciwko mnie; w dupę mnie pocałuj!

Adam obrzucił go niechętnym spojrzeniem.

– Nie jesteś w moim typie, ogierze – powiedział spokojnie. – Nie nadstawiaj więc do mnie tyłka, bo jedyne, czego możesz się spodziewać, to solidny kopniak. Jak ostatnio, pamiętasz?

Robert poczerwieniał, otworzył usta, żeby ostro odpowiedzieć, ale zrezygnował.

– Oszukał nas pan – stwierdził spokojnie Noel. – Nadużył naszego zaufania. Tak się nie robi.

– To rządowy pies – rzucił Gaut. – Czego się po takim spodziewać?

Adam zmrużył oczy, zmierzył Martina surowym spojrzeniem.

– Wszyscy jesteśmy rządowymi psami – powiedział, starając się panować nad głosem. – W każdym razie tak być powinno, bo stacje takie jak ta mają pracować przede wszystkim dla dobra nauki i federacji, a dopiero w drugim rzędzie zasilać konta sponsorów. Chyba, że czegoś nie wiem.

Gaut wydął pogardliwie wargi i odwrócił się ostentacyjnie, patrząc na znikający za horyzontem krąg Valhalli. Mała tarcza Thora stała w zenicie.

– Ale co innego być jakimś tam inkwizytorem, a co innego wykorzystać czyjeś zaufanie.

– Pan mówi, Noelu o mojej wizycie w obserwatorium podczas burzy? O tym, że dowiedziałem się, iż wykorzystujecie sprzęt stacji dla prywatnych celów, dla zaspokojenia własnych pragnień? Proszę mi wierzyć, to mnie zupełnie nie interesuje. Jestem inkwizytorem, a nie inspektorem do spraw przestępstw gospodarczych. Nie dziwi mnie wcale, że człowiek zamknięty w podziemnej bazie pragnie odmiany, oderwania się od ciasnoty i klaustrofobicznej atmosfery. Wręcz przeciwnie, doskonale to rozumiem, a koszta takich zabaw są doprawdy znikome w porównaniu z zyskami, na jakie liczą strony finansujące wyprawy.

– To co pana w takim razie interesuje?

Bartold nie odpowiedział. Patrzył na wszystkich obecnych po kolei. Gaut nadal stał do niego tyłem, Sandra miała minę skrzywdzonej dziewczynki, Noel wbił wzrok we własne kolana, Alicja patrzyła na Adama bez zmrużenia powiek, przypominając w tym bezruchu węża hipnotyzującego ofiarę. Robert Sorensen, wciąż purpurowy, odszedł w przeciwny koniec sali, Marie Maguire-Sorensen natychmiast uciekła spojrzeniem, kiedy komandor na nią zerknął, Zoja wyglądała, jakby to wszystko zupełnie jej nie dotyczyło, obojętnie śledziła lot jakiegoś pyłku, widocznego w wątłym promieniu słońca. Vlad Harding, zapadnięty głęboko w fotel, starał się sprawiać wrażenie, że go w ogóle nie ma, za to Teresa z równie wielkim zainteresowaniem jak Adam przyglądała się obecnym. Kiedy jej oczy spotkały się z oczami Bartolda, skinęła ledwie dostrzegalnie głową. Odpowiedział podobnym gestem. Walter przymknął oczy, zbierając myśli. Adam prawie mu współczuł. Dowódca miał twardy orzech do zgryzienia, znajdował się między młotem a kowadłem. Z jednej strony był zobowiązany udzielić wszelkiej pomocy przedstawicielowi władzy, z drugiej wiązały go układy koleżeńskie i towarzyskie, może nawet coś więcej, jakieś tajemnicze zobowiązania i powiązania. Co powinien wybrać, było doskonale wiadomo, jednak ludzie mają nieodmienną tendencję do zaniedbywania obowiązków służbowych w imię stosunków społecznych i własnych interesów. Tendencję zresztą jak najbardziej naturalną. Elza siedziała obok męża, nie patrząc na nikogo konkretnie, ale omiatając towarzystwo wzrokiem, tyle że w odróżnieniu od Adama i Teresy nie czyniła tego taksująco, ale raczej z wyrazem pogardy.

– Co pana interesuje? – powtórzył pytanie Noel.

– Sporo rzeczy, bardziej i mniej istotnych. Z pewnością będę miał więcej pytań po zapoznaniu się z dokumentacją. Ale pierwsze i podstawowe pytanie brzmi: kto z państwa pracuje dla holdingu „Stella Virginis"?

– Co znaczy „pracuje"? – spytał Noel. – Opłacani jesteśmy ze środków państwowych.

– Wy, jako członkowie zespołu, tak. Ale ktoś może być mocniej niż inni związany z jakimś przedsiębiorstwem. Na przykład „Stella Virginis". Ale może i innym, choćby potężnym „Diavo" czy niewielkim „Surve". Nieważne. Ważne, żeby mnie o tym poinformował. To ułatwiłoby mi znacznie pracę i rozjaśniło trochę sytuację.

Nikt się nie odezwał. Adam nie spodziewał się zresztą innej reakcji.

– Cóż, w takim razie dam państwu trochę czasu. Wiecie, gdzie mnie szukać...

– Oby jak najdalej stąd – mruknął pod nosem Martin Gaut.

– Na to bym specjalnie nie liczył, doktorze – uśmiechnął się Bartold.

– Ale kiedy wyjaśni pan już śmierć Romy, Edwina i Grigorija, odleci pan? – spytała z nadzieją Alicja Boranin.

– A także zaginięcie Michelangela Gennaro i Angeliny Corrais, powinna pani dodać. Jest jeszcze do wyjaśnienia sprawa Grigorija Tawadze. Zobaczymy, czy w tak zwanym międzyczasie nie stanie się coś więcej, co zatrzyma mnie w waszych gościnnych progach.

– Nie rozumiem tylko, skąd pytanie o nasze powiązania z korporacjami czy holdingami. – Martin Gaut odwrócił się wreszcie w stronę Adama. – O ile się orientuję, inkwizytorów nie powinny ciekawić takie sprawy. Waszym zadaniem jest dbać o zupełnie inne rzeczy niż jakieś tam finansowe zobowiązania.

– Doprawdy? – Bartold starał się, aby w jego głosie nie zabrzmiała drwina, ale nie do końca mu to wyszło. – Sporo pan wie o zadaniach inkwizytora.

– Wiem tyle, żeby z przekonaniem stwierdzić, iż ktoś taki jak pan powinien raczej zająć się tym, co dotyczy spraw duchowych niż materialnych.

Adam pokiwał głową z lekkim uśmiechem.

– Czasem, niestety, te dwie płaszczyzny przenikają się, a nawet splatają w nierozerwalnych konstelacjach.

– Co pan ma konkretnie na myśli?

– Gdybym potrafił precyzyjnie odpowiedzieć na to pytanie, nie musiałbym się zwracać do państwa o pomoc.

– Czyli błądzi pan po omacku?

Adam roześmiał się zupełnie szczerze. Nie wiedział, czy Gaut sformułował kwestię w tak kretyński sposób celowo czy niechcący, ale w obu przypadkach było to dość zabawne. Zupełnie jakby podczas rozgrywki pokera liczyć na szczere wyznanie przeciwnika na temat układu jego kart.

– Po omacku na pewno nie, doktorze. To chyba naturalne, że mam pewne informacje, a także przemyślenia. – Spoważniał, znów powiódł wzrokiem po zgromadzonych, tym razem nie zatrzymując się na nikim dłużej. – Nie wiem, czy dowódca przekazał wam informację, ale oprócz tego, że dokonano sabotażu w satelicie komunikacyjnym, dokonano także zmian w oprogramowaniu centralnej jednostki logicznej wahadłowca.

– To wykluczone – powiedział natychmiast Vlad Harding. – Jestem głównym informatykiem i sam sprawdzałem mózg przed startem.

– Oczywiście – odparł łagodnie Adam. – To należy do pana obowiązków. Ale czy sprawdzał pan wszystkie możliwe funkcje i ich konfiguracje? Wszystkie? Nawet sposób działania kryształów rezonujących przy wykorzystaniu pełnej mocy obliczeniowej?

– Jasne, że nie – obruszył się Vlad. – Na to musiałbym poświęcić przynajmniej dobę. Jednak wszystko, co gwarantowało bezpieczny lot, zostało sprawdzone bardzo dokładnie.

– Właśnie, bezpieczny lot. Problem w tym, że poza dotarciem do satelity, wyjściem na zewnątrz i powrotem, musiałem jeszcze zmagać się z nagłą awarią. Jest takie stare powiedzenie, że diabeł tkwi w szczegółach. I wtedy właśnie wyskoczył ten szczegół. Drobny, niezauważalny błąd w obliczeniach. Co więcej, błąd dotyczył nie tyle obliczenia jako takiego, co nagromadzenia sekwencji działań. Jak wiedzą obecni wtedy w dyspozytorni, kazałem skonsultować wynik pierwszych obliczeń z mózgiem stacji. Nie było rozbieżności. Pojawiły się dopiero, gdy komputer wahadłowca podjął działanie i zaczął wyliczać kolejne równania, które nie podlegały już kontroli zewnętrznej.

Przerwał, spojrzał w górę na krążek Thora świecący wprost na głowy siedzących. Daleka, chłodna latarnia przypominała bardziej lampkę na biurko niż potężną gwiazdę.

– Jest pan zdziwiony, doktorze Harding? Ja też byłem w szoku, kiedy dokonałem sprawdzenia mózgu i przekonałem się, że coś jest jednak nie tak.

– Moja kontrola powinna to wykryć!

– Powinna? Nie wiem. Zmiana była zbyt subtelna. Nie uważa pan, że to zastanawiające?

Vlad najpierw poczerwieniał, potem zbladł.

– Uważasz... Uważa pan, komando... inkwizytorze, że miałem z tym coś wspólnego?

– Muszę brać pod uwagę każdą ewentualność. To chyba naturalne.

– To mnie obraża!

– Nie inaczej. Ale pańskie emocje nie są w tym wypadku szczególnie ważne. Zginęło pięć osób.

– Zaraz, zaraz, z tej piątki Michelangelo z Angeliną tylko zaginęli, a śmierć Grigorija była przecież wypadkiem zaćpanego kretyna – wtrącił swoje trzy grosze Sorensen, nie zważając na ostrzegawcze syknięcie żony.

Adam popatrzył na niego jak pająk na muchę, Robert drgnął, skulił się lekko, a potem odpowiedział zuchwałym spojrzeniem, nie mógł jednak zupełnie zatrzeć poprzedniego gestu. Członkowie załogi patrzyli na to ze zdumieniem. Komandor był pewien, iż jest pierwszą osobą, przed którą chamski naukowiec odczuwa respekt.

– Śmierć to śmierć – powiedział twardo. – A co do pana Tawadze, mam pewne wątpliwości, które pomoże mi wyjaśnić pewne dość niebezpieczne badanie.

– Jakie? – spytała Teresa.

– Wszystko w swoim czasie. Muszę zebrać więcej danych. – Popatrzył na nią, mrużąc prawe oko.

– Może pan zapomnieć, że pozwolę obejrzeć moją dokumentację! – wycedziła przez zaciśnięte zęby. – Obowiązuje mnie tajemnica zawodowa.

– Zdaje sobie pani sprawę, że mam bardzo szerokie uprawnienia?

– Choćby miało mnie to kosztować utratę pracy, wszelkich świadczeń, a nawet pociągnąć za sobą karę pozbawienia wolności, nie dopuszczę nikogo do poufnych danych.

– Rozumiem – powiedział bez śladu zdenerwowania. – Dokona pani wyboru i poniesie wszelkie tego konsekwencje.

Zapanowało napięte milczenie. Adam nie patrzył na nikogo, czekał.

– Mówiłem, że trzynaście to pechowa liczba – mruknął Martin. – Przyjechał trzynasty i co?

– Nudny jesteś z tymi swoimi przesądami! – zareagowała ostro Sandra, rzucając mężowi wściekłe spojrzenie. – Przysięgam, że jeśli jeszcze raz to usłyszę, dosypię ci czegoś do kawy!

– I tak to kiedyś zrobisz – Gaut wzruszył ramionami. – Co za różnica, z jakiego powodu?

Adam pokręcił głową z niedowierzaniem. Ci ludzie nie starali się nawet ukryć małżeńskich nieporozumień i napięć. A przecież podczas kwalifikacji kładziono ogromny nacisk na stosunki panujące między mężem a żoną. Podczas wyprawy nie można było bowiem unieważnić małżeńskiego kontraktu, dokonywać jakichkolwiek zmian statusu prawnego. Osamotnienie i oddalenie od domu i tak musiało skutkować pewnymi zaburzeniami relacji, a jeśli były one niezbyt udane od początku, zagrożenie konfliktami rosło w postępie geometrycznym. Zespoły wyruszające w daleką przestrzeń dobierano także pod względem rasowym. Nie wszyscy zdawali sobie z tego sprawę, przyjmowali fakt, że znajdują się wśród przedstawicieli o tym samym kolorze skóry jako coś w rodzaju zbiegu okoliczności. Oczywiście, władze oficjalnie nigdy się do tego nie przyznały, ale takie właśnie były wytyczne dla komisji kwalifikacyjnych. Podczas wieloletniego pobytu wśród wciąż tych samych osób zlikwidowane już dawno na pozór nieporozumienia rasowe dziwnie łatwo budziły się z letargu. Samo to, że na przykład Marie Maguire-Sorensen posiadała pewne cechy negroidalne, a Zoja Sarkissian azjatyckie już mogło stanowić ryzyko, aczkolwiek obie zainteresowane z pewnością czuły się i zaliczały do rasy białej. Po wiekach mieszania się i migracji ludności niezmiernie trudno było znaleźć kogoś bez domieszek innej krwi, ale zasada pozostawała niezmienna – biali z białymi, czarni z czarnymi, skośnoocy z własnymi ziomkami. Oczywiście, w przypadku baz i stacji działających w pobliżu Układu Głównego, gdzie zmian personelu dokonywano co kilka miesięcy, ten problem nie istniał. Z kolei dobór naukowców do dalekich wypraw stanowił sprawę na tyle marginalną w skali całej federacji, że nie budził zastrzeżeń, przechodził bez echa, na dobrą sprawę niezauważony. Uczestnicy wypraw nie skarżyli się z tego powodu, a jeśli nawet, rząd miał swoje sposoby, aby nie dopuścić do publicznej debaty.

– Spokój! – rzucił ostro Walter. – Nie kompromitujcie się przy... – zawiesił głos, najwyraźniej nie bardzo wiedząc, co powiedzieć.

– Możecie mnie nazywać tak, jak przedtem.

– Jest pan przecież inkwizytorem, a nie komandorem.

– Jedno nie wyklucza drugiego. Astronawigator to mój zawód, pilotem jestem od zawsze i na zawsze, a inkwizytorem tylko bywam.

– Kpiny – parsknęła Alicja Boranin. – Glina zawsze pozostanie gliną!

– Nie zamierzam wdawać się w jałowe dyskusje – oznajmił sucho Adam. – W każdym razie czekam na informacje, które mogą się przydać w śledztwie.

– Śledztwie? – podchwycił natychmiast Sorensen. – Czyli jednak zwykły pies z ciebie, co, komandorze inkwizytorze?

– Posłuchaj, Robercie. – Adam nie spojrzał nawet w jego stronę. – Czy ty naprawdę nie potrafisz utrzymać jęzora za zębami?

– A po co?

Marie wstała, podeszła szybko do męża i pociągnęła go za rękę, zanim zdołał powiedzieć coś jeszcze.

– Ma pani rację – Bartold skinął jej głową. – Wystarczy tego dobrego.

Rozdział 7

Zoja Sarkissian spoglądała na Adama z niedowierzaniem. Stali naprzeciwko siebie, rozdzieleni blatem uniwersalnego medmatu.

– Pan oszalał – powiedziała bardzo spokojnie.

– Niezupełnie.

– To przecież awykonalne. Udałoby się może w porządnej klinice, ale nie tutaj!

Bartold spojrzał na lodówki, na zapalone przy trzech kasetach zielone lampy.

– A jednak chcę to zrobić. Przy pani pomocy. Chyba że nie chce pani dowiedzieć się, jak zginął mąż.

– A co to zmieni?

– Ma pani ochotę wysłuchiwać docinków Sorensena, który głośno wyraża to, co inni myślą? Świętej pamięci doktor Tawadze...

– Był profesorem – poprawiła go cicho.

– Tym bardziej. Oficjalny raport Wintermanna będzie stanowił, jakoby profesor Tawadze zmarł na skutek urazu, zaś ten uraz został spowodowany wyłącznie jego nieostrożnością w stanie oszołomienia narkotykiem. To podwójny cios – plama na pamięci o zmarłym oraz konsekwencje finansowe. Firma ubezpieczeniowa nie wypłaci odszkodowania albo rzuci nędzne grosze.

– Nie zależy mi na pieniądzach. – Oczy Zoi znów stały się puste, bez wyrazu. – A poza tym, Griszka rzeczywiście był uzależniony od mekary.

– Ale zaczął przyjmować narkotyk dopiero tutaj, prawda?

– Tak. To moja wina... Moja i tego przeklętego księżyca! On...

– To najprawdopodobniej niczyja wina – przerwał jej. – Ludzie różnie reagują na stres, na zamknięcie w takim miejscu. Noel i Marie ładują akumulatory, napawając się zjawiskami występującymi na Zoroastrze, Robert Sorensen znalazł sobie poletko egotyczno-erotyczne, inni także jakoś sobie radzą.

– Grigorij często chodził na seanse Marie i Noela – powiedziała cicho. – Wtedy właśnie zaczął brać mekarę... To znaczy, najpierw wszystko było dobrze, ale potem samo obcowanie z burzą przestało mu wystarczać. W pewnej chwili zaczął zażywać narkotyk... Wie pan, w sumie leki antydepresyjne zawierają ten sam czynnik aktywny, co mekara, więc na początku... – Machnęła ręką z rezygnacją. – Czemu ja się oszukuję? Jestem przecież lekarzem, zdawałam sobie sprawę, do czego to może doprowadzić, mąż na kilka lat przed wyprawą był uzależniony. Nikt o tym nie wiedział, sam wyciągnął się z nałogu. A tutaj koszmar powrócił... Ale Grisza był dobrym człowiekiem. Starał się bardzo, zaczął chodzić na terapię do Teresy. Bywał u niej prawie codziennie. Naprawdę był porządnym facetem...

– Wiem – Adam kiwnął głową. – To znaczy, wierzę. Tym bardziej pragnę wyjaśnić okoliczności jego śmierci. Jak rozumiem, obecność narkotyku w organizmie denata nie była czymś wyjątkowym, można powiedzieć, iż był do tego przyzwyczajony. Na pewno nie pierwszy też raz pracował mimo wstrząsów.

– Zgadza się. – Podniosła na niego oczy. W pustych źrenicach zalśniły blade iskierki.

– Ktoś to bardzo sprytnie wykombinował. Naprawdę szkoda, że nie dysponujemy zapisami z kamer.

– Mówiłam Walterowi po zaginięciu Michelangela i Angeliny, że powinien rozpocząć stały monitoring, tak na wszelki wypadek, ale stwierdził, że po powrocie urwaliby mu za to głowę. Pół biedy jeszcze, gdyby kamery pracowały na co dzień, choć i tak musiałby się gęsto tłumaczyć z niepotrzebnego poboru energii, ale podczas ekstremalnego obciążenia amortyzatorów, kiedy wyłącza się wszystko poza światłami alarmowymi, stały monitoring mógłby się okazać kroplą przepełniającą czarę. Tak to przynajmniej przedstawił.

– Jasne. Oszczędność. Niby słusznie, bo podczas takiej burzy wszyscy powinni siedzieć na swoich miejscach, a nie pętać się po obiekcie. Niemniej, od tej pory monitoring będzie już permanentny.

– Walter zgodził się na to?

– Nie miał wyjścia – uśmiechnął się Adam. – Chociaż bardzo usilnie próbował protestować.

Zoja popatrzyła na czytnik medmatu.

– Preparat zaraz będzie gotowy. Dobrze, że pobrał pan materiał zaraz po... po tym, jak go tutaj z Teresą przywieźliście... Inaczej...

– Wiem. Inaczej RNA pamięci uległoby rozkładowi i zniszczeniu. Proszę mi wierzyć, teraz też chętnie bym wszystko wykonał samodzielnie, ale muszę mieć opiekę lekarską.

Milczała przez chwilę, a potem powiedziała głośno, bardzo szybko, jakby bała się, że za moment słowa nie przejdą jej przez usta.

– Lepiej ja to zrobię. Grigorij był moim mężem, jestem mu to winna!

– To wielkie ryzyko. Mam wprawdzie pewne pojęcie o medycynie, ale w razie komplikacji mogę sobie nie poradzić...

– W razie komplikacji i mojej śmierci wypreparuje pan z kolei moją pamięć, a w niej będą także wspomnienia Griszy.

Adam westchnął, pokręcił głową.

– Robiła to już pani kiedyś?

– Nie. Przecież odczynniki są ściśle strzeżoną tajemnicą. Do tej pory wiedziałam, że podejmuje się takie próby, ale myślałam, że to wciąż tylko eksperymenty.

– Byłbym zdumiony, gdyby padła inna odpowiedź. W takim razie nie ma o czym mówić. Nawet jeśli panią wybudzę, nie dowiemy się niczego konkretnego. Pierwsze kontakty z cudzym materiałem wspomnieniowym stanowią taki szok i tak silne przeżycie, że potrafią ulec kompletnemu zablokowaniu, a nawet wymazaniu.

Opuściła wzrok, wbiła spojrzenie w jarzący się błękitnym światłem blat.

– Cóż, w takim razie trudno. A nie obawia się pan, że mogę skorzystać z okazji, żeby się pana pozbyć? Wszyscy tutaj jesteśmy przecież podejrzani.

– Muszę zaryzykować – odparł ze śmiertelną powagą.

– Ach tak – klepnęła się lekko dłonią w czoło. – Przecież jest monitoring, w razie czego...

– Kamery w tym pomieszczeniu są wyłączone – wpadł jej w słowo. Otworzyła usta ze zdumienia. – Zbyt łatwo ktoś niepowołany mógłby podejrzeć teraz lub później, co tutaj robimy, dlatego na godzinę kazałem zablokować system. Jestem zdany całkowicie na pani łaskę.

– Dlaczego mi pan to mówi? Czyżbym znajdowała się poza podejrzeniem?

Pokręcił głową.

– Nie wiem, jak to wygląda w innych sprawach, ale jest pani lekarzem i naprawdę kochała męża. Myślę, że zależy pani na wyjaśnieniu tej kwestii nie mniej niż mnie.

– Ale nie ma pan gwarancji, że śmierć Grigorija nie wiąże się z czymś, co chciałabym jednak ukryć?

– To nie ma sensu – uciął. Włączył holoekran. – Zaczynajmy. Ekstrakt trzeba wstrzyknąć prosto do mózgu, bardzo precyzyjnie, w obszar zaznaczony czerwoną barwą – stuknął palcem w wizualizację unoszącą się nad stołem. – Mógłbym sam zaprogramować medmat, ale pani zrobi to lepiej.

Rozebrał się do naga, położył na ciepłym stole. Zoja pochyliła się nad nim, dotknęła dłonią jego szyi. Chłodne palce namacały tętnicę. Syknęły drzwiczki podajnika, z maszyny wysunął się iniektor z buroczerwonym, lekko fosforyzującym płynem. Lekarka położyła przedmiot obok ramienia Adama, potem ruchem dłoni przywołała klawiaturę. Patrzyła na obraz mózgu z zaznaczonym polem, a jej palce migotały po wirtualnych klawiszach. Bartold pomyślał leniwie, że prościej byłoby załatwić sprawę komendami głosowymi, ale zapewne Zoja nie ufała samej sobie. Wystarczyłoby małe załamanie głosu z emocji, lekkie zacięcie się, żeby urządzenie nieprawidłowo odczytało polecenie. Klawiatura była stanowczo pewniejsza.

– Gotowe – powiedziała po dłuższej chwili. – Zaczynamy?

– Zaczynamy.

– Podam płyn zawierający mikrokapsułki z RNA przez prawą arterię szyjną. W chwili, gdy osiągną cel, ładunek elektrostatyczny, utrzymujący je w całości...

– Ależ Zoju, ja to wszystko wiem...

– Procedura wymaga, abym podała pacjentowi wszelkie niezbędne informacje na temat zabiegu – odparła sucho, nieco ostro. – Mógł pan wyłączyć monitoring, ale wszystko zapisuje się na trwałe w medmacie. W razie czego to jedyny sposób oczyszczenia mnie z zarzutów, a przede wszystkim ustalenia, co się stało.

– Rozumiem.

– Zatem, jak już mówiłam, ładunek elektrostatyczny zniknie i zawartość przejdzie do pańskich komórek nerwowych. Ryzyko powikłań wynosi... Cholera, nie mam pojęcia, ile wynosi, nie robiłam tego jeszcze, a w dostarczonym przez pana oprogramowaniu nie znalazłam informacji. W każdym razie jakieś jest. Wyraża pan zgodę na zabieg?

– Wyrażam zgodę – powiedział głośno i wyraźnie.

– W takim razie proszę się rozluźnić, podaję preparat.

Poczuł zimny dotyk iniektora na szyi. Potem nastąpiło lekkie uszczypnięcie i uczucie, jakby żyła miała za moment ulec rozerwaniu. Zoja ustawiła nieco zbyt szybkie tempo podawania płynu. Trudno, od tego Adam nie umrze, najwyżej będzie go trochę łupało w karku. To i tak drobiazg w porównaniu z innymi dolegliwościami. Świadomość otaczającego świata odeszła niepostrzeżenie. Nie ogarnęła go ciemność, nie miał wrażenia spadania, osuwania się w objęcia nieświadomości. Wszystko odbyło się tak, jakby płynnie przełączał częstotliwości w nadajniku.

Jest na poziomie roboczym, idzie do laboratorium. Korytarz wydaje się długi, o wiele dłuższy niż zazwyczaj. Mężczyzna ma wrażenie, jakby do nóg przyczepiono mu ogromne ciężary. Jakże już zdążył znienawidzić tę pieprzoną zwiększoną grawitację! Gdyby wiedział, że będzie aż tak ciężko, nigdy w życiu nie zdecydowałby się na tę wyprawę. Wlecze się noga za nogą, czując mrowienie w pochylonych ramionach. Dręczy go niepokój objawiający się swędzeniem w okolicach krzyża. Nieodmiennie dopada go coś podobnego tuż przed tym, jak skały krystaliczne zaczynają wibrować pod wpływem promieniowania gwiazd i oddziaływania Valhalli.

Do pracowni dociera spocony, z wyschniętymi na wiór ustami. Ma przeprowadzić badanie bardziej chemiczne niż fizyczne, a już na pewno nie związane z jego specjalnością. W małej sakwie przy pasie ciążą minerały wydobyte z niewielkiej odkrywki w pobliżu stacji. Automat dostarczył je rano.

Naukowiec wchodzi do laboratorium. Najpierw zbliża się do szafki z zamkiem szyfrowym. Podaje ciąg liczb, przykłada oko do wziernika. Szczęknięcie zamka, drzwiczki odskakują. Mężczyzna przesuwa na bok dwa wyłączone notesy, sięga po fiolkę z liliową zawartością. Jego ciałem wstrząsa dreszcz oczekiwania. Drżącymi pal-

cami otwiera flakonik, jednym haustem wychyla zawartość. Właściwe uspokojenie nadejdzie po kilku minutach, ale doznaje pewnej ulgi już teraz, czując, jak substancja spływa do żołądka i powoli zaczyna się wchłaniać na poziomie śluzówki przełyku.

Wkłada kryształy do retorty z pancernego szkła, zalewa je zielonkawą cieczą, mocuje to wszystko w uchwycie znajdującym się w połowie cienkiego pręta laboratoryjnego. Potem zbliża do retorty wąs czujnika, rozkazuje laboratoryjnemu mózgowi rozpocząć procedurę eksperymentalną. Przy naczyniu z kryształami umieszcza potężną cewkę indukcyjną.

Mekara zaczyna działać. Mężczyzna czuje się odprężony, prawie szczęśliwy, grawitacja przestała być problemem, przykre swędzenie w krzyżu zniknęło.

Pierwszy wstrząs przychodzi niespodziewanie. Kryształy w retorcie drżą, zielonkawy płyn zmienia barwę na złotą. Zachodzi reakcja. Cewka indukcyjna buczy przeciągle, jakby protestując przeciwko dziwnemu zjawisku. To wszystko jest nieoczekiwanie niepokojące i fascynujące zarazem. Następny wstrząs, i jeszcze jeden, potem długa seria, wreszcie cała stacja wpada w drgania. Światło gaśnie, jarzą się tylko czujniki aparatury i kryształy w retorcie. Mężczyzna pochyla się niżej, obserwując uważnie ich zachowanie. To jest coś, co sprawia, że serce bije szybciej, choć po sporej dawce narkotyku powinno przecież zachowywać się bardziej powściągliwie. Widok minerałów wchodzących w reakcję z zieloną, a teraz coraz bardziej złotą cieczą jest dla naukowca czymś pięknym i porażającym.

Nagle czuje, że jego głowa znalazła się w silnym uchwycie. Kątem oka w niepewnym świetle widzi zarys ręki, a właściwie jej fragmentu – łokcia i ramienia. Wyciąga dłonie do tyłu, chcąc stawić opór, ale napastnik nie daje szans, niestrudzenie pcha głowę naukowca. Pręt zbliża się do twarzy nieubłaganie, jakby w zwolnionym tempie. Napadnięty czuje bezwład, tym straszniejszy, że ma wrażenie, jakby miał jeszcze czas na reakcję... A jednak ciało odmawia posłuszeństwa. Napastnik chce nabić na pręt oko ofiary.

Przerażony człowiek szarpie się, ostatkiem sił przesuwa głowę, jednak tylko o kilka centymetrów. Pręt wbija się w nasadę nosa, wdziera w głąb czaszki. To nie boli, ofiara słyszy tylko, a raczej czuje suchy trzask, widzi zbliżającą się retortę, a potem wszystko gaśnie. Jeszcze gdzieś na granicy świadomości pojawia się cień zdumienia i żalu, ale zaraz znika.

To nie jest przyjazna ciemność. Mrok wydaje się groźny, jakby czaił się w nim potwór najgorszy z możliwych – lęk przed niespodziewaną śmiercią. Człowiek dusi się, macha rozpaczliwie rękami, próbuje wydostać się na powierzchnię. W tej ciemności nie ma powietrza. Przypomina rzadką wodę. Wciąga tę ciecz do płuc, ma wrażenie, że oddycha wprawdzie, ale czymś gryzącym, nie zawierającym nawet cząsteczki tlenu. Rozpaczliwe ruchy kończyn zamiast wynosić ciało w górę, utrzymują je zaledwie w miejscu. Jakiś głos z wielkiej oddali woła, że to już koniec. Tak, tonący w nicości zdaje sobie sprawę, że nie wytrzyma zbyt długo, ale to powtarzane słowo „koniec" drażni go dodatkowo i zmusza do podejmowania rozpaczliwego wysiłku. Na przekór wszystkiemu, mimo wszystko... Nadchodzi wreszcie ten moment, kiedy zdaje sobie sprawę, że to już ostatnia próba i jeśli nie wykorzy-

sta szansy, przepadnie z kretesem. Płuca znów wciągają jałowy, rzadki płyn, ręce wykonują spazmatyczny ruch i...
Światło poraziło źrenice, wtargnęło do mózgu kaskadą bolesnych doznań. Przez ułamek sekundy Adam zatęsknił za tamtym uczuciem duszenia – wydawało się teraz czymś wręcz przyjemnym. Zaczerpnął powietrza. Sparzyło tchawicę, wlało się wrzącym strumieniem do piersi, ale tym razem przyniosło życie, nie stanowiło kolejnego kroku ku zagładzie.

– Koniec, to już wszystko – usłyszał głośno i wyraźnie. – To już koniec, musisz się budzić. Rany boskie, nie trzeba było...

Znów wciągnął powietrze, zakaszlał. Wiedział, że mózg nie boli, że to skurcz naczyń krwionośnych, ale przysiągłby, że czuje miliard tępych igieł przebijających każdy neuron z osobna. Tak jakby centralny ośrodek nerwowy bezpośrednio odczuwał cierpienie. Zakrztusił się, rozkaszlał na dobre.

– Wróciłeś – głos był pełen ulgi. – Już się bałam, że zostałeś po tamtej stronie...

Znów otworzył oczy. Tym razem światło nie okazało się tak nieprzyjazne, jak przed chwilą.

– Nienawidzę tego – zamruczał i znów zachłysnął się życiodajnym tlenem. – Niech mi pani odłączy to gówno, bo zwariuję!

– Powinieneś... Powinien pan dostać większą dawkę czystego gazu. To zapobiegnie...

– Proszę wyłączyć! – wychrypiał. – Wiem lepiej, co mi potrzebne w tej sytuacji.

Poczuł delikatny dotyk, przykry podmuch zniknął. Odetchnął głęboko. Wciąż czuł, że każdy łyk powietrza pali żywym ogniem, ale nie było to już tak koszmarne doznanie jak przed chwilą. Spojrzał w górę, nieco w bok. Twarz lekarki zdawała się wyłaniać z mgły, rysy wyostrzały się powoli, wreszcie po kilkunastu sekundach mógł dostrzec ją wyraźnie.

– Akcja serca ustała na cztery minuty – powiedziała, widząc, że mężczyzna oprzytomniał. – Nastąpiło niedotlenienie mózgu. Należałoby poddać pana teraz zabiegom rehabilitacyjnym.

– Na tym to wszystko polega – odparł, nadal chrypiąc. – I to jest właśnie najgorsze. Przeżyć czyjąś śmierć...

Właśnie. To dlatego ktoś, kto miał do czynienia po raz pierwszy z bezpośrednim, organicznym odczytywaniem pamięci nieboszczyka nie był w stanie zapamiętać nic więcej niż samą śmierć, te chwile, które następują tuż po ustaniu funkcji życiowych. Dopiero po kilku próbach pamięć pozwalała przywołać wydarzenia z kilku minut poprzedzających zgon.

– Nie jestem w stanie zrozumieć, jak to w ogóle możliwe – powiedziała cicho Zoja.

– To trochę tak, jakby wraz z kwasem nukleinowym wlała we mnie pani duszę męża. Nie całą, część zaledwie, ale właśnie duszę. Trudno to do końca wyjaśnić naukowo. To coś więcej niż medycyna i fizjologia.

Patrzyła na niego bardzo długo.

– Dlatego nazywają was inkwizytorami – powiedziała wreszcie. – Bo robicie coś więcej niż zwykli funkcjonariusze.

– Może tak, ale w tej chwili to nie ma znaczenia.

– Wie pan już, jak zginął mój mąż?

– Został zamordowany, tak jak przypuszczałem.

– Kto to zrobił? – spytała przez zaciśnięte zęby.

– Nie wiem – odparł cicho. – Profesor eksperymentował. Badał jakieś kryształy. Wie pani coś o tym?

Pokręciła głową.

– Jestem lekarzem i genetykiem. Nie wyznaję się na tych wszystkich pracach fizyków. Wiem tylko, że prowadzili badania miejscowych skał.

– Podczas eksperymentu, kiedy zgasło światło, ktoś zaszedł go od tyłu i nabił jego głowę na pręt laboratoryjny. Cały problem polega na tym, że kiedy go znaleziono, nie było śladu ani po naczyniu, w którym znajdowały się substraty, ani po całym sprzęcie, jaki został użyty do eksperymentu. Sprawdzę to jeszcze, ale jestem pewien, że nie zostały żadne zapisy w pamięci systemu badawczego. Może morderstwa dokonał ten sam człowiek, który uszkodził przekaźnik satelitarny, zastawił pułapkę w przestrzeni i rozregulował komputer wahadłowca? A może i nie...

Nagle zdał sobie sprawę, że myśli na głos. Spojrzał na kobietę słuchającą go z szeroko otwartymi oczami.

– Nieważne.

– Proszę mówić – poprosiła drewnianym głosem. – To bardzo interesujące.

Usiadł na stole, wyciągnął rękę po ubranie leżące na krześle obok, nie mógł jednak przemóc sztywności mięśni. Dotknął wprawdzie bluzy, lecz nie był w stanie zgiąć palców, aby ją uchwycić. Zoja pomogła mu. Przykrył biodra, nie zamierzał na razie schodzić z ciepłego blatu.

– Czasem lepiej wiedzieć za mało niż za dużo – mruknął.

– To był mój mąż – zaprotestowała. – Mam prawo wiedzieć, kto go zabił.

– I obiecuję, że kiedy zdołam to ustalić, nie będę ukrywał tej informacji.

– A okoliczności jego śmierci...

– Obawiam się, że to, co się tutaj dzieje jest bardziej skomplikowane, niż może się na pierwszy rzut oka wydawać. Muszę to sobie teraz poukładać.

Walter Wintermann był wściekły. Adama wcale to nie dziwiło. Po pierwsze, żądał od dowódcy zespołu czegoś, czego tamten nie chciał mu dać, a po drugie, odwiedził go późnym wieczorem. Przedtem musiał trochę odespać traumę związaną z grzebaniem w pamięci Grigorija.

– Moje podejrzenia wzbudziło to, że głowa profesora Tawadze sprawiała wrażenie, jakby została nabita na pręt, a nie opadła nań pod wpływem wstrząsu – mówił komandor, patrząc z uwagą na twarz rozmówcy. – Zastanowiło mnie szczególnie to, że została skruszona kość potylicy, ale końcówka narzędzia zbrodni nie przeszła na wylot. Zupełnie jakby została zablokowana. Wie pan, o co mi chodzi, prawda? Jakby coś powstrzymało pręt. Prawdopodobnie była to dłoń zabójcy nabijająca głowę ofiary. Zatrzymała ruch i czubek pręta natrafił na nią, zanim zdołał przebić skórę. Ale stuprocentową pewność zyskałem dopiero dzisiaj.

– Pan jest szalony – powiedział przez zęby dowódca stacji. – O ile się orientuję, powinienem wyrazić zgodę na tak ryzykowny zabieg. Nadal odpowiadam za życie ludzi przebywających na placówce. Wszystkich ludzi!

– A zgodziłby się pan?

Walter nie odpowiedział. Nie patrzył w oczy Adamowi, wbił wzrok w jakiś punkt na ścianie, stukał miarowo palcami w blat stolika.

– I właśnie o to chodzi. Zanim otrzymam akta załogi, mam jeszcze tylko jedno małe pytanie. Dlaczego i pan, i wszyscy inni zachowujecie się, jakby Grigorij złamał procedury, przeprowadzając eksperyment?

– Bo złamał. Przecież podczas silnych wstrząsów należy przebywać w bezpiecznym miejscu, najlepiej przypiąć się pasami w fotelu lub koi.

– Tak. Ale Tawadze badał zachowanie minerałów właśnie podczas wstrząsów. Czy nie takie właśnie było jego zadanie?

Wintermann znowu nie udzielił odpowiedzi. Nadal bębnił palcami. Adam pokręcił głową.

– Stacja została umiejscowiona na terenie, który można nazwać sejsmicznym. Z tym, że wstrząsy są spowodowane nie ruchami płyt tektonicznych lub erupcjami wulkanów, ale innymi czynnikami związanymi ze strukturą skał. O ile się orientuję, takich miejsc na Zoroastrze jest sporo, ale przynajmniej osiemdziesiąt pięć procent powierzchni to prawdziwa oaza spokoju. Skąd taka lokalizacja? Przecież przedsięwzięcie musiało kosztować o wiele więcej, niż gdyby ulokować placówkę gdzie indziej. O co w tym chodzi?

Walter uparcie milczał, stukając palcami.

– Proszę posłuchać, profesorze – powiedział dobitnie Bartold. – Takie sztuczki nie robią na mnie wrażenia. Ktoś panu powiedział, że tak najłatwiej wyprowadzić z równowagi przesłuchującego. To znaczy, nie patrząc mu w oczy i bębniąc w blat. To rzeczywiście znakomity sposób, ale pod warunkiem, że druga strona nie ma pojęcia, na czym polega. Może pan ze mną rozmawiać albo nie. W każdym z tych przypadków jestem w stanie wyciągnąć jakieś wnioski. Bardziej mnie jednak interesuje, kto panu udzielił tak światłej rady.

Wintermann spojrzał na Adama, potem na swoją rękę.

– Proszę łaskawie nie wietrzyć we wszystkim podstępu, inkwizytorze – rzekł z jadowitym uśmiechem. – To u mnie taki odruch. Kiedy intensywnie myślę, właśnie tak się zachowuję. Mnie za to bardziej interesuje, dlaczego stroi się pan w piórka pilota dalekiego zasięgu, będąc psem łańcuchowym władzy.

– Psem łańcuchowym? – uśmiechnął się Bartold. – Ładnie powiedziane. Lubię, kiedy moi rozmówcy używają kwiecistych, starych powiedzonek.

– Dlatego wziął się pan za Sandrę Gaut? – uśmiech profesora stał się jeszcze bardziej jadowity. – Ona to uwielbia. I nie tylko to...

– Moje fascynacje seksualne nie stanowią przedmiotu naszej rozmowy – Adam odpowiedział podobnym grymasem. – Ale fascynacje członków załogi są już bardziej interesujące. Na przykład pańskie, nomen omen, stosunki z Martinem Gautem. O ile się orientuję, skłonności homoseksualne są czynnikiem wykluczającym człowieka żonatego z wyprawy naukowej. W kosmosie nie ma miejsca dla niezrealizowanych pederastów – zakończył ostrym tonem.

Walter poczerwieniał.

– Tego już za wiele! – wysyczał. – Panu się wydaje, że kim jest?!

– A pan daje się zbyt łatwo sprowokować – odparł spokojnie Adam. – Obaj dobrze wiemy, że w przestrzeń wysyła się pary homoseksualne. Ale takie, które deklarują się przed lotem i zawierają kontrakt partnerski na okres dłuższy, niż czas trwania wyprawy. Bo w kosmosie nie ma miejsca na dodatkowe komplikacje. A taką komplikacją jest zmiana partnera, szczególnie jeśli wiąże się z pozostawieniem dotychczasowego w sytuacji bez wyjścia, skazaniem go na frustracje i poszukiwania innej niż dotąd bliskości. Jak to się stało, że nikt nie zwrócił uwagi na preferencje pana i pańskiego przyjaciela?

Wintermann wzruszył ramionami.

– Nie muszę się z tego tłumaczyć akurat panu. Inkwizytor ma ustalić, kto tutaj kogo i dlaczego zabił, to wszystko. Resztą zajmie się komisja dyscyplinarna po naszym powrocie do Układu Głównego. Tam znajdą się kompetentni ludzie, którzy ocenią moje postępowanie.

– Sprytne – zaśmiał się krótko Adam. – Ale pewne rzeczy musi pan zrobić już tutaj. A pierwszą z nich będzie przekazanie mi dokumentacji dotyczącej wszystkich członków załogi.

Walter wstał, podszedł do szafki z solidnym zamkiem szyfrowym, wyjął kilkanaście niewielkich, czarnych prostokątów, położył je przed komandorem. Ten szybko przeliczył akta wzrokiem.

– Jedenaście. A pozostałych pięć?

– Tamci nie żyją.

– Prosiłem o wszystkie dokumenty – rzucił Adam. – Jeśli do raportu wpiszę notatkę o utrudnianiu śledztwa, komisja na pewno zechce dokładnie się dowiedzieć, dlaczego to zrobiłem.

– Proszę mnie nie straszyć – Wintermann wzruszył ramionami. – Wystarczy powiedzieć dokładnie, czego się chce.

Bartold miał na końcu języka ciętą ripostę, ale dał spokój.

– Myślałem, że ktoś taki jak inkwizytor posiada wszelkie dane o załodze – powiedział drwiąco Wintermann.

Adam w milczeniu rozkładał akta na stoliku, sukcesywnie włączając wyświetlacze. Dopiero kiedy skończył, spojrzał na rozmówcę i odrzekł:

– To nie jest potrzebne mnie, ale panu.

– Nie rozumiem.

– Ułatwi nam dalszą rozmowę. Woli pan oglądać dokumenty w dwóch wymiarach czy włączyć holowizję?

– Wszystko mi jedno – mruknął Walter.

– Zatem niech będzie w dwóch. A teraz pierwsza i podstawowa rzecz – zaczął Adam. – Proszę mi powiedzieć, co jest przedmiotem prac osób zgromadzonych na stacji.

– Tego też pan niby nie wie? – prychnął z lekką pogardą dowódca. – Rzecz jasna, spiagoty. A konkretnie ich zdolności przystosowawcze i umiejętność unoszenia się w powietrzu, mimo ogromnej masy, w warunkach przeszło dwa razy większej grawitacji niż standardowa.

– Tylko tyle?

– Och, oczywiście badamy jeszcze strukturę gleby, skał, skład mieszanki powietrznej i tym podobne sprawy. Właściwie jedyne, czego nie sprawdzamy, to akweny. Jak pan zapewne wie, albo może w ogóle nie wie, bo nic mnie nie zdziwi, skoro zadaje pan tak idiotyczne pytania,

Valhalla powoduje wielkie pływy, a umiejscowienie bazy w pobliżu morza wiązałoby się z dodatkowymi kosztami.

– Czyli najważniejsze są spiagoty?

– Już mówiłem.

– Tak, to interesujące. Bardzo interesujące. Proszę w takim razie spojrzeć na tę odwróconą piramidkę.

Komandor wskazał akta. W najwyższym rzędzie leżało siedem jarzących się prostokątów poniżej cztery, potem trzy i na końcu dwa.

– Ułożyłem akta członków załogi według specjalności. Zdaję sobie sprawę, że każdy posiada co najmniej dwie lub trzy jeśli nie więcej, ale konstelacja jest doprawdy zastanawiająca. Na samym dole mamy dwoje pilotów – mówił, patrząc uważnie w twarz Wintermanna – to znaczy świętej pamięci Michelangelo i Roma Gennare. To oczywiste, każda wyprawa musi mieć tego typu obsługę. Piętro wyżej znajdują się osoby różnych specjalności, niejako wspomagające pracę zespołu. To znaczy Vlad Harding, chemik i matematyk, nieżyjący Edwin Corrais, astronom i specjalista łączności kwantowej oraz Teresa Harding, której przydatności nie trzeba uzasadniać, szczególnie że oprócz psychologii ukończyła również astronomię. A teraz, uwaga, powoli dochodzimy do tego, co najważniejsze.

– Może się pan nie silić na dramatyczne słowa i gesty – skrzywił się Walter. – Wystarczy powiedzieć, co swoje, i dać odpocząć spokojnym ludziom.

– To ja prowadzę przesłuchanie i ode mnie zależy, jaki będzie miało przebieg. – Głos Adama był stonowany, wręcz łagodny, ale przez to sprawiał groźniejsze wrażenie, niż gdyby wypowiedział uwagę ostrym tonem. – Otóż mamy następnie czterech naukowców o specjalnościach biologicznych, to znaczy pańską żonę, która jest biologiem molekularnym i głównym inżynierem stacji, Martina Gauta, mikrobiologa, Noela Boranina, egzobiologa oraz, może nieco na siłę, Zoję Sarkissian, która poza tym, że jest lekarzem, specjalizuje się w genetyce.

– Powinien pan tu chyba jeszcze dodać Alicję Boranin. Jest ekologiem.

– Może powinienem, ale uznałem, że w innym układzie będzie to czytelniejsze. Bo kogóż tu teraz mamy? Siedem osób i wyliczmy je po kolei: pan, panie profesorze jest specjalistą w zakresie fizyki cząstek elementarnych, Sandra Gaut to także fizyk małych cząstek, a poza tym specjalista obsługi systemów podtrzymywania życia. Następnie Robert i Marie Sorensen – ona jest astrofizykiem oraz posiada doktorat z mechaniki grawitacji, on poza informatyką, zajmuje się także fizyką grawitacyjną, Alicja Boranin, jako się rzekło, jest ekologiem, ale także fizykiem ze specjalnością w zakresie mechaniki grawitacji, Angelina Corrais była wprawdzie drugim lekarzem, ale poza tym ukończyła ten sam kierunek fizyki, co Alicja, na koniec pozostaje wreszcie nasz niedawno zamordowany Grigorij Tawadze, specjalista łączności kwantowej, ale poza tym fizyk jądrowy. Interesujące, prawda?

Wintermann patrzył twardo w oczy komandorowi. Widać było, że ostatkiem sił powstrzymuje się, aby nie wybuchnąć gniewem.

– Najbardziej interesujące w tym wszystkim jest to – oznajmił z tłumioną pasją – że zna pan na pamięć nie tylko nazwiska i imiona, ale także specjalności wszystkich członków zespołu. Ani razu nie spojrzał pan na czytniki.

– To akurat naturalne. – Adam lekko stuknął palcem w stół. – Otrzymałem zadanie i musiałem się do niego należycie przygotować. Ciekawe natomiast jest to, że na szesnaście osób wyprawy mającej za zadanie, zgodnie z ustaleniami poczynionymi przed odlotem, badać spiagoty, tylko cztery są biologami z prawdziwego zdarzenia, natomiast aż siedem zrobiło co najmniej doktorat i habilitację z fizyki, w tym cztery z fizyki grawitacji. Nie zastanowiło to pana?

– Tak to zostało ustalone przez instytucje organizujące ekspedycję. Powinien pan o tym wiedzieć.

– Widzi pan, tylko że tych instytucji jest kilka plus rząd, który w kwestii doboru specjalistów ma chyba najmniej do powiedzenia. Urzędnicy państwowi nie zajmują się kwestiami naukowymi, ale inwestycyjnymi, a poza tym koordynują działania.

– Dlaczego więc przedstawiciel rządu przyleciał tutaj, nie bacząc na niebezpieczeństwo zbliżającego się wybuchu nowej? Pana statek tak naprawdę nie uległ uszkodzeniu, mylę się?

– Tak naprawdę uległ, ale na szczęście dopiero w pobliżu układu Thora. Słusznie pan podejrzewa, że przyleciałem, sporo ryzykując i nie bacząc na wyczyny gwiazdy. Przelatywałem w rejonie jej oddziaływania niedługo po eksplozji, dlatego nastąpiła awaria napędu głównego, padło parę ważnych systemów. Natomiast myli się pan, określając mnie przedstawicielem rządu. Jestem inkwizytorem.

– Właśnie.

– To funkcja, nie urząd, jak już mówiłem. Inkwizytorzy nie są przypisani do konkretnego resortu.

– Dla mnie to bez różnicy. – Wintermann podrzucił ramionami z taką pasją, że zdawało się, iż za chwilę uderzą go w poczerwieniałe uszy. – Dla mnie śledczy to śledczy, jakkolwiek by go nazywano.

– Jak pan chce, nie moja sprawa. Natomiast moją rzeczą jest zauważyć jeszcze jedną prawidłowość: wśród członków zespołu miał pan dwóch znających się na łączności kwantowej. Obaj nie żyją, to znaczy Tawadze i Edwin Corrais. Czy to pana nie niepokoi?

– Najbardziej niepokoi mnie właśnie pan – wycedził Walter. – Zmęczyła mnie już ta rozmowa, prawdę mówiąc.

– Zmęczenie nie ma tu nic do rzeczy. Są pytania, które muszę zadać, a pan ma obowiązek odpowiedzieć.

– Przestałam ci się podobać? – spytała smutnym głosem Sandra.

– Dziewczyno, jestem potwornie zmęczony. To, co dziś przeszedłem, zwaliłoby z nóg nawet tego waszego spiagota. Gdyby miał jakieś nogi. Niestety, musisz się zadowolić dzisiaj tylko moim towarzystwem. Chyba że wolisz sobie pójść.

Usiadła na skraju łóżka, rozprostowała ramiona, uniosła ręce nad głowę.

– Nie myślałem, że przyjdziesz – mruknął. – Na tarasie widokowym patrzyłaś na mnie jak na jakiegoś oślizłego robaka.

– A jak miałam patrzeć? Byłam tak samo zaskoczona, jak wszyscy! Gdybyś mi powiedział wcześniej...

– Wcześniej? Sam nie wiedziałem, czy będę się ujawniał. To znaczy, czy w ogóle podejmę dochodzenie.

– Nie rozumiem. Przysłali cię przecież właśnie po to, żebyś wyjaśnił, co się tutaj dzieje. Te wszystkie śmierci i zaginięcia.

Popatrzył na jej plecy. Miała gładką skórę bez jednej skazy. Nad okrągłymi biodrami dostrzegał fałdkę tłuszczu, ale nie było to coś, co by szpeciło. A już na pewno nie Sandrę.

– Masz w sobie więcej uroku niż cały wydział lekarski.

– Dlaczego właśnie wydział lekarski? – Spojrzała na niego, zmarszczyła brwi.

– Bo tam z reguły studiują same kobiety.

– Ach, rozumiem! Już myślałam, że masz na myśli jakieś szpitalne wyposażenie...

– Za długo przebywasz z naukowcami – zaśmiał się, czując nagły ból w piersi. Wciąż jeszcze każdy oddech sprawiał ból, a serce od czasu do czasu łomotało arytmicznie. Poza tym rozmowa z Wintermannem sporo go kosztowała.

– Nie odpowiedziałeś na pytanie.

– Nie zadałaś żadnego.

– Ale postawiłam otwartą pewną kwestię. Chociaż z przyjemnością postawiłabym raczej inną. – Sięgnęła pod kołdrę. Adam nie protestował. Po chwili wyjęła rękę, westchnęła ciężko. – Faktycznie, musisz być skonany. Powiedz przynajmniej, jak to jest. Przyleciałeś w końcu wyjaśnić sprawę pilotów i małżeństwa Corrais, czy tak tylko wpadłeś z krótką towarzyską wizytą?

– Jestem inkwizytorem – powiedział, jakby to mogło wszystko wyjaśnić.

– Wiem przecież. Masz prowadzić śledztwo.

– Dokładniej, dochodzenie.

– Mnie bez różnicy. Ale chętnie bym się dowiedziała, dlaczego jedni z was to śledczy, a inni inkwizytorzy.

Milczał przez chwilę, zbierając myśli. Chciał jej to wyjaśnić jak najlepiej i najprzystępniej, nie popadając przy tym w niepotrzebne dywagacje z historiografii prawa.

– Śledczy to funkcjonariusze rządowi. Popularnie nazywa się ich policjantami, ale *de facto* są osobną instytucją. Policja istnieje na każdej planecie, działa na każdej stacji kosmicznej. Tam też są oficerowie dochodzeniowi, także nazywa się ich śledczymi, ale my rozmawiamy o czymś innym. Śledczy ma za zadanie tropić zbrodniarzy, walczyć z przestępczością zorganizowaną, udaremniać próby przewrotów na planetach, dbać o integralność federacji. To potężny korpus znakomicie wyszkolonych i przygotowanych do ciężkich zadań ludzi. Całe życie poświęcają tylko jednemu – pracy.

– A ty?

– A ja? Cóż, jestem po prostu pilotem dalekiego zwiadu.

– A także inkwizytorem, nie udawaj. Do wczoraj żyłam w przekonaniu, że w ogóle nie istniejecie albo to tylko inna nazwa śledczych.

– Widzisz, ja naprawdę nie jestem tak do końca funkcjonariuszem rządowym. Inkwizytor także zajmuje się przestępstwami, ale jego zadania są nieco inne.

– To jesteś w końcu pilotem, czy nie?

– Jestem. Przede wszystkim właśnie pilotem. Właściwie powinienem już siedzieć na emeryturze, ewentualnie latać jakąś luksusową krypą w granicach Układu

Głównego albo do pobliskich kolonii. Jednak praca inkwizytora daje mi możliwość poruszania się w dalekiej przestrzeni.

– Mam rozumieć, że zostałeś gliną tylko po to, żeby móc urwać się gdzieś daleko?

– Bardzo spłaszczasz temat, skarbie – uśmiechnął się. – Wiem, że może to zabrzmieć bardzo patetycznie, ale przynajmniej oddaje naturę rzeczy. Otóż całe życie służyłem ludzkości, nadstawiałem karku, narażałem się, czerpiąc z tego przyjemność, bo dalekie loty to niesamowite przeżycie, choć w większej części bywają raczej nudne. A teraz mogę się tej samej ludzkości przysłużyć w nieco inny sposób...

– Jednocześnie łącząc ten rzekomy altruizm z zaspokojeniem żądzy doznań i nomadyzmem. Czyżbyś nie lubił pracy inkwizytora? Taka władza...

– Powiedzmy, że nie przepadam za nią, chociaż czasem bywa całkiem interesująca. Zresztą, nie mam jakiegoś wielkiego doświadczenia jako inkwizytor. To moja czwarta misja.

– A czego dotyczyły poprzednie? Gdzie byłeś? Też na stacjach badawczych?

– Kotku – zaśmiał się, pogładził ją po ramieniu. Wyprężyła się niczym przylepny kot, pragnący pieszczot nade wszystko, lecz zaniedbywany przez właścicieli. – Nie wolno mi mówić o podobnych sprawach i z pewnością doskonale o tym wiesz!

– Wiem, wiem – zamruczała rozkosznie. – Nie przerywaj. Uwielbiam, jak się mnie gładzi po plecach. Nie, nie myśl sobie i nie obawiaj się. Odbieram to jako coś poza doznaniami erotycznymi. To inna jakość.

Dotyk miękkiej, gładkiej skóry przesuwającej się pod opuszkami palców sprawiał przyjemność także Adamowi.

– Co właściwie dzisiaj zrobiłeś? – spytała leniwie. – Zoja na odprawie miała taką minę, jakby zobaczyła upiora.

– Może dlatego, że poniekąd przywołałem do życia upiory.

Zadrżała, całe jej ciało pokryła gęsia skórka.

– Daj spokój – szepnęła. – Bo jestem gotowa jeszcze uwierzyć.

– Dlaczego by nie? – odparł równie cicho. – Jesteśmy daleko od domu, w dodatku odcięci od świata. Przestrzeń kosmiczna pełna jest różnych zjawisk. Przenika ją bezustannie energia w najróżniejszych formach, wypełniają przeciwstawne siły, mamy tutaj zwykłą materię, ciemną materię, grawitację, ciemną energię. Dlaczego nie mogłyby w niej znajdować się także duchy? Człowiek umiera, a jego siła życiowa musi gdzieś wtedy ulecieć...

– Nie strasz mnie! – Klepnęła go lekko po ręce, która zawędrowała w okolice piersi. – Plecki, skarbie, plecki, przecież prosiłam. Nie masz siły na seks, rozumiem, więc nie rozpalaj mnie, jeśli nie masz czym ugasić płomieni. Duchy, mówisz? Widziałeś jakiegoś? Przecież przebywałeś zupełnie sam w kosmosie. Podobno wtedy najłatwiej je spotkać.

– Wierzysz w takie opowieści?

– Martin wierzy.

– Twój mąż jest chyba bardzo religijny, prawda? – Adam posłusznie przesunął dłoń, zaczął gładzić Sandrę pod prawą łopatką. Najwyraźniej sprawiało jej to wyjątkową przyjemność, bo wyginała się lekko, naprowadzając jego palce na właściwe punkty.

– Religijny? – prychnęła. – To fanatyk! Codziennie zaczyna dzień od modlitwy, a przed snem klęka przy łóżku. No, chyba że akurat klęczy za plecami Waltera. Albo mu się nadstawia, nie do końca jestem przekonana, jak to z nimi jest. Ale klęczy na pewno. I dałabym sobie rękę uciąć, że kiedy już skończą się zabawiać, mój mężulek odmawia cichą modlitwę. Pewnie zabiera na spotkania z Wintermannem nawet różaniec, bo ostatnio go nie widzę w szafce.

– A czego właściwie jest wyznawcą?

– Twierdzi, że należy do chrześcijan wierzących w jedną, jedyną istotę absolutną. Nie rozmawialiśmy o tym zbyt często, bo to w sumie dość krępująca sprawa. Uprawia taki jakiś eklektyzm. Ale używa różańca, więc chyba najbliżej mu do któregoś z bardziej ortodoksyjnych odłamów chrześcijańskich.

– Modli się głośno?

– Czasem coś tam mamrocze, ale nic nie rozumiem. A poza tym wolę wtedy wyjść, bo mnie to denerwuje.

– Różaniec to w sumie żadna wskazówka. Używają go różnej maści chrześcijanie, przynajmniej ze trzy tysiące odłamów, muzułmanie i neomuzułmanie z całą swoją gamą różnych trendów, taoiści reformowani, katolicy isomahometańscy, fundamentaliści buddyjscy i diabli wiedzą, kto jeszcze. Z całej menażerii możemy wykluczyć tylko niektórych wyznawców politeizmu, różnych tam neopogan czy czcicieli matki Gai.

– To takie ważne, w co wierzy Martin?

– Nie wiem, czy ważne, ale dość interesujące. Prawdę mówiąc, od pierwszego wejrzenia byłem gotów postawić grubszą forsę na to, że ma gdzieś schowany różaniec.

– Aż tak to po nim widać?

– A ty w co wierzysz? – zagadnął, nie uważając za stosowne odpowiedzieć na retoryczne raczej pytanie Sandry.

– W naukę, inkwizytorze. W teorie fizyczne, w niesprawdzalne hipotezy... Chyba wystarczy?

– A jednak zlękłaś się, kiedy mówiłem o duchach w przestrzeni.

– Bo, jak sam stwierdziłeś, znajdujemy się daleko od cywilizacji, odcięci od reszty świata kretyńskim oddziaływaniem eksplodującej gwiazdki. Ale, ale! Nie odpowiedziałeś na pytanie, czy widziałeś kiedyś ducha.

– Widziałem różne rzeczy, kotku. Kiedy przebywa się w dalekiej przestrzeni, człowiek zdaje się roztapiać w jej bezkresie. Żeby wrócić do najbliższego portalu, musisz wykonać nieraz dziesięć, dwadzieścia przejść. Wtedy czasem dzieje się coś, czego nie można wytłumaczyć...

Zamyślił się, pogrążył we wspomnieniach. Znów ogarnęło go poczucie jedności z kosmosem, przez ułamek sekundy wydawało mu się, że ogarnia wszechświat rozumem, jest w stanie wyobrazić sobie jego granice. Podobnie działo się po którymś z kolei przejściu, kiedy okresy rehabilitacji okazywały się zbyt krótkie, żeby w pełni zregenerować siły, a cała aparatura medyczna, pracująca na najwyższych obrotach, nie była w stanie poradzić sobie z ciałem podopiecznego. Pilot właśnie wtedy najbardziej ryzykował życiem i zdrowiem. Po kolejnym zmaganiu się z porozrywaną czasoprzestrzenią, po przeoraniu każdego atomu ciała przez kontinuum wielowymiarowe, zaklęte w najdrobniejszych cząstkach budulca wszechświata, wydawało się, że nadchodzi śmierć. To była kara za sprzeciwianie się naturalnemu porządkowi rzeczy, rządzącemu kosmosem w makroskali. A co było nagrodą? Właśnie to niesłychane poczucie zjednoczenia. Wyczerpanie i wypalenie zdawały się nie mieć znaczenia w obliczu obcowania z nieskończonością. W takim stanie ciała i ducha zgon nie wydawał się już czymś przerażającym, czarna twarz śmierci nabierała jaśniejszych barw, wlewała w serce otuchę. Może działo się tak dlatego, że doprowadzony na skraj szaleństwa i wyczerpania pilot zaczynał zdawać sobie sprawę, iż śmierć nie jest końcem wszystkiego, lecz zaledwie przejściem do kolejnego wymiaru.

– ...powiedzi – dotarł do niego nagle poirytowany głos kobiety. – Unikasz odpowiedzi!

Spojrzał na nią nieprzytomnie. Wróciło to, czego nie odczuwał od tak dawna, od kiedy ostatni raz wykonywał całą serię przejść, z których zwykły śmiertelnik nie przeżyłby nawet jednego, najkrótszego. Czyżby obcowanie z materiałem pamięci innego człowieka tak właśnie zadziałało na umysł? Nie, to chyba niemożliwe. Wprawdzie zrobił to po raz pierwszy w realnym śledztwie, ale przecież podejmował szereg prób podczas szkoleń. Wówczas, poza potwornym zmęczeniem, nie czuł nic podobnego. Fakt, ale trening przeprowadzano w klinikach na Ziemi, Marsie lub na stacjach kosmicznych, a teraz przebywał w stosunkowo dalekiej przestrzeni. Może nie tak dalekiej jak podczas najdłuższych zwiadów, ale tak jak wtedy nie chroniła go delikatna lecz stanowcza otulina, jaką daje życiu w swoim pobliżu Słońce, a w całej masie także Droga Mleczna, osłabiająca lub wręcz odbijająca zabójcze promieniowanie bezkresnej pustki. Być może doskonałe systemy zabezpieczające, używane w takich miejscach jak to, nie były w stanie zatrzymać całego szkodliwego promieniowania. Może energia przenikająca kosmos niosła ze sobą coś więcej niż tylko oddziaływania, które potrafi wykryć i zinterpretować współczesna wyrafinowana aparatura? Coś, co człowiek będzie musiał jeszcze odkryć, aby lepiej zrozumieć otaczającą go rzeczywistość? Dawniej szydzono przecież z tego, co nazywano zjawiskami synchronicznymi, odsądzano od czci i rozumu ludzi, którzy twierdzili, jakoby poza łańcuchami przyczynowo-skutkowymi istniały jeszcze związki akauzalne, w których skutek pozornie nie łączy się z przyczyną, w których zachodzą zjawiska powiązane tylko intuicyjnie, niewytłumaczalne na gruncie nauki. A potem matematycznie obliczono prawdopodobieństwo występowania takich osobliwości, zaś badania fizyczne zaczęły je potwierdzać. Oczywiście, całość działała nieco inaczej, niż się to wydawało prekursorom niekonwencjonalnego podejścia do funkcjonowania świata, ale jednak wszystko to działało, istniało jako realna siła obok procesów rządzących się powszechnie uznanymi prawami fizyki i logiki.

– Rusz się wreszcie! – Sandra szturchnęła go bezceremonialnie, mocno już zniecierpliwiona. – Opowiesz, czy nie?

– Nie bardzo mam o czym opowiadać – wymamrotał. – Duchy to zjawisko, pewna forma energii, nie tępa materia. Nawet gdybym jakiegoś zobaczył, nie byłbym pewien, że istnieje naprawdę.

– Ale widziałeś, tak?

– Umierałem setki razy – potrząsnął głową, odganiając resztki wspomnień. – Wtedy można dostrzec różne rzeczy, a ich namacalność nie ma kompletnie żadnego znaczenia. Wystarczy, że są.

– To wszystko? – Wydęła wargi. – Też mi wytłumaczenie! Jestem może tylko zwykłym naukowcem, nie mam takiego doświadczenia z umieraniem, jak ty, ale nie wyobrażam sobie, żeby wystarczyło mi skonstatowanie czegoś bez dogłębnego zbadania rzeczy. Widać tak to jest, kiedy ma się umysł ścisły.

– Albo może raczej ściśnięty – mruknął cichutko pod nosem.

– Co tam burczysz? – spytała Sandra ze zmarszczonymi groźnie brwiami.

– Że chyba jednak mam na ciebie ochotę – odparł, czując, że ciało istotnie wraca powoli do jakiej takiej kondycji.

– Tak do mnie mów! – zawołała radośnie.

– Tylko nie spodziewaj się zbyt wiele – ostrzegł. – Naprawdę nieźle dałem sobie dzisiaj w kość.

Spiagoty płynęły w równych rzędach. Na tle Valhalli ich ogromne, płaskie cielska wyglądały dziwnie krucho, zupełnie jakby gazowy olbrzym swoim majestatem pomniejszał je do rozmiarów dziecięcych zabawek. Ale to było tylko pierwsze, bardzo ulotne wrażenie. Już po chwili obserwator wracał do rzeczywistości. Olbrzymie zwierzęta Adamowi najbardziej kojarzyły się z mątwami zamieszkującymi głębiny ziemskich oceanów albo z płaszczkami Mallory'ego, żyjącymi w jedynym, za to gigantycznym morzu planety obiegającej Herschel-137, której właściwej nazwy, wziętej z mitologii indyjskiej, komandor nigdy nie zapamiętał, a którą na własny użytek nazywał Kręciołem.

Skojarzenie miało związek z niezwykle szybkim ruchem obrotowym globu, posiadającego masę około siedemdziesięciu procent Ziemi – trwał zaledwie trzy i pół godziny. Ktoś, kto nie był przyzwyczajony, miał nieustannie wrażenie, że siedzi na ogromnej karuzeli.

Członkowie personelu badawczego obserwowali przelot spiagotów, stojąc na zewnątrz. Noel przybiegł z samego rana z sensacyjną informacją, że migracja, która miała nastąpić za dwa dni, rozpocznie się znacznie wcześniej.

– To niepowtarzalna okazja – mówił zdyszany. – Do tej pory tylko raz przelatywały tak blisko bazy, w dodatku było to o wiele mniejsze stado!

Sterczał potem w drzwiach, poganiając Adama i bez wytchnienia opowiadając o zwyczajach spiagotów. Na Sandrę, siedzącą na łóżku z dziwną miną i kołdrą naciągniętą aż pod brodę, nie zwrócił większej uwagi, kiwnął jej tylko głową.

– To zadziwiające stworzenia, komandorze... Czy woli pan, żebym zwracał się per „inkwizytorze".

– Wolę, żeby mi pan mówił po imieniu – odparł Adam.

Noel na chwilę zamilkł, patrząc z niedowierzaniem na pilota.

– Po imieniu? – spytał powoli. – Przecież został pan przysłany... Jest pan inkwizytorem...

– A czy przez to od razu przestałem być człowiekiem? Oczywiście, wybór należy do pana i każdy uszanuję, ale nie widzę powodów, dla których mielibyśmy nie mówić do siebie zwyczajnie.

– Niech będzie – wymamrotał Boranin. – Ale nie wiem, czy dam radę.

Adam ubierał się szybko, a Noel kontynuował:

– Spiagoty zasadniczo są samotnikami. Każdy ma określony rewir, a przekroczenie jego granic przez intruza kończy się pojedynkiem. Nie łączą się nawet w pary, ich sposób rozmnażania przypomina zwyczaje niektórych ziemskich ryb, chociaż i tutaj są istotne różnice. Samica składa jaja w zbiorniku wodnym... To znaczy, w tej skroplonej mieszaninie metanu, która robi tutaj za wodę. Samiec zanurza się, odszukuje zarodniki i spryskuje je własnymi produktami seksualnymi. Oczywiście, jeśli znajdzie się w okolicy więcej samców, dochodzi do konfliktów. Nie, nie walk, to wygląda nieco inaczej. Spiagoty urządzają coś w rodzaju wyścigów. Wygrywa najszybszy, to znaczy jednocześnie najsilniejszy, a przy okazji obywa się bez rozlewu... hm... krwi, że się tak wyrażę.

Adam ubrał się, puścił do Sandry perskie oko na pożegnanie, po czym ruszył za naukowcem.

– Następnie, już po wszystkim, samica przypływa i wciąga zapłodnione jaja przez otwór kloaczny. – Boranin zwolnił na moment, żeby zrównać się z komandorem. – Zarodki rozwijają się trochę podobnie jak płody gadów – zygota zamienia się w coś w rodzaju jaj, w środku dojrzewają młode osobniki, tyle że wewnątrz matki, trochę jak znane nam doskonale gady żyworodne, chociaż istnieją pewne różnice. Po siedmiu miesiącach standardowych wychodzą na świat.

– Gdzie są w lwiej części pożerane przez polujących nad wodami tatusiów – uzupełnił Adam.

– Coś pan jednak wie – uśmiechnął się Noel. – To znaczy, coś wiesz. Zgadza się: około dziewięćdziesięciu pięciu procent młodych pada ofiarą starszych osobników albo nieprzyjaznych warunków środowiskowych. Z naszego, antropomorficznego punktu widzenia może się to wydawać zwyczajnym okrucieństwem. Ale przecież chodzi tutaj o dobór naturalny i zachowanie równowagi. Przy tak ubogiej faunie i florze, z jaką mamy do czynienia na Zoroastrze, większa liczba spiagotów oznaczałaby głód dla całej populacji. Pewnie dlatego ich osobniki żeńskie są gotowe do rozrodu raz na piętnaście lat. Z tym, że jest jeszcze jedno. Opowiadam tutaj o samcach i samicach, ale okazuje się, że cechy, które możemy nazwać płciowymi, spiagoty zyskują tylko na czas czynności prokreacyjnych. Poza tym są to stworzenia bezpłciowe.

Wsiedli do windy, wjechali na poziom śluzy numer jeden. Zaczęli wbijać się w skafandry.

– Tylko my idziemy popatrzeć? – zapytał Adam.

– Drugą śluzą wyjdą jeszcze Alicja i Marie. Uznaliśmy, że nie ma sensu tłoczyć się w jednym pomieszczeniu.

– Skoro to takie wielkie wydarzenie, powinno być chyba więcej chętnych, co? Przecież ta baza została założona, żeby badać spiagoty.

– Większość ma to gdzieś... – zaczął Noel i natychmiast ugryzł się w język.

Komandor nie skomentował tej nieopatrznej uwagi. Kiedy wyszli na zewnątrz, kobiety już tam były. Noel stuknął palcem w czerwoną płytkę na piersi skafandra, gestem pokazał Adamowi, żeby zrobił to samo.

A teraz stali bez ruchu i patrzyli na fascynujące widowisko. Od chwili, w której pilotowi udało się uchwycić właściwe proporcje, uznał je wręcz za monumentalne. Sunące lekko nad powierzchnią globu kilkudziesięciotonowe stwory robiły wrażenie nawet w pojedynkę. Duże stado wyglądało wręcz niesamowicie.

– Czy one naprawdę mogą zapolować na człowieka? – Bartold pokręcił lekko głową, żeby rozluźnić sztywniejący kark. Dwa i pół G na zewnątrz robiły swoje. Gdyby nie uważał, pozwolił ciążeniu zgodnie z przyzwyczajeniem swobodnie oddziaływać na postawę, po kilku minutach zapewne straciłby przytomność – arterie szyjne miały teraz nieco mniejszą przepustowość.

– Zapolować? Chyba nie. – Odpowiedzi nie udzielił tym razem gadatliwy Boranin, ale jego żona. – To znaczy nie w sensie, żeby pożreć. Jesteśmy dla nich co najmniej trujący, a przede wszystkim mamy zbyt wysoką temperaturę. To tak, jakby pan próbował połknąć kawałek roztopionej cyny. Ale zdarzało się, że atakowały nieostrożnych badaczy. Bardziej chyba z ciekawości niż faktycznej żądzy mordu. Ale kiedy człowiekiem zaciekawi się taki kolos... Przypadkowe dotknięcie dla nas mogłoby się okazać zabójcze. W taki właśnie sposób zginął jeden z odkrywców tego gatunku, Roger Spiarini. Gdy jego ciało znaleziono w rozerwanym skafandrze, było już tylko kawałkiem lodu.

Adam znów zadarł głowę. Potrójna kolumna zwierząt wciąż znajdowała się nad nimi. Pierwsze osobniki zniknęły już za północnym horyzontem, a z południa nadciągały wciąż nowe. Każdą trójkę dzieliła odległość kilkuset metrów, ale ponieważ szybowały wysoko, przerwy nie wydawały się zbyt wielkie.

– Czegoś takiego jeszcze nie widziałem – szepnął Noel. W słuchawkach ten cichy głos w pierwszej chwili wydał się ledwie kolejnym trzaskiem zakłóceń. – To największe stado migracyjne, jakie do tej pory obserwowaliśmy...

Dopiero teraz Bartold zdał sobie sprawę, że pojawiły się odbicia w aparaturze nadawczo-odbiorczej. Zaczęły się chyba podczas przelotu spiagotów. A przecież sprzęt łączności zaopatrzony był w najlepsze filtry gwarantujące jego bezawaryjne funkcjonowanie nawet w przestrzeni kosmicznej podczas burzy słonecznej. Adam skupił się, przymknął oczy i wtedy to poczuł. Jego ciało przenikały delikatne, ledwie wyczuwalne wibracje. Nasilały się, kiedy trójka olbrzymów zbliżała się i przelatywała nad jego głową, nieco słabły w momencie, gdy jedna triada stworzeń zdążyła się oddalić, a druga jeszcze nie zbliżyła się wystarczająco.

– Czujecie to? – zapytał.

– Czujemy, czujemy – mruknęła Marie. – To normalne, proszę się nie obawiać.

– Może się mylę – ciągnął Adam – ale czy to nie jest skutek wzajemnych oddziaływań tych zwierząt i minerałów zawartych w gruncie? Czy to nie struktura skorupy Zoroastra umożliwia im lot?

– Bystry jesteś – powiedział z uznaniem Noel. – Uważamy, że tak właśnie jest.

– Bystry albo dobrze poinformowany – zauważyła sceptycznie Alicja. – Przecież przekazywaliśmy wyniki badań do centrali, zanim zepsuł się przekaźnik. Pan inkwizytor z pewnością miał okazję zapoznać się z nimi, prawda?

Adam nie odpowiedział. Nie zamierzał wdawać się w utarczki słowne bez wyraźnej potrzeby. Żona Noela powiedziała zresztą szczerą prawdę. Tyle że w raportach nie znalazła się nawet wzmianka o interferencjach towarzyszących poruszaniu się spiagotów. Człowiekowi te wibracje może wydawały się delikatne, ale dla aparatury badawczej musiały być czymś podobnym trzęsieniu ziemi. Zastanawiające zatem, dlaczego żaden z raportów o tym nie wspomniał. To miało przecież ogromne znaczenie poznawcze.

Wreszcie nad południowym widnokręgiem zrobiło się pusto. Ostatnie trójki zwierząt podążały do znanego tylko sobie celu. Gdy niebo opustoszało, Noel powiedział głośno i wyraźnie:

– Mózg, wypuść sondy.

Dopiero teraz Adam zauważył, że położone ukośnie wrota hangaru uchyliły się na jedną czwartą. Ledwie Boranin skończył mówić, ze środka wyprysły dwie niewielkie kapsuły. Wzniosły się błyskawicznie tak wysoko, że prawie znikły z oczu obserwującym je ludziom, zamieniły się w drobniutkie punkciki. A potem ruszyły śladem spiagotów.

– Wszystko – westchnął Boranin. – Możemy wracać. Jak ci się podobało, inkwi... komandorze?

– Fascynujące i bardzo pouczające.

– Fascynujące to rozumiem – podchwyciła natychmiast Alicja. – Ale pouczające? Co pan ma na myśli?

– Każde nowe doświadczenie zawiera w sobie jakąś naukę – odparł sentencjonalnie. – Nawet jeśli czasem człowiekowi wydaje się, że obserwacja była jałowa i nudna. A ta tutaj, pani doktor, na pewno zaliczała się do najbardziej interesujących.

W milczeniu ruszyli do śluz.

Rozdział 8

Teresa Harding była ewidentnie niezadowolona z wizyty Adama. Od razu w progu powitała go mało uprzejmym pomrukiem, a potem zaczęła udawać, że jest bardzo zajęta wypełnianiem dokumentacji.

– Proszę nie liczyć, że się zniechęcę – powiedział pogodnie. – Moja funkcja nie pozwala na taki luksus.

– Mówiłam już, że nie udostępnię poufnych informacji dotyczących członków załogi.

– Dlaczego przypuszcza pani, że przyszedłem właśnie po to?

– A po cóż by innego? Na pewno aż pana korci, żeby przejrzeć moje notatki.

– Tak – roześmiał się. – Aż mnie korci. Jednak nie zamierzam zmuszać pani do złamania tajemnicy zawodowej. Po prostu nie wszystko, co wie psycholog, jest od razu związane z koniecznością zachowania dyskrecji.

Popatrzyła na niego ponurym wzrokiem, pokręciła z niedowierzaniem głową.

– W życiu nie powiedziałabym, że ktoś taki mógł zo-

– To znaczy?

– Nie tak sobie wyobrażałam człowieka, który ma się grzebać w najgorszych brudach.

Adam, nie czekając na zaproszenie, podszedł do biurka, usiadł w fotelu naprzeciw Teresy.

– Pani też grzebie się w brudach i też mógłbym powiedzieć, że nie tak wyobrażam sobie psychologa na odległej stacji badawczej. To powinien być twardy facet o ostrym osądzie i takimż spojrzeniu, a nie delikatna niewiasta dbająca o podopiecznych niczym, wybaczy pani porównanie, kwoka o pisklęta.

Teresa spojrzała z powagą, w jej oczach zamigotały złe ogniki.

– Czego zatem pan chce, inkwizytorze?

– Kilku informacji.

– Jeśli tylko będę mogła...

– Bez obaw, naprawdę nie zamierzam korzystać z pełni uprawnień i upokarzać pani, wchodząc na siłę w jej pracę. Chyba że mnie pani do tego zmusi.

– Czyli jednak mamy szantaż. – Oczy Teresy rozbłysły gniewem. – Bądź grzeczna, dziewczynko, to tatuś kupi zabawkę, ale jeśli nie będziesz, dostaniesz lanie.

– Mniej więcej – odparł poważnie. – Nie widzę jednak powodu, dla którego dziewczynka nie miałaby okazać się grzeczna.

– Choćby nie wiem, co się działo, nie uzyska pan dostępu do teczek członków załogi.

– Nawet tych nieżyjących?

Zastanowiła się przez chwilę, a potem zdecydowała.

– Nawet. Żyjemy tutaj w zamkniętej społeczności, od antagonizmów, wzajemnych fascynacji, niechęci i zbliżeń aż kipi. Wgląd w dokumentację jednego człowieka mógłby obnażyć słabości innego.

– Niech będzie. W takim razie proszę mi odpowiedzieć na pytanie, jak często przychodził do pani Grigorij Tawadze?

Teresa znów zamilkła, mrużąc oczy i myśląc, czy i jaką dać odpowiedź.

– Co to ma do rzeczy?

– Że przychodził, wiedzą przecież wszyscy. Że często, także. Aby to ustalić, nie musiałem nikomu łamać palców ani podawać serum prawdy. Interesuje mnie, jak często tu bywał.

– Co najmniej trzy razy w tygodniu, czasem częściej – powiedziała z wahaniem. – Nie rozumiem jednak...

– Profesor Tawadze nie żyje – nie dał jej dokończyć. – Nie żądam dokumentacji, ale może mi pani chyba powiedzieć, na czym polegał jego problem? Na pewno chodziło o uzależnienie od mekary, ale z pewnością nie tylko.

– Miał pewne dość poważne problemy emocjonalne...

– Tak, wiem, był impotentem, jednak...

– Nie do końca – tym razem to ona przerwała Adamowi. – Ta jego przypadłość była natury czysto, hm... psychicznej. To znaczy, był impotentem, ale tylko przy własnej żonie... Zaraz, zaraz, ale chyba powiedziałam już za dużo... Wchodzę na poletko innego, żyjącego człowieka.

– Obiecuję, że nikomu nie powiem, a informacja może okazać się bardzo istotna. Czy to oznacza, że miał kochankę?

Teresa ściągnęła wargi w wąską kreskę, oparła się wygodniej, dotknęła potylicą zagłówka fotela.

– Powiedzmy.

– Zoja o tym, rzecz jasna, nie wiedziała?

– I nie powinna się dowiedzieć. To by ją mogło tylko niepotrzebnie zranić. Zresztą, tak naprawdę trudno tu mówić o kochance. Osoba, o którą chodzi, była tylko fascynacją Grigorija. Marzył o niej, zaspokajał się nawet podczas tych fantazji, ale do niczego więcej nie doszło.

– Jest pani tego pewna?

– Absolutnie! – odparła z mocą. – To był naprawdę porządny człowiek. A jeśli psycholog twierdzi coś takiego, na pewno wie, co mówi.

Adam pokiwał głową, uśmiechnął się lekko.

– Rozumiem. To wiele wyjaśnia, chociaż wciąż jeszcze jest w tej sprawie sporo niewiadomych. Proszę mi teraz opowiedzieć o czymś, co dotyczy pani. Kto mianowicie szyje buty szewcowi?

– Słucham? Co to w ogóle za pytanie?

– Już wyjaśniam. Jest takie stare powiedzenie: „Szewc bez butów chodzi". Szewc to był w dawnych czasach rzemieślnik wykonujący obuwie. Ludzie zastanawiali się, jak też można uszyć buty samemu sobie, skoro poniekąd potrzeba w tym celu stanąć z boku.

– Ma mnie pan za głupią? Oczywiście, znam to przysłowie. Archetypy i symbole, miałam sporo zajęć z antropologii kultury. Nie pojmuję jednak, o co panu chodzi?

– To proste. Jest pani czymś w rodzaju emocjonalnej spluwaczki dla pozostałych członków załogi. Nurtuje mnie pytanie, gdzie pani spluwa, aby nie zwariować?

Gwałtownie oderwała plecy od oparcia fotela, usiadła sztywno, uderzyła dłonią w biurko. Jakby w proteście blat rozbłysnął fioletowym blaskiem, a potem znów pociemniał.

– To miał być żart? – wysyczała z wściekłością. – Nie za daleko chce pan wejść w moje sprawy?

– Czyli nie ma pani nikogo, kto by przyjął ten cały brud, jaki się gromadzi podczas sesji terapeutycznych – stwierdził spokojnie Adam. – Współczuję.

– Proszę natychmiast...

– Mówię szczerze, bez śladu ironii – mówił dalej, nie zważając na jej protest. – Trzeba mieć prawdziwie żelazną osobowość, żeby to wytrzymać.

Uspokoiła się z niejakim trudem, znów zasiadła swobodnie w fotelu. A właściwie pozornie swobodnie, bo taką postawę prezentowała tylko powyżej pasa – kiedy udając, że poprawia pozycję pochylił się do przodu i zerknął kątem oka pod biurko, ujrzał podciągnięte, zestawione razem kolana oraz ułożone obok siebie stopy, co wskazywało na stan podenerwowania.

– Słucham – powiedziała opanowanym głosem. – Co jeszcze chce pan wiedzieć?

– To mi wystarczy, Tereso. Przynajmniej na razie.

Opuścił gabinet, namacalnie wręcz odczuwając ulgę kobiety. Z pewnością obawiała się, że inkwizytor będzie bardziej natarczywy. Tym wszystkim ludziom nazwa jego funkcji wciąż jeszcze kojarzyła się z mrocznymi czasami średniowiecza, renesansu i baroku, kiedy to płonęły stosy, a byle oskarżenie mogło przywieść do śmierci całkowicie niewinną istotę. Ale to i tak nieźle, ocenił Adam. Przynajmniej mieli jakieś pojęcie o świecie i chociaż najbardziej elementarną znajomość historii. Większość kosmicznej populacji w ogóle nie zdawała sobie bowiem sprawy z tego, w jaki sposób przebiegały dawniejsze, przedkosmiczne dzieje. Dla przeciętnego obywatela historia zaczynała się tak naprawdę od lądowania pierwszego człowieka na Księżycu. A i to niewielka jedynie grupa byłaby w stanie podać bezbłędnie datę i wymienić nazwisko bohatera.

Korytarzem z naprzeciwka szedł Robert Sorensen. Na widok Adama wykrzywił się w paskudnym grymasie. Minęli się bez słowa, ale inkwizytor wiedział, że informatyk zatrzymał się i wbił w jego plecy palące spojrzenie, jakby chciał się zrewanżować za poprzedni raz. Nie, nie poczuł nic szczególnego. Po prostu kroki tamtego na chwilę ucichły. Pilota kusiło, żeby odwrócić się i postukać znacząco palcem w czoło, ale za bardzo przypominałoby to idiotyczny szczeniacki wybryk. A poza tym od chwili, kiedy Adam ujawnił swoją rolę i zażądał od dowódcy stacji wdrożenia pełnego pakietu bezpieczeństwa, wszystkie kamery włączały się automatycznie, kiedy na korytarzach bądź w pomieszczeniach pojawiał się ktokolwiek z członków załogi. W dodatku nikt, nawet Bartold, nie miał pełnego dostępu do nagrań. Wprawdzie można je było przejrzeć, ale wszelka manipulacja była wykluczona. W sytuacji, gdyby uczynił w stronę Sorensena obraźliwy gest, a zajście skończyło się bójką, Komisja Rewizyjna Floty Federacji miałaby podstawę, aby wyciągnąć w stosunku do prowokatora surowe konsekwencje. Adam nie wytrzymał jednak, żeby nie zrobić choć czegoś małego, nie skorzystać z okazji, by podrażnić chamskiego naukowca. Przystanął więc także i czekał, nie odwracając głowy. W duchu liczył, że tamten zrobi coś, co da pretekst, aby wyładować nagromadzone w ostatnim czasie emocje. Niestety – a może na szczęście – informatyk ruszył dalej. Władze federalne nie będą miały dodatkowej pracy...

Federacja Międzygalaktyczna... Zaśmiał się w duchu. Człowiek jest jednak nieodmiennie zarozumiały, niezależnie od epoki. Odkąd tysiące lat temu zinterpretował słowa Biblii „czyńcie sobie ziemię poddaną" jako pozwolenie na nieograniczoną ekspansję, niewiele się zmieniło. Dawniej wydawało się „panu stworzenia", że szczytem marzeń jest ogarnięcie Ziemi. Władcy przybierali dumne tytuły hegemonów świata, choć w istocie rządzili zaledwie drobną jego częścią. Konflikty obejmujące więcej niż jeden kontynent z miejsca nazywano światowymi, a hagiografowie wypisywali pochwały na cześć największych w dziejach bohaterów, którzy to herosi najczęściej powodowali śmierć znacznego odsetka populacji. Podobnie stało się i później, przy pierwszych próbach zdobywania kosmosu. Ledwie cywilizacja rozszerzyła się poza granice Układu Głównego, ledwie zasiedlono kilka globów w innych częściach najbliższego rejonu Drogi Mlecznej, Federacja Planet przechrzciła się w dumną Federację Galaktyczną, choć droga do ekspansji człowieka na całą Galaktykę wciąż jeszcze była długa i najeżona cierniami. A gdy ledwie osiemdziesiąt lat temu pionierzy dotarli do globów w Andromedzie, gdy założono tu pierwszą stację kosmiczną, parlament z miejsca proklamował zmianę nazwy Federacji na Międzygalaktyczną. Piloci dalekiego zwiadu śmiali się z tego podczas rzadkich spotkań w swoim własnym towarzystwie, szydzili z pompatycznych nazw i zarozumiałości kruchych ludzkich istot, ale raczej rzadko okazywali to na zewnątrz, przy obcych. W niektórych miejscach i kręgach mogło to być odczytane jako obraza, a jeżeli na dodatek do sądu zostałaby skierowana sprawa o znieważenie uczuć członka zabawnej Federacji Międzygalaktycznej, skutkiem mogło być jeśli nie pozbawienie licencji, to na pewno spore kłopoty. Każda władza musi dbać o prestiż, często za wszelką cenę, i to też nie uległo zmianie od początku istnienia organizacji państwowych. Najgorzej zaś dzieje się, kiedy władze nie są w stanie wszystkiego ogarnąć, gdy muszą się zdać na osąd zaufanych ludzi. Urzędnicy państwowi straszliwie tego nie lubią, bo z zasady nie mają zaufania do nikogo. I to pozostało *constans* od czasów najpierwotniejszych, kiedy to czarownik z naczelnikiem wioski czuwali nad wszystkim, mając możliwość, by śledzić właściwie każdy ruch poddanych w polityce „wewnętrznej", a w sprawach „zagranicznych" potrafiąc ocenić siły przeciwnika bez uciekania się do wyszukanych sposobów.

Adam odetchnął głęboko. Lampy na korytarzu świeciły jasno, oznajmiając, że dzień pokładowy wciąż jest w pełni. Miał dzisiaj jeszcze coś ważnego do zrobienia.

Wahadłowiec spoczywał w dolnej części hangaru, w uszczelnionym doku, tak żeby można było się do niego dostać bez konieczności zakładania ubrania ochronnego, wprost z korytarza na drugim poziomie, stromymi, krętymi schodami. Bartold nie ryzykował jednak – wszedł na pokład pojazdu w lżejszej wersji kosmicznego skafandra, takiego, jaki zakłada się podczas krótkich lotów bez opuszczania pokładu. Kombinezon był wprawdzie bardziej podatny na uszkodzenia, ale dawał o wiele większą swobodę ruchów. Na potrzeby komandora wystarczał w zupełności. Stanowił przecież tylko zabezpieczenie, nic więcej. W innej sytuacji Bartold w ogóle nie zawracałby sobie nim głowy.

Kiedy Adam znalazł się w kabinie pilotów, pulpit sterowniczy natychmiast ożył, na ekranach pojawiły się rzędy cyfr i znaków graficznych, potem zapłonęły na seledynowo, dając znać, iż jednostka centralna osiągnęła gotowość roboczą.

– Mózg, witaj – powiedział Adam do mikrofonu wmontowanego w hełm skafandra.

Odpowiedzi się nie doczekał. I nic dziwnego, bo komputer pokładowy nie miał zaprogramowanej tak daleko posuniętej uprzejmości. Po prostu czekał na polecenia.

– Oblicz, ile jest dwa razy dwa – rzucił człowiek.

Maszyna odpowiedziała natychmiast.

– Cztery.

– A do dziesięciu miejsc po przecinku?

To samo pytanie zadał mózgowi podczas powrotu z orbity. Doskonale wiedział, co teraz usłyszy, ale chciał się jeszcze raz przekonać, utwierdzić w podejrzeniach.

– Cztery, przecinek, zero, zero, zero... – maszyna wyliczała kolejne zera. Ktoś, kto przysłuchiwałby się temu z zewnątrz, musiałby dojść do wniosku, że inkwizytor oszalał. Oczywiście, uważałby tak, gdyby nie doczekał cierpliwie do dziewiątego zera, po którym padło zaskakujące: – Cztery.

To właśnie było to. Adam kiwnął głową, wypuścił powietrze. Ten błąd nie był przypadkowy. Nie stanowił też przyczyny zaburzenia trajektorii lotu od satelity do wahadłowca. Pomyłka była zbyt subtelna. Ale mówiła bardzo wiele. Krzyczała nawet. Ktoś bardzo finezyjnie zaingerował w obwody logiczne komputera. Przestawił je niejako przy okazji, przetaktowując zegar subatomowy, serce całego systemu. Bartold nie był informatykiem, nie znał się zbyt dobrze na tych wszystkich niuansach, na skomplikowanych strukturach, z jakich budowano jednostki logiczne. Ale posiadał na tyle wiedzy, by domyślić się, w jaki sposób ktoś oszukał urządzenie tak, by nie meldowało o uszkodzeniach i niesprawności podczas standardowych testów. Zresztą, podczas bardziej gruntownego badania także mogłoby to ujść uwagi. Nikt przy zdrowych zmysłach nie kontroluje pełnego zakresu obliczeniowego mózgu. I tak nie miałoby to sensu, gdyż w przypadku takiej jednostki jak wahadłowiec, podawanie danych i współrzędnych z dokładnością do jednej milionowej było w zupełności wystarczające.

– Jeszcze raz, mózg. Oblicz, ile jest dwa razy dwa do dziesięciu miejsc po przecinku.

Tym razem na końcu pojawiło się siedem. Podczas lotu powrotnego Adam zbadał, iż fluktuacja zamyka się w przedziale liczb od trzy do osiem. Istnienie w ogóle jakiejkolwiek fluktuacji oznaczało, iż ten, kto dokonał sabotażu, uczynił to w sposób prawie genialny. Przy większym rozrzucie wyników istniało jeszcze mniejsze prawdopodobieństwo, że jednostka obliczeniowa zamelduje uszkodzenie.

– Połącz mnie z dyspozytornią – zażądał komandor.

Usłyszał cichy stuk w słuchawkach, odezwał się aksamitny głos mózgu stacji.

– Czym mogę służyć, komandorze Bartold? – Zaawansowany technicznie komputer był z kolei zaopatrzony, jak na gust Adama, w zbyt bogaty zasób uprzejmych zwrotów.

– Kto dokonywał ostatniego przeglądu wahadłowca przed moim lotem i kiedy to było?

– Aby udzielić takich informacji, muszę mieć zgodę dowódcy stacji.

– Kod siedemset dwadzieścia trzy – powiedział głośno i wyraźnie Adam.

– Przyjąłem. Symbol uwierzytelnienia?

– Lambda czterdzieści, dwadzieścia pięć, osiem.

– Przykro mi, komandorze Bartold, ale nie jestem w stanie zweryfikować tej sekwencji. Nie mam łączności z jednostką centralną Układu Głównego. Jeżeli istnieje inny sposób weryfikacji, czekam na instrukcje.

No tak! Bartold uderzył ze złością dłonią w udo. Zapędził się kozi róg. Przecież to on sam przywlókł do bazy resztki transpondera dalekiego zasięgu, a teraz zachowywał się, jakby nie wiedział, iż satelita nie jest sprawny! W jaki sposób mózg miałby się połączyć w trybie awaryjnym z komputerem w Układzie Głównym, gdzie znajdowały się wszystkie potwierdzenia kodów? Trzeba było pomyśleć przed przyjściem tutaj i skorzystać z pakietu SDS, który inkwizytor przez cały czas nosił przy sobie. Ale w tym celu powinien podłączyć pakiet wprost do portu komputera w dyspozytorni. Trudno, nie będzie przecież teraz łaził w tę i z powrotem.

– W takim razie połącz mnie z dowódcą.

Po kilku sekundach odezwał się poirytowany głos Wintermanna.

– Czego pan znowu chce? Jestem zajęty. Nie mam czasu...

– Niepotrzebne nerwy, profesorze – wpadł mu w słowo Adam. – Chcę tylko, aby polecił pan jednostce centralnej, by udzieliła mi informacji na temat serwisowania wahadłowca.

– I w tym celu musiał mi pan przerwać eksperyment?!

– Chodzi tylko o krótkie polecenie. Tak lub nie.

– Wypchaj się pan – warknął Walter. – Chcesz węszyć, to węsz. Ale mnie proszę w to nie mieszać.

Rozłączył się. Bartold spojrzał bezradnie na seledynowe ekrany wahadłowca.

– Mózg, kto z załogi jest odpowiedzialny za dokonywanie przeglądów maszyn w hangarze?

– Doktor Robert Sorensen oraz doktor Elza Wintermann.

– Tylko tych dwoje? A z nieżyjących?

– Uprawnienia posiadali jeszcze pilot kapitan Roma Gennare i pilot porucznik Michelangelo Gennare.

– Rozumiem. Mózg, rozłącz się.

– Żegnam uprzejmie, komandorze Bartold.

Adam skrzywił się. Takie ugrzecznienie jednostki centralnej przy dłuższym obcowaniu byłoby po prostu nie do zniesienia. Zwyczajny koszmar. Gdyby to Bartold był dowódcą, kazałby systemowi zmienić algorytmy. Widać jednak Wintermannowi to odpowiadało. Zapewne lubił, kiedy podwładni zwracali się do niego kulturalnie, okrągłymi zdaniami, z należytą dozą uniżoności. Tak to bywa z ambitnymi, niespełnionymi szefami katedr. A ponieważ profesor nie bardzo mógł liczyć na takie traktowanie ze strony załogi, postanowił zapewne dowartościować się, korzystając z możliwości komputera.

– Mózg pokładowy – powiedział Adam. – Kto ostatnio przeprowadzał twój serwis?

– Informacja zastrzeżona – padła krótka odpowiedź.

– Dobra. W takim razie, kiedy odbył się ostatni serwis?

– Informacja zastrzeżona.

– Idiotyzm – rzucił Adam z goryczą. – Idź się utop, kretynie.

– Nie rozumiem polecenia – odparł komputer beznamiętnie. – Proszę o uściślenie.

Wintermann wpadł do dyspozytorni z pianą na ustach. Na widok Adama siedzącego przed pulpitem jednostki centralnej, zacisnął pięści. Opanował się szybko, ale kiedy mówił, głos drżał mu z emocji.

– Na co pan sobie pozwala? Mózg zameldował mi, że... – Dyszał wściekle przez chwilę, zanim podjął. – Bez uzgodnienia ze mną nie wolno nikomu dokonywać zmian w systemie zarządzania stacją!

Bartold wskazał ruchem głowy srebrne pudełko przypięte sztywnym łączem do wejścia głównego komputera.

– Właśnie dzięki tej zabaweczce zyskałem takie prawo. Proszę się nie unosić i nie próbować walczyć z nieuniknionym. Chciałem, aby wydał pan zezwolenie na ujawnienie danych. Jednorazowo. Ponieważ nie zamierzał pan współpracować, zostałem zmuszony do wykorzystania nadzwyczajnych uprawnień. Mózg właśnie zmienia kody dostępu. Nawet takiej potężnej maszynie zajmie to kilkadziesiąt sekund.

Walter odetchnął głęboko, starając się powstrzymać nowy przypływ wściekłości.

– Co pan robił w hangarze? Po co było sprawdzać komputer wahadłowca? Przecież została ustalona skala usterki...

– Raczej skala dywersji – wpadł mu w słowo Adam.

– Skala usterki – powtórzył z naciskiem szef zespołu. – To tak delikatne zawirowanie, że...

– Że mogłoby się skończyć katastrofą w przypadku dłuższego użytkowania uszkodzonego sprzętu.

– Panie inkwizytorze – powiedział ironicznie uroczystym tonem Wintermann. – Jako pilot dalekiego zasięgu powinien pan wiedzieć lepiej ode mnie, że odchylenie rzędu dziesięciomilionowych wielkości ma znaczenie w podróżach międzygwiezdnych, a nawet międzygalaktycznych. W przypadku użytkowania takiego statku, jak jednostka służąca do operowania na orbicie, wystarczy o wiele mniejsza dokładność.

– Pan czegoś nie rozumie, profesorze – Adam pokręcił głową. – Naprawdę do pana nie dociera prawdziwe znaczenie tego fenomenu, czy też udaje pan głupszego niż jest? Nie ma się co oburzać. Nie chcę pana obrazić, a tylko coś uświadomić. Orientuje się pan, jak zbudowana jest jednostka centralna wahadłowca? Nie posiada tak rozbudowanych obwodów logicznych jak mózg stacji czy choćby rakiety dalekiego zasięgu. To zbędne. Nie jest w stanie dokładnie sama siebie sprawdzić i zdiagnozować, stąd potrzeba sukcesywnego serwisowania.

– Te banały mają mnie zanudzić na śmierć, czy doprowadzić do takiej desperacji, bym przyznał się, iż grzebałem w mózgu pokładowym?

– Nie, ale powtarzam, że chcę coś panu uświadomić. Wie pan, co to znaczy kumulacja błędu w przypadku takiej jednostki obliczeniowej? Początkowo będzie to rzeczywiście pomyłka na poziomie dziesięciomilionowej czy nawet stumiliardowej. Ale w miarę dokonywania obliczeń błąd ulega zwiększeniu. Nie chodzi o samo taktowanie. Choć właśnie taktowanie zostało zaburzone. Błąd powiększa się przy kolejnych obliczeniach. To paradoks, ale tak funkcjonują układy oparte na multikryształach subatomowych. Chodzi także o fluktuację wyników. Pamięta pan, kazałem sprawdzić obliczenia jednostki pokładowej przez centralną. Były zgodne do pięciu miejsc po przecinku. Ale potem, po wszystkim poleciłem obliczyć to jeszcze raz.

– Zgodnie z procedurami – wtrącił Walter.

– Zgodnie. Ale w trakcie dokonywania po raz drugi skomplikowanych obliczeń ujawniła się fluktuacja. Nie musiała, rachunek prawdopodobieństwa mógł zadziałać w odwrotną stronę, ale nie zadziałał. A wtedy błąd w obliczeniach sięgnął wielkości, jak przypuszczam, tysięcznych albo i setnych. Dodatkowo sygnał dźwiękowy, co także sprawdziłem, został nadany nie osiemnaście setnych przed sekundą zero, ale szesnaście i pół. Konieczność przeprowadzania szeregu bardzo skomplikowanych obliczeń spowodowała spotęgowanie się błędu. Multikryształy są doskonałym budulcem komputerów do lotów kosmicznych związanych z przeciążeniami, gdyż mają ogromną fizyczną wytrzymałość, ale wymagają idealnej pracy zegara. Lepiej by nam to pewnie wytłumaczył Vlad Harding, bo jest matematykiem, a te sprawy najlepiej opisywać właśnie językiem tej nauki. Dopóki komputer nie musiał obliczać nic więcej niż trajektoria lotu i manewry zbliżeniowe, wszystko było w porządku. Ale ruch wirowy satelity i dane dodatkowe, jakie należało wziąć pod uwagę, zakłóciły przebieg pracy.

Zapanowało milczenie. Skorzystał z niego mózg stacji.

– Weryfikacja zakończona pomyślnie. Komandorze Bartold, proszę odłączyć SDS.

Walter milczał przez chwilę, a potem zapytał:

– Co to właściwie znaczy SDS? Wiem, że to pana atrybut jako inkwizytora, wiem, że czegoś podobnego używają niektórzy śledczy federacji, ale nigdy nie miałem okazji dowiedzieć się, co znaczy ten skrót.

– *Scatola di Stato*.

– *Scatola* co? – spytał z osłupieniem Walter, kiedy Adam wyłączał główny port mózgu.

– *Scatola di Stato*. To pudełeczko, jak łatwo się domyślić, zawiera oczywiście nie tylko dokument uwierzytelniający, ale pełni także szereg innych funkcji.

– Ale co znaczy ta nazwa?

– W dowolnym i bardzo nieprecyzyjnym przekładzie na język uniwersalny „szkatułka państwowa". Głupio brzmi, prawda?

– Prawda. Ale nie tak głupio jak pańskie tłumaczenia dotyczące komputera. Sugeruje pan, że ktoś celowo zakłócił pracę zegara systemu. Dobrze. Ale przecież nie wmówi mi pan, że ten człowiek przewidział, iż ktoś wyjdzie w przestrzeń, nieostrożnie odpali silniki pułapki, a potem będzie wykonywał ryzykowne manewry.

– Ten człowiek chyba w ogóle nie liczył na to, że zostanie podjęta akcja w przestrzeni – odparł Adam, obracając w dłoniach srebrne pudełko. – Biorąc pod uwagę stan wyszkolenia załogi, raczej spodziewał się, iż satelita zostanie umieszczony w luku towarowym wahadłowca i tam zostaną przeprowadzone ewentualne naprawy. W każdym razie obliczył swoje działania na manewr zbliżeniowy, który z natury rzeczy jest niepomiernie bardziej skomplikowany niż zwykłe wejście na orbitę. W trakcie jego trwania narastające błędy w obliczeniach powinny doprowadzić jeśli nie do poważnego wypadku, to do uszkodzeń lub kolizji. A gdyby nawet nie, istniało wszak zabezpieczenie polegające na tym, że podczas pracy w ładowni czy już na powierzchni, odpalone silniczki załatwiłyby sprawę ostatecznie. Ten miedziany drut, o którym składałem raport, służył tylko do odwrócenia uwagi, gdyby ktoś wykazał zbyt wielką czujność. Dotarło to do mnie dopiero po jakimś czasie. Dokładnie w chwili, kiedy zdałem sobie sprawę, że nie dotknąłem go narzędziem, a gdyby nawet, przecież było ono pokryte warstwą nieprzewodzącego materiału. Samo dotknięcie powierzchni satelity spowodowało uruchomienie silników. Zadziałał czujnik fotonowy. Doskonała, koronkowa robota prawdziwego fachowca.

Wintermann zmrużył oczy, przyjrzał się uważnie Adamowi.

– Pod tym rozumowaniem kryje się drugie dno. Bardzo nieprzyjemne dno, inkwizytorze. Wyczuwam wyraźną sugestię, jakoby ten tajemniczy osobnik, dokonując sabotażu na satelicie i zakładając pułapkę, wiedział, iż w chwili uszkodzenia przekaźnika żaden z wykwalifikowanych pilotów nie będzie zdolny do wykonania zadania.

Komandor patrzył kilka sekund prosto w oczy rozmówcy.

– A dlaczego – powiedział powoli, z naciskiem – uważa pan, profesorze, że sabotażysta, który uszkodził przekaźnik, jest tą samą osobą, która dokonała zmian w komputerze statku?

– To chyba logiczne – Walter wzruszył ramionami.

– Może logiczne, ale czy pewne? Nie wiem. W każdym razie muszę brać pod uwagę wszelkie warianty, muszę być przygotowany na kolejne niespodzianki.

– To branie pod uwagę wszystkiego, jak dla mnie, jest świadectwem, że się pan zwyczajnie boi.

– Jasne – Bartold kiwnął głową. – Strach nie jest niczym złym ani wstydliwym, szczególnie jeśli zapobiega nieprzemyślanym działaniom. Ale, prawdę mówiąc, nie tyle obawiam się kolejnych pułapek, co tego, że ktoś może podjąć jakieś nieprzemyślane działania.

– Coś pan znów sugeruje? – zapytał Walter groźnym tonem. – Może spisek?

– To tylko przypuszczenie. Jedna z możliwości. A koncepcja spisku jest, owszem, interesująca i pociągająca, lecz przynajmniej na razie nie do udowodnienia. Za mało danych. Ale, ale, do rzeczy. Pytanie do mózgu centralnego stacji. Kto ostatnio zajmował się pełnym serwisem wahadłowca?

– Pilot Michelangelo Gennare – padła natychmiastowa odpowiedź.

Adam uniósł brwi, spojrzał wyczekująco na Wintermanna.

– Michelangelo? – spytał ze zdumieniem tamten. – Ale dlaczego miałby dokonywać takiego sabotażu?

– O to już jego, z wiadomych względów, nie możemy zapytać. Dobrze. A kto to robił przedtem?

– Doktor Elza Wintermann.

– Chyba nie chce pan powiedzieć...

– Nie, profesorze, nie chcę. To, co usłyszałem, w zupełności mi wystarczy. Pewne rzeczy ułożyły mi się w głowie w dostatecznym porządku. Przynajmniej takie mam wrażenie.

– Jednakże ja nic z tego nie rozumiem.

– I bardzo dobrze! – Adam zaśmiał się nieoczekiwanie, najzupełniej nieadekwatnie do sytuacji. – Bo gdyby pan powiedział, że cokolwiek z tego pojmuje, musiałbym dokonać natychmiastowego aresztowania!

Wintermann patrzył dziwnym wzrokiem na zadowolonego inkwizytora. Bartold doskonale zdawał sobie sprawę, że w tej chwili na pewno wolałby nie wiedzieć, jakie myśli na jego temat krążą w głowie naukowca.

– Proszę na godzinę siedemnastą zwołać odprawę wszystkich członków załogi. – Komandor spoważniał w jednej chwili, jego głos stał się ostry, rozkazujący.

– Wszystkich nie mogę. Niektórzy mają wyznaczone...

– Wszystkich, profesorze – powtórzył dobitnie Adam. – To nie jest prośba ani zwyczajne polecenie. Zebranie odbędzie się tym razem w jadalni. Dobrze już, w mesie, proszę się tak nie krzywić.

Szedł korytarzem poziomu roboczego w kierunku schodów znajdujących się za gabinetem psychologicznym. Przed drzwiami królestwa Teresy Harding na chwilę przystanął. Miał ochotę wejść, zapytać panią psycholog o pewną kwestię, która nie dawała mu spokoju, ale porzucił zamiar.

Jeśliby potwierdziła domysły, nic by to nie zmieniło, a gdyby zaprzeczyła i tak Adam nie miałby pewności, że kobieta mówi prawdę. Lepiej zdać się na własne wyczucie. Zbyt wiele informacji od ludzi, patrzących na sprawy w sposób z reguły skrajnie subiektywny, mogłoby zaburzyć logiczne wnioskowanie, a w tej chwili to ono było najważniejsze.

Minął zatem gabinet, skręcił na schody. Mógłby skorzystać z windy, ale szybciej było wejść niż czekać na kabinę. Wszyscy zresztą tutaj tak robili, chociażby po to, żeby zaznać trochę ruchu. Adam rozumiał to doskonale. Podczas dalekich podróży kosmicznych, kiedy zdarzały się nużące przeloty w układzie planetarnym, kiedy trzeba było używać konwencjonalnego napędu, pilot miał zawsze do dyspozycji siłownię, w której mógł zadbać o formę. Na tej zapyziałej stacji nikt o tym nie pomyślał. Zapewne uznano, że naukowcy nie lubią wysiłku fizycznego, a może w ogóle go nie potrzebują, wystarczy im walka ze zwiększoną siłą ciążenia. Spacerowali więc, chodzili po schodach. Może dlatego właśnie zamontowano tutaj tak powolne windy? Podwójna oszczędność, bo po pierwsze, urządzenia czerpały dzięki temu mniej mocy, a po drugie, ludzie woleli chodzić niż czekać, a to znów ograniczało wydatkowanie energii. Bartold uśmiechnął się do tej myśli, która na pierwszy rzut oka wydawała się absurdalna, choć wcale taka być nie musiała. Przez lata służby, ocierania się o różnych urzędasów, miał okazję poznać pokrętne tory, jakimi podążały ich myśli.

Brakowało mu już uczucia zmęczenia po uczciwym ćwiczeniu z ciężarami, potu spływającego między łopatkami, przyjemnego odrętwienia mięśni spowodowanego forsownym treningiem. Ciało w ciągu długich lat służby uzależniło się od takiej zaprawy. Kondycja pilota dalekiego zwiadu musiała być zawsze bliska ideału, inaczej seria przejść przez zwyrodnienie czasoprzestrzeni mogłaby skończyć się śmiercią lub długotrwałą, wyczerpującą zapaścią, co na jedno wychodziło.

Ruch za plecami wyczuł w ostatniej chwili. A właściwie nie tyle w ostatniej chwili, co po prostu za późno. Adam wiedział doskonale, że za chwilę otrzyma cios, ale nie był w stanie temu zapobiec. Zupełnie jakby czas zwolnił bieg, a wraz z czasem wolniej także reagował organizm. Nie ten już refleks, przemknęła przez głowę komandora myśl na ułamek sekundy przed tym, jak coś ciężkiego zawadziło go o potylicę i posłało na sprężynującą lekko podłogę. Bartold poczuł, że jest ciągnięty za nogi, potem odwrócono go na plecy, piersi przygniótł mu ciężar. Zaczął się dusić. Słyszał własne charczenie, ale nie był w stanie otworzyć oczu, uczynić jakiegokolwiek ruchu.

Silne palce zacisnęły się na kilka sekund w okolicach szyi, nacisnęły z wyczuciem, ale zdecydowanie, arterie szyjne. Wtedy stracił przytomność.

Przyszedł do siebie w zupełnych ciemnościach. Tak mu się przynajmniej wydawało, bo kiedy wreszcie otworzył oczy, zrozumiał, że to nie ciemności, ale kawałek materiału okręconego wokół głowy. Zerwał go czym prędzej, odetchnął głęboko. Leżał z rozkrzyżowanymi rękami, nogami uniesionymi wysoko i opartymi o ścianę w kącie, jaki tworzyła ze schodami. Mężczyzna uniósł rękę, z trudem zogniskował wzrok na własnych palcach. Było ich dziesięć, wyrastających po dwa z niezwykle szerokiej dłoni. Wstrząśnienie mózgu czy tylko objaw podduszenia? A może jedno i drugie?

Przetoczył się na bok, jęknął i zatrzymał w pół ruchu. Świat zawirował, przyprawiając Adama o mdłości. To było dziwne, nieoczekiwane odczucie. Jako pilot był przyzwyczajony do tortur w wirówkach, przeciążeń kątowych, całej gamy nieprzyjemnych doznań. A tutaj żołądek wywracał mu się przez byle karuzelę. Chyba jednak miał lekkie wstrząśnienie mózgu. Ostrożnie legł na prawym boku, potem bardzo powoli obrócił się na brzuch, podparł rękami i zaczął wstawać. Gorzej czuł się tylko po serii przejść, ale tam natychmiast zajmowały się nim automaty medyczne, zaś tutaj musiał radzić sobie sam. Wreszcie klęknął, wyprostował się powoli. Krew odpłynęła z głowy, szum w uszach nieco ucichł. Dopiero teraz zdał sobie sprawę, że od chwili przecknięcia słyszał prawdziwy wodospad. Powinien teraz coś zrobić, dokądś pójść... Tak, przypomniał sobie nagle, przecież kazał zwołać odprawę na siedemnastą!

– Mózg!

– Komandorze Bartold, jestem do usług.

Co za idiota napakował tę maszynę takimi kretyńskimi odzywkami?!

– Zarejestrowałeś to, co się tutaj stało?

– A dokładniej, komandorze, o czym pan mówi?

Adam przymknął oczy. No tak, powinien podać precyzyjny przedział czasu. Skoro mózg nie zaalarmował nikogo, że inkwizytor został zaatakowany, oznaczało to tylko, iż nie miał zaprogramowanej reakcji na takie wydarzenia. Komputer wszcząłby alarm w razie awarii systemów podtrzymywania życia, jakiegoś wycieku, albo gdyby człowiekowi spadł na głowę kawał sufitu. Ale w sprawy międzyludzkie miał się nie mieszać. Kolejny idiotyzm w wykonaniu fachowców od organizowania wypraw. Doszli zapewne do wniosku, że w pewnych sytuacjach komputer nie potrafiłby odróżnić chociażby ostrego seksu od aktu przemocy. Najpierw jedni konstruują znakomite jednostki logiczne, a potem drudzy robią z nich kretyńskie zabaweczki.

– Byłem tu ja i jeszcze jeden człowiek.

– Tak, komandorze.

– Chcę to zobaczyć. Odtwórz nagranie od chwili, kiedy wszedłem w korytarz. – Opierając się o ścianę, podszedł do ekranu ściennego.

Nie spodziewał się zbyt wiele, ale nie przypuszczał, że będzie tego aż tak mało. Ten, kto go zdzielił po głowie, doskonale wiedział, że właśnie przy schodach znajduje się martwa strefa obserwacji. Nawet umieszczona pod sufitem kamera obejmująca trzysta sześćdziesiąt stopni nie ogarniała tego zakątka. Pewnie, nie było to potrzebne. Nikt przecież nie zakłada, że któryś z naukowców będzie się czaił w takim miejscu. Błąd i kolejny wniosek dla Komisji Rewizyjnej. Ciało ciążyło, jakby zamiast krwi w żyłach Adama płynął ołów. Nawet jak na stan pourazowy wydawało się to dziwne.

– Wydaje mi się, czy mamy zwiększoną grawitację? – wychrypiał.

– Zgadza się, komandorze Bartold. W tej chwili na stacji panuje dwa koma pięćdziesiąt trzy G.

– Jakaś awaria?

– Nie, komandorze Bartold. Rutynowa konserwacja amortyzatorów.

– Nie słyszałem ostrzeżenia.

– Komunikat ogłoszono czterdzieści minut temu.

– Kiedy leżałem nieprzytomny... Dlaczego nie ostrzeżono wcześniej o zamiarze wyłączenia generatorów?

– Konserwacja odbywa się zawsze w piątki czasu standardowego o tej porze – odpowiedział komputer.

– Która jest godzina i kiedy zostanie włączona amortyzacja grawitacyjna?

– Jest szesnasta dwadzieścia pięć. Konserwacja systemów potrwa jeszcze dwadzieścia dziewięć minut.

Adam przymknął oczy. Prosty rachunek okazał się nie taki znów prosty dla poszkodowanej głowy. Wreszcie udało się. Od Wintermanna wyszedł około piętnastej dziesięć. To znaczy, że przeleżał nieprzytomny co najmniej godzinę.

– Mózg, zmiana w oprogramowaniu. Kod siedemnaście łamane przez delta.

– Słucham, komandorze.

– Masz rejestrować i zawiadamiać o takich...

Nagle zdał sobie sprawę, że nie bardzo wie, jak sformułować polecenie. Akt przemocy to nie jednorodna, powtarzalna czynność. Za każdym razem jest inny. Musiałby podać jednostce logicznej wszystkie z grubsza możliwe przypadki, opisać je, a najlepiej wygenerować pojęcia prosto w obwodach neuronalnych urządzenia.

Mózg czekał na polecenia.

– Odwołuję kod – mruknął Adam z niechęcią.

– Przyjąłem, komandorze.

Do jadalni dotarł pięć minut po wyznaczonej godzinie. Musiał przedtem wziąć prysznic tonizujący w kajucie.

Adam czuł się okropnie, głowa bolała go tak, jakby jakiś złośliwy gnom walił równomiernie młotkiem od środka. Nie, nie złośliwy gnom. Całe stado złośliwych gnomów.

– Kazał pan na siebie czekać – powiedziała zjadliwie Elza.

– Przepraszam, ale tak się składa, że zostałem zaatakowany.

– Zaatakowany?! – Noel aż poderwał się z fotela. – Jak to w ogóle możliwe?

– Bardzo prosto – Adam uśmiechnął się blado. – Zachodzi się kogoś z tyłu i wali go w głowę. A potem zabiera mu się, na przykład, rzeczy osobiste.

– Coś panu zginęło? – zaniepokoił się Wintermann.

– Nie.

– Ten sds, jak mu tam...

– *Scatola di Stato*. Nie. Napastnik nie zamierzał mnie obrabować, ale zabić. I to w bardzo sprytny sposób.

– Zabić? – W głosie Waltera brzmiało powątpiewanie.

– Właśnie tak. A właściwie upozorować wypadek. Konkretnie udar mózgu. Pozbawił mnie przytomności i ułożył pod ścianą z nogami wysoko uniesionymi, opartymi o ścianę. Wybrał moment, w którym miały zostać wyłączone amortyzatory, o czym wiedzieli wszyscy na stacji, z wyjątkiem mnie. W zasadzie przy takim dwa i pół G powinna mnie w tej pozycji zalać krew.

– Ale nie zalała, jak widać – rzuciła kwaśno Alicja Boranin.

– Niestety, ten tajemniczy napastnik zapomniał, albo może raczej nie docenił faktu, że ma do czynienia z pilotem. Niecała godzina dała mi w kość, lecz nie zabiła, jak widać.

Patrzył uważnie na twarze zgromadzonych. Wszyscy wydawali się zdziwieni, jedni przestraszeni, inni najwyraźniej całkiem zadowoleni, że podobny wypadek spotkał wścibskiego inkwizytora.

– Ale nie po to się zebraliśmy, aby rozmawiać o moich przygodach – powiedział po chwili milczenia. – Chciałbym teraz ponowić pytanie, które zadałem podczas poprzedniego spotkania. Kto z państwa pracuje dla holdingu? Któregokolwiek z holdingów lub koncernów przemysłowych?

– Wtedy interesowały pana konkretnie „Stella Virginis" – zauważył cierpko Vlad Harding. – I „Diavo".

– Niezupełnie. Powiedziałem przecież wyraźnie już wtedy, iż rzecz idzie o ogólną tendencję, a wymienione spółki podałem tylko jako przykład. Chciałbym...

– To bardzo ciekawe przykłady – wpadł mu w słowo Vlad. – Bo i jedna, i druga firma to bardziej coś w rodzaju sekt niż przedsiębiorstw, o ile się orientuję. Powiem więcej, i jedni, i drudzy zwracali się do mnie z propozycją współpracy. Odmówiłem, nie naciskali. Ale to chyba normalny proceder, że holdingi próbują podkupywać uczestników ekspedycji?

– Normalny nie – skrzywił się Adam. – Ale powszechny na pewno. Dlatego bardzo proszę, jeśli ktoś dał się skusić, niech lepiej wyzna to teraz. Rzecz jest bardzo istotna dla dochodzenia. Pan Harding twierdzi, że nie dał się kupić i ja mu wierzę. A kto uległ pokusie? Dobrze, szczerość za szczerość. Nie będę więcej ukrywał, że faktycznie interesują mnie przede wszystkim dwa wymienione przedsiębiorstwa i może jeszcze „Surve", które jest formalnie jednym ze sponsorów wyprawy, a *de facto* prowadzi interesy zarówno ze „Stella Virginis", jak i „Diavo".

Znów zapanowało milczenie.

– Dobrze – westchnął Adam z rezygnacją. – Wrócimy do tego w swoim czasie.

– To wszystko? – Wintermann wstał, zamierzając zakończyć zebranie.

– Zaraz – powstrzymał go komandor. – To, oczywiście, nie wszystko. W tej chwili zajmiemy się morderstwem popełnionym na profesorze Tawadze i próbą zamachu na moje życie. A właściwie dwiema próbami, bo trzeba brać pod uwagę także to, co się stało w wahadłowcu.

– Morderstwie? – poderwał się Sorensen. – Przecież to był wypadek!

– Myli się pan, doktorze – odparł z kamiennym spokojem Bartold. – Grigorij Tawadze został zabity i pan wie o tym najlepiej. Proszę usiąść i słuchać, co mam do powiedzenia.

– A ten atak w bazie? – spytała Sandra, patrząc szeroko otwartymi, przestraszonymi oczami.

– O tym także porozmawiamy. Przeżyłem, mamy więc jeszcze czas snuć rozważania. Na razie wróćmy do śmierci profesora. Zabił go ktoś, kto doskonale wiedział, że podczas potężnej burzy grawitacyjnej będzie przeprowadzał badania.

– Czyli przynajmniej trzy czwarte załogi – mruknęła Elza.

– Zapewne – Adam uśmiechnął się lekko. – Jednak ta właśnie część załogi nie była zainteresowana śmiercią naukowca. Początkowo, muszę przyznać, podejrzewałem mgliście samą panią Sarkissian. Proszę się nie gniewać, Zoju – skinął głową w stronę lekarki – ale nieudane małżeństwo może stanowić dostateczny powód dla takich aktów desperacji.

– Jaki tam powód – prychnął Martin Gaut. – Przecież wystarczy rozwiązać kontrakt, albo poczekać aż wygaśnie...

– Zasadniczo tak. Ale Grigorij Tawadze i Zoja Sarkissian weszli w związek stały. Jako ludzie bardzo religijni, pochodzący z rodzin o mocno zakorzenionych, by nie rzec ortodoksyjnych tradycjach, uznali, iż obowiązujące uregulowania prawne ich nie satysfakcjonują.

– Co pan opowiada?! – Gaut wybałuszył oczy. – Przecież nawet fundamentaliści katoliccy uznali zmiany. Czternasty sobór...

– A jednak. Czternasty sobór dopuścił zawieranie terminowych małżeństw, jednak zalecenie zawierania trwałych związków obowiązuje i muszę powiedzieć, że całkiem sporo par decyduje się na złożenie przysięgi małżeńskiej, a nie tylko przyrzeczenia.

– Tak czy inaczej, nie musieli się męczyć razem – zauważyła Marie. – Przecież nikt nikogo nie prześladuje za rozwód.

– Zapewne, ale niektórzy nie lubią łamać danych obietnic. Jakiś motyw w przypadku naszej lekarki zatem był, jednak parę spraw nie pasowało do układanki.

– Dobra – powiedział Martin, wykrzywiając wargi. – Będzie nas pan zanudzał, czy powie, o co chodzi? Grigorij został zabity, tak pan twierdzi. Powiedzmy, że w to wierzymy. Zamordowało go zatem któreś z nas, innej możliwości nie ma. Kto?

– Momencik – Adam uniósł ręce w obronnym geście. – Zanim ujawnię nazwisko sprawcy, muszę wyjaśnić kilka rzeczy, inaczej gotowi jesteście udaremnić mi aresztowanie.

– Niech pan już mówi – zniecierpliwił się Wintermann – a wy nie przerywajcie chociaż przez chwilę, inaczej będziemy tu siedzieć do północy.

– Dziękuję. Zatem, jak już powiedziałem, nie wykluczałem z grona sprawców pani Sarkissian do chwili, kiedy zrozumiałem, że nie mogła tego zrobić, gdyż zbyt kochała męża. To, rzecz jasna, komplikowało nieco sprawę. Ale tylko pozornie. Takie rzeczy wydają się bardzo złożone, ale w zamkniętej grupie prędzej czy później prawda wychodzi na jaw. Grigorij Tawadze nie powinien stanowić zagrożenia dla nikogo z was. W zasadzie nikt nie miał powodu go zabić.

– Znaczy co, mamy tutaj ducha-mordercę? – nie wytrzymał Gaut. – Mściciela z przeszłości?

– Martin, może byś się zamknął? – uciszyła męża Sandra. – Mam ochotę zjeść dzisiaj kolację, a ty?

– Ducha nie – uśmiechnął się leciutko Adam. – Duchy raczej rzadko cierpią na zaburzenia psychiczne.

– Aha, więc chcesz dać nam do zrozumienia, że po bazie pęta się jakiś psychopata? – tym razem przerwał Robert Sorensen.

– Z grubsza – potwierdził komandor, zanim Walter zdążył znów zainterweniować. – A dokładniej ktoś, kto cierpi na patologiczny zespół zazdrości.

Tym razem rozpętało się piekło. Zebrani zaczęli krzyczeć i dyskutować między sobą, wzburzeni i oburzeni. Adam nie dziwił się. W końcu jako uczestnicy wyprawy zostali poddani selekcji, prawdopodobieństwo, że któreś zapadnie na chorobę psychiczną wydawało się znikome. Przez wrzawę przebił się głos Sorensena.

– Zazdrości o kogo?! O impotenta?! O Zojkę, która przypomina wszystko tylko nie kobietę?!

Adam miał ochotę wyciąć go pięścią w twarz. Poczekał aż zapanuje względna cisza, a potem podjął:

– Tak, chodzi o zespół patologicznego uczucia zazdrości.

– Pan sobie kpi.

– Czyżby? Tereso, może pani potwierdzi moje słowa?

– Teresa?! – Elza i Martin wstali jednocześnie. – Miałaś mu nie udostępniać...

– I nie udostępniła! – Adam podniósł głos. – Sam się domyśliłem. Ale teraz może potwierdzić, prawda?

Teresa siedziała nieruchomo, wpatrzona w jakiś punkt na ścianie. Widać było, że nie zamierza odpowiadać.

– Dacie mu coś w końcu powiedzieć, czy nie? – krzyknęła rozwścieczona Sandra. – Ja tam jestem ciekawa, co będzie dalej.

Adam obserwował roznamiętnione twarze. Tylko Walter, Sorensen i Zoja zachowali spokój. Reszta zaczynała się coraz bardziej pobudzać.

– Zamknijcie się, do kurwy nędzy! – ryknęła wreszcie Alicja Boranin. – Bo za chwilę będziemy tu mieli następne morderstwo!

Gwar powoli cichł. Nie wiadomo, czy przyczynił się do tego mało elegancko sformułowany apel żony Noela, czy w innych także ciekawość zaczęła brać górę nad gniewem.

– Niech pan wreszcie to powie – sapnęła Alicja. – Tylko poproszę raczej krótko.

– Dobrze. Powtórzę więc: zbrodni dokonał człowiek niesamowicie zazdrosny, a w zaistniałych okolicznościach chyba śmiało można rzec – śmiertelnie zazdrosny.

– O Zoję? – To pytanie zadał Noel. Widać było, że nie może w to uwierzyć.

– Nie, moi państwo – Adam pokręcił głową. – Ten ktoś był zazdrosny nie o kogo innego, jak o naszą panią psycholog!

Spodziewał się nowego wybuchu protestów, ale odpowiedziała mu śmiertelna cisza. Wszyscy wlepili oczy w Teresę. Wszyscy, oprócz Adama i Sorensena. Ten ostatni miał zaciśnięte zęby, na policzkach wyskoczyły mu węzły mięśni.

– Dobra – wycedził. – No, powiedz już. Szczęśliwym zwycięzcą jest...

Nie dokończył, wyskoczył z fotela wysoko, jakby do tej pory przytrzymywała go w nim napięta do granic wytrzymałości sprężyna. W dłoni trzymał przedmiot przypominający mgliście pistolet. Celował prosto w głowę Bartolda. Komandor był jednak przygotowany na atak. Zwinął się przewrotem w tył. Wąski energetyczny promień wypalił kreskę w wykładzinie. Adam rzucił się w bok, chwycił stojące pod ścianą krzesło i zanim Robert zdołał wycelować ponownie, cisnął meblem z całej siły. Wyłożone miękką materią oparcie wyrżnęło atakującego w pierś z taką siłą, że odrzuciło go dobre dwa metry. Adam skoczył, aby zablokować ramię napastnika próbującego znowu skierować wylot lufy na komandora. Jednak zanim dobiegł, Vlad Harding już dosiadł oszołomionego Roberta. Jednym kopnięciem wytrącił broń, a potem klęknął na piersi przeciwnika i zaczął okładać go pięściami, może nieco nieporadnie, ale z wielkim zaangażowaniem. Adam podbiegł, pochylił się, trzasnął Sorensena w szczękę, a potem odciągnął rzucającego się wciąż męża Teresy.

– Ty gnoju, ty skurwysynu, jak śmiałeś?! – Harding wrzeszczał w zapamiętałym gniewie, próbując jeszcze nogą dosięgnąć nieprzytomnego.

– Już – uspokajał go inkwizytor. – Już po wszystkim. Usiądź, napij się wody...

Vlad klapnął ciężko na fotel. Otarł twarz dłonią, spojrzał na żonę.

– To prawda? – Było to bardziej żądanie potwierdzenia faktu niż pytanie. – Ty z nim... Czy on ciebie?

– Oszalałeś?! – oburzenie Teresy było tak autentyczne, że Harding natychmiast zamilkł.

– Ale wykazywał niezdrową fascynację pani osobą, prawda? – Adam sprawnie wiązał Sorensenowi dłonie za plecami. Pasemka polistyrenowo-tytanowej taśmy zataczały błyskawiczne kręgi.

– Prawda – burknęła Teresa. – Ale nigdy bym nie przypuszczała, że do takiego stopnia. Zadziwiająco szybko się pan zorientował. W jaki sposób?

– Wszystkie poszlaki na to wskazywały – odpowiedział wymijająco.

W zasadzie chyba mógłby im opowiedzieć o napastliwości Roberta, o tym, jak informatyk zabronił mu zbliżać się do kobiety, przez co początkowo niechcący zmylił nawet trop. W zasadzie dopiero nieprawdopodobna wręcz nienawiść, jaką dało się zauważyć, kiedy mijał na korytarzu Adama wychodzącego od Teresy, naprowadziły

Bartolda na właściwy ślad. I, rzecz jasna, oświadczenie Sandry, że nigdy nie miała z Robertem nic wspólnego. Głupio i niezręcznie byłoby to wszystko tłumaczyć zgromadzonym, unikając intymnych szczegółów. Idiotyczna sytuacja... Wprawdzie dzięki seksualnemu uwikłaniu miał możliwość szybciej rozwiązać zagadkę, jednak...

Rozmyślania przerwał mu kolejny incydent. Sorensen poruszył się, jęknął słabo. Wtedy niespodziewanie do akcji znów wkroczył Harding. Podbiegł, rąbnął zabójcę z całej siły w twarz. Coś chrupnęło, Adam pomyślał przelotnie, że to kość policzkowa. Robert znów stracił przytomność, a Martin Gaut wraz z Wintermannem wepchnęli siłą wściekłego Vlada w fotel.

– Co z nim zrobimy? – spytała Alicja. Była chyba najbardziej opanowana ze wszystkich.

Marie Maguire-Sorensen siedziała z przymkniętymi oczami. Wydawało się, że zasnęła, uciekła w objęcia Morfeusza przed tym, co zwaliło jej się na głowę. Zoja Sarkissian podeszła, położyła rękę na ramieniu zdruzgotanej kobiety. Marie drgnęła, spojrzała w górę, zacisnęła wargi, żeby stłumić szloch. Łez jednak powstrzymać nie mogła. Ciekły jej po twarzy, a kiedy popatrzyła na leżącego nieruchomo męża, targnął nią spazm. Zoja pociągnęła ją za rękę, pomogła wstać. Posłała pytające spojrzenie Adamowi. Ten skinął głową. Nie miało sensu, aby te dwie nieszczęśliwe istoty brały udział w dalszym rozdrapywaniu ran. Dopiero kiedy wyszły, odpowiedział na pytanie Alicji.

– Mamy dwa wyjścia. Albo umieścimy go w zapasowym pokoju naprzeciwko mojego, jednak wtedy musielibyśmy pełnić dyżury, bo tych pomieszczeń nie da się zamknąć i zablokować zupełnie. Zbyt łatwo zrobić zwarcie w panelu sterowania i otworzyć drzwi na siłę. Drugim wyjściem jest izolatka. Jak tam wygląda sytuacja z zamknięciem? – spytał w przestrzeń, nie chcąc zwracać się do kogoś konkretnego.

– Niby można zarządzić zakaz wychodzenia i wchodzenia – zabrał głos Wintermann. – Nie wiem jednak, czy też nie da się jakoś tego obejść. To pomieszczenie stworzono z myślą o chorych, ale wciąż zdyscyplinowanych członkach zespołu. Nikt chyba nie przewidział, że będzie się je traktowało jako areszt. Zresztą, zapytajmy. Mózg! – powiedział głośniej. Adam już dawno zauważył, że ludzie, zwracając się do jednostki centralnej, podnoszą głos, choć czułe mikrofony wyłapywały przecież nawet szept. – Czy można zablokować zamek w izolatce?

– Można, dowódco, jednak należy najpierw odłączyć wewnętrzny panel sterowania, zostawiając możliwość manipulacji tylko przy zewnętrznym.

– A jak wygląda sprawa z bezpieczeństwem człowieka w środku? – uściślił Walter.

– W razie zagrożenia integralności konstrukcji stacji i śmierci członków załogi, drzwi zostają automatycznie odblokowane.

– Musimy to zmienić – zdecydował Adam. To było doprawdy idiotyczne. Jeśli ktoś przebywał w izolatce, tak czy inaczej mógł stanowić śmiertelne zagrożenie dla reszty. Nawet jeśli w przypadku poważnej awarii musieliby zejść do schronu, sprowadzenie tam zakaźnie chorego było ostatnią rzeczą, jaką należało uczynić. Procedury nieodmiennie pełne były właśnie takich dziur. Tak to się właśnie działo, kiedy do spraw naprawdę ważnych mieszali się moraliści i zwolennicy nieskrępowanego humanitaryzmu. – Mózg, zmień oprogramowanie tak, aby nie istniała żadna możliwość wyjścia z izolatki.

– To wykluczone, komandorze Bartold – padła uprzejma odpowiedź. – Te komendy nie mogą ulegać modyfikacjom bez decyzji centralnego ośrodka dyspozycyjnego.

– Na mocy nadanych mi uprawnień żądam wprowadzenia zmian! – Adam złapał się na tym, że sam podniósł głos, co w dyskusji z maszyną nie miało najmniejszego sensu. Wrócił więc do poprzedniego tonu. – Masz wszystkie kody i hasła.

– Powtarzam, że to niemożliwe, komandorze Bartold. Taka modyfikacja wymaga bezwzględnej konsultacji z centralnym ośrodkiem dyspozycyjnym, co z kolei jest niemożliwe z uwagi na uszkodzenie przekaźnika.

– Dobra, wsadźmy go do tej izolatki tak, jak jest – zaproponował Noel, patrząc z odrazą na Sorensena. – Jakie jest prawdopodobieństwo, że w najbliższym czasie nastąpi katastrofa? A jeśli nawet, dopiero wtedy będziemy się martwić. Ja tam nie mam ochoty marnować czasu, siedząc pod drzwiami czy przed ekranem, aby pilnować tego wariata. A przede wszystkim nie chcę, żeby przebywał na poziomie mieszkalnym.

Adam tymczasem podniósł z podłogi to, z czego Robert do niego strzelał. Była to zwyczajna na pozór lutownica laserowa, ale sprytnie zmodyfikowana. Niewielki zasilacz, pozwalający na operowanie wiązką na dystansie nie większym niż dwadzieścia centymetrów, został zastąpiony przez walcowaty akumulator dużej mocy. Zapewne energii starczało na nie więcej niż kilka strzałów, ale w miejscu, gdzie nikt nie miał dostępu do broni, taka zabawka stanowiła poważny argument w dyskusji. Dobrze, zasilanie zasilaniem, ale zabójca musiał także poradzić sobie z samym zasięgiem i energią promienia. Na pewno wymienił także soczewki oraz przetwornik.

– Pani doktor Wintermann – wyciągnął rękę z bronią w stronę Elzy. – Czy mogłaby pani to zbadać?

Żona dowódcy wzięła lutownicę, przyjrzała się jej uważnie.

– Musiał ukraść z magazynu pracowni fizycznej – powiedziała. – To chyba jednak błąd, że normalnie nie nagrywa się wszystkiego, co dzieje się na stacji.

– To nie jest błąd – zaprotestowała Teresa. Zdążyła się już opanować, mówiła bez drżenia w głosie. – Gdybyśmy byli poddawani ciągłej inwigilacji, miałoby to fatalny wpływ na naszą psychikę. Świadomość, że jest się obserwowanym ciągle i wszędzie, może stanowić większe zagrożenie niż ewentualne drobne wykroczenia uczestników wyprawy. Dlatego poddaje się nas męczącym procedurom kwalifikacyjnym.

– Pięknie powiedziane – zauważył kwaśno Adam – jednak doskonale wszyscy wiemy, iż przesiew nie jest teraz tak bezwzględny, jak niegdyś. Zresztą nie o to w tym momencie chodzi. Musimy ostatecznie postanowić, co robimy z aresztantem, zanim będzie go można przekazać specjalnej grupie ekspedycyjnej. W tym akurat względzie procedury wymagają ode mnie zasięgnięcia opinii załogi i zastosowania się do głosów większości, jeśli nie stoi to w sprzeczności z elementarnymi zasadami bezpieczeństwa.

– Co za okrągłe sformułowanie – prychnął Gaut. – A w istocie rzeczy oznacza, że zrobi pan, co zechce. To zdanie: „jeśli nie stoi w sprzeczności" i tak dalej, to klucz do zupełnej samowoli. Zawsze można uznać, że coś stanowi zagrożenie, prawda?

– Niezupełnie. W tej chwili nie ma większego znaczenia, czy Robert Sorensen będzie przebywał w izolatce, czy na poziomie mieszkalnym. To tylko kwestia tego, że w drugim przypadku wszystkich czekają dodatkowe dyżury. Tym bardziej uciążliwe i częste, że musimy z nich wykluczyć panią Maguire-Sorensen, pana Hardinga i panią Sarkissian, z przyczyn, których nie muszę chyba tłumaczyć. Głosujmy zatem...

– Zaraz, zaraz – wtrącił Wintermann. – Czy to nie ja powinienem zarządzić głosowanie?

– W zasadzie mógłbym przejąć także tę część pańskich obowiązków – uśmiechnął się komandor – ale nie widzę powodu, aby to robić. Faktycznie, zapędziłem się, przepraszam.

Jak było do przewidzenia wszyscy, poza Adamem, głosowali za umieszczeniem zabójcy w izolatce.

– Pan jest przeciw? – zdziwił się Noel. – To znaczy... Jesteś przeciw?

– Nie. Po prostu wstrzymałem się od głosu. To bardziej wasza sprawa niż moja. Osobiście najchętniej wrzuciłbym Sorensena do wahadłowca i wysadził go koło tego wirującego satelity.

Milczeli przez chwilę.

– No cóż, jeśli wszystko już ustalone, wsadźmy mordercę do aresztu – zaproponował Walter. – Bezpieczeństwo na stacji zostało przywrócone.

– Myśli pan? – Bartold uniósł wysoko brwi. – O przywróceniu bezpieczeństwa mowy jeszcze być nie może.

– Przecież schwytaliśmy zabójcę.

– Zgadza się. Zabójcę profesora Tawadze. Pozostaje jeszcze kwestia śmierci czterech osób.

– Dwóch śmierci i dwóch zaginięć – poprawił Walter.

– Na jedno wychodzi.

– Pan naprawdę uważa, że to nie były wypadki? A jeśli nawet i nie były, możemy chyba uznać, że z dużą dozą prawdopodobieństwa dokonał ich nasz oszalały Robert.

– Niech pan znowu nie zaczyna – Adam skrzywił się. – Duża doza prawdopodobieństwa to trochę za mało, żeby zamknąć dochodzenie.

– Chcesz powiedzieć, że wśród nas jest jeszcze jeden morderca? – spytała z nagłą złością Sandra. – Całkiem ci odbiło, pieprzony inkwizytorze?

– O tym będzie czas porozmawiać kiedy indziej – odparł Adam z niezmąconym spokojem, choć zaskoczyła go napastliwość kochanki.

– Na temat kolejnego zabójcy czy twojego stanu psychicznego? – W głosie Sandry było tyle jadu, że nawet Vlad Harding, wpatrzony dotąd w nieruchomego Sorensena, spojrzał na nią zdziwiony, a Alicja Boranin syknęła ostrzegawczo.

– O jednym i drugim, pani doktor – odpowiedział Adam chłodno. – Na razie muszę jeszcze sprawdzić parę rzeczy. Ach, i przypominam, że wciąż aktualna jest kwestia dotycząca holdingów. Czekam na informacje.

Nie poszedł spać. Tej nocy musiał odbyć jeszcze podróż. W dodatku podróż, o której nikt nie mógł wiedzieć. To, rzecz jasna, było dość trudne do zrealizowania, ale możliwe pod warunkiem ścisłej współpracy jedynej osoby, na której bezwarunkową pomoc mógł liczyć.

Tej nocy... Na powierzchni Zoroastra panował jasny dzień. Czas bazy rozbiegł się z czasem globu diametralnie. Adam siedział w kabinie łazika, czekając, aż ze stacji dotrze sygnał, iż może wyruszyć w drogę, nie budząc niczyjej ciekawości. Tak się szczęśliwie złożyło, że dyżur w dyspozytorni pełniła Zoja. Kiedy komandor przyszedł do niej z prośbą, aby mu pomogła, nie wahała się ani chwili. Niczego innego zresztą się nie spodziewał. Od chwili śmierci męża, przedtem ustawicznie zgaszona i przygnębiona kobieta, odzyskała nieco energii. Miała teraz w życiu cel, depresja musiała ustąpić przed siłą życiową chociaż na chwilę. Adam oddałby sporo, aby zajrzeć w psychologiczną kartotekę lekarki. Teresa na pewno postawiła diagnozę i prowadziła z nią jakąś terapię. Depresja nie była wcale takim rzadkim zjawiskiem na wysuniętych placówkach. O ile przedtem Bartold ocenił, że jej przyczyną mogło być nieudane małżeństwo, to teraz nabrał wątpliwości. Być może stan psychiczny Zoi Sarkissian został wywołany przez zupełnie inne czynniki. Na pewno zaś nie była to psychoza endogenna, bo z niej nie są w stanie wyrwać człowieka okoliczności zewnętrzne. Bardziej wyglądałoby to na zaburzenia typu nerwicowego. A może po prostu usposobienie kobiety sprzyjało zapadnięciu w chorobę podczas dłuższego pobytu poza macierzystą planetą? Pochodziła z Marsa, z regionu o ogromnych tradycjach, gdzie osiedlali się pierwsi koloniści. Na samym początku eksploracji kosmosu przypadki reakcji depresyjnych zdarzały się wśród członków ekspedycji nie w dalekim kosmosie, ale u tych zasiedlających planety najbliższe Ziemi, zanim Układ Główny stał się w zasadzie jedną wielką wioską. Teraz też mogło zdarzać się tak u osób, które opuszczały Układ Główny. Człowiek pewne cechy generalizuje, wkłada dawne lęki, zakorzenione głęboko obawy w nowe formy. Przyczyna stanu Zoi mogła być zresztą także zupełnie inna. W tej chwili nie było to takie ważne.

Adam czekał. Nikt nie mógł w tej chwili przebywać w obserwatorium czy na tarasie widokowym, nikogo nie mogło być w dyspozytorni.

– Ruszaj – usłyszał wreszcie.

Odetchnął głęboko, zapuścił silnik. Delikatna wibracja dała znać, że akumulatory jednostki przekazały energię do zespołu napędowego. Wyjechał ostrożnie przez uchylone leciutko wrota hangaru. Jezioro oddalone było od stacji o około trzysta metrów. Odległość ta wydawała się ogromna, kiedy trzeba było kilka dni temu biec do bezpiecznej śluzy, w tej chwili jednak Bartold pokonał ją w pół minuty. Nad samym brzegiem zatrzymał się, przełączył układy napędowe na przemieszczanie się w środowisku płynnym, skontrolował stan przyrządów. Po przygodzie z wahadłowcem wolał nie ufać w stu procentach pracy mechanizmów. Wjechał do jeziora. Wskaźniki temperatury natychmiast poszły w dół. Płynny metan zachowywał się jak bardzo rzadka woda, pływalność łazika nie budziła zastrzeżeń. Dno w tym miejscu opadało łagodnie. Głębokość jeziora nie była imponująca, nie przekraczała dwudziestu siedmiu metrów, miało za to stosunkowo wielką powierzchnię – prawie trzydzieści kilometrów kwadratowych. Ciecz była zupełnie przejrzysta, skąpa mikroflora i mikrofauna praktycznie nie wpływały na widoczność. Żyły tutaj jakieś większe stworzenia przypominające nieco prymitywne ziemskie ryby sprzed milionów lat, jednak i one musiały występować bardzo rzadko, bo przy brzegu toń przypominała raczej pustynię niż pejzaż, jaki można zobaczyć na planetach posiadających prawdziwą powłokę wodną. To, że w warunkach tak zimnego globu rozwijały się jakiekolwiek formy życia, zakrawało wręcz na cud. Chociaż, z drugiej strony, Adam widział już miejsca, w których kłębiło się od różnorakich istot, choć otoczenie wydawało się jeszcze bardziej wrogie. Tylko że do tej pory nigdy i nigdzie nie napotkano najmniejszych śladów inteligencji. Kiedy pilot myślał o tym w czasie dalekich podróży, nieodmiennie ogarniał go smutek tak wielki, że zdawał się wypełniać całą przestrzeń. Ludzkość, kipiąca zapałem ekspansji, zasiedlająca wszystko, co tylko nadawało się do zasiedlenia, terraformująca każde nadające się do tego ciało niebieskie, z oddali kosmosu wydawała się żałośnie samotna. Przypominała grupę rozbitków na bezludnej wyspie pośrodku oceanu. Rozbitków starających się zagospodarować otoczenie, przekształcających je tak, aby funkcjonować jak najlepiej i najwygodniej, czasem podejmujących trudy wypraw w celu odnalezienia innego lądu, ale pośród bezkresnej pustki wód o czymś więcej mogących tylko marzyć. Aż wreszcie przestających wierzyć, że w ogóle istnieje inny ląd poza skrawkiem ziemi, na której wylądowali. Zaś potomkowie nieszczęśników zgoła nie mają najmniejszego pojęcia o istnieniu czegoś więcej niż świat, który ich otacza. I tak to trwa, dopóki po jakimś czasie nie narodzi się ktoś, kto ma na tyle determinacji, by wbrew wszystkim i wszystkiemu dotrzeć do nowych lądów. Ale w przypadku rozbitków zawsze istnieje szansa, że w końcu nawiążą kontakt z innymi społecznościami. Rozlewająca się po kosmosie ludzkość wydawała się tej możliwości całkowicie pozbawiona. Adam potrząsnął energicznie głową. Wystarczy. Czy człowiek jest we wszechświecie sam, czy nie, w tej chwili nie miało to znaczenia. Powinien skupić się na wskazaniach instrumentów, na poszukiwaniach. Wokół kabiny nagle pociemniało. Drgnął, choć przecież zdawał sobie sprawę, że na głębokości około dziesięciu metrów zaczyna się już królestwo roślin przypominających wodorosty. A w zasadzie niezupełnie roślin, lecz skrzyżowania grzybów i porostów wielkich rozmiarów. Grube, solidne łodygi odginały się na boki, kiedy łazik przeciskał się przez gąszcz. Komandor przyglądał się obcemu życiu. A było naprawdę obce. I granatowa barwa, i dziwaczne wypustki lub śluzowate wąsy kojarzące się ni to z mackami ośmiornicy, ni ramionami rozgwiazdy, wszystko budziło niepokój. Adam miał wrażenie, jakby znalazł się nagle nagi w wiwarium pełnym kłębiących się węży. Zaraz skarcił się w duchu za to skojarzenie. Skoro człowiek przybył do obcego świata zupełnie nieproszony, nie powinien oceniać tego, co widzi, tylko przez pryzmat własnych instynktów. Tak, nie powinien, ale zawsze i nieodmiennie ocenia. Gorzej, że nie zawsze potrafi to w sobie zwalczyć. Dlatego tak wiele gatunków zostało wytępionych podczas kolonizacji planet.

Bartold był już na osiemnastu metrach. Ciecz coraz słabiej przepuszczała promienie dalekiego słońca, włączył więc reflektory. W ich promieniach wodorostowate organizmy ożyły nagle tęczą barw. Niespodziewanie zniknęło poczucie obcości. Zoroaster był zadziwiająco kolorowym globem. Na pierwszy rzut oka sinoszary i przygnębiający, kolejny raz ujawnił swoje drugie oblicze. Łodygi pod wpływem sztucznego światła nie utraciły granatowej barwy, ale ich powierzchnia ujawniła żyłkowaną strukturę, zaś każda z tych żyłek połyskiwała innym, bardzo intensywnym kolorem. Robiło to niesamowite wrażenie. Adam znów potrząsnął głową, skupił się na aparaturze. Jeszcze jakieś półtora kilometra, a znajdzie się w rejonie, w którym utracono kontakt z Michelangelem Gennare i Angeliną Corrais.

Pojazd płynął teraz nad łanami, które wydawały się ciągnąć bez końca. Zapewne właśnie gdzieś tam w dole uwijały się miejscowe ryby, toczyła się gra o przetrwanie. Adam nigdy nie lubił podróży takim sprzętem jak ten łazik. Zdawał sobie sprawę, że to irracjonalne, ale czuł się w nim bardziej zagrożony niż w otwartym kosmosie. Może dlatego, że i tu, i tam nie miał w zasadzie większego wpływu na to, co się z nim stanie w razie awarii, ale w przestrzeni podchodził do sytuacji w bardziej stoicki sposób. Tam po prostu był zdany na łaskę wszechświata. Tutaj w każdej chwili mógł zawrócić, wywołać bazę, a to nieco rozpraszało. Nie, nie odczuwał zwyczajnego strachu. Było mu po prostu jakoś nieswojo. Może chodziło też o ciasnotę panującą w podobnych pojazdach. Nawet kapsuła ratunkowa statku kosmicznego była parę razy większa. W kabinie łazika było zaledwie tyle miejsca, żeby wyprostować nogi lub obsłużyć tablice sterownicze bez zbytniego wyciągania rąk. Adam nawet nie chciał myśleć, jak musiało być ciasno, kiedy do środka wchodziły dwie osoby. Oczywiście, nawet gdyby stacja posiadała większą, wygodną maszynę, i tak by jej nie wziął, żeby w czasie postępowania komisji uniknąć zarzutu niepotrzebnego wykorzystywania energochłonnego sprzętu. Panowie z komisji śledczych i rewizyjnych z zasady nie lubili inkwizytorów. Uważali, że zbyt głęboko wchodzą na ich poletko. Dopóki jeszcze ściśle mogli kontrolować dochodzenie, znosili jakoś współpracę, lecz w tym przypadku o żadnym zewnętrznym nadzorze nie mogło być mowy.

Barwny dywan schodził coraz bardziej w dół. Adam już miał skierować łazik głębiej, kiedy nagle zamarł, stuknął palcem w klawisz wyłączający napęd i światła. Pojazd jeszcze kilka metrów poruszał się siłą inercji, po czym zamarł. W dole, nad łodygami grzyboporostów przesuwał się wielki, ciemny kształt. Przypominał cień rzucany w słoneczny dzień przez pojedynczą, niewielką chmurę. Bartold od razu domyślił się, co to jest. A przynajmniej tak mu się wydawało – spiagot, lecz tak wielki, jakiego do tej pory nie widział. Co więcej, z posiadanych informacji wynikało, iż tak ogromne egzemplarze nie występują, a już na pewno nie żyją w głębinach. Tylko młode, niewielkie osobniki były przystosowane do funkcjonowania w lodowatych wodach. A jednak komandor miał przed oczami zaprzeczenie tych twierdzeń.

Spiagot płynnie zmienił kierunek, potem zatrzymał się. Wisiał nad barwnym dywanem, nie było widać najmniejszych oznak ruchu. Adama kusiło, żeby włączyć reflektory, przyjrzeć się dokładniej olbrzymowi, powstrzymywała go tylko myśl, że wprawdzie zwierzę ponoć nie dostrzega fal w widmie od podczerwieni do nadfioletu, ale skoro naukowcy mylili się co do dopuszczalnych rozmiarów potwora, mogli popełnić błąd także gdzie indziej.

Nagle spiagot ruszył... Wprost na Adama! Pilot natychmiast wdusił przycisk odpowiadający za ekranowanie łazika przed pelengiem stworzenia, ale to nie zatrzymało olbrzyma. Gnał prosto na pojazd. Komandor bez namysłu włączył światła. W ich blasku zobaczył wielkie cielsko. W odróżnieniu od łodyg w dole nie mieniło się kolorami, było ciemne, a nawet doskonale czarne, zupełnie jakby pochłaniało promienie. Czy tak właśnie zginęli Michelangelo i Angelina? Zostali staranowani przez szarżującego spiagota? Tylko to zdążyło przemknąć pilotowi przez głowę, zanim błyskawicznie mknące stworzenie znalazło się o kilka metrów od kabiny.

Adam nie zamknął oczu. Zmrużył je tylko, zdecydowany śledzić rozwój wydarzeń do samego końca. Jeśli pojazd ulegnie rozbiciu, może się zdarzyć, że w lodowatej cieczy ciało pilota zostanie zakonserwowane na tyle, by potem ktoś zdołał odtworzyć ostatnie jego chwile tą samą metodą, której użyli z Zoją do odzyskania wspomnień Grigorija. Adam wstrzymał oddech, czuł jak serce w nim zamiera. Nie miał czasu, by wykonać najmniejszy ruch.

Wtedy spiagot... rozpadł się. Kolosalne cielsko rozdzieliło się na kilkanaście, a może nawet kilkadziesiąt mniejszych osobników. Przemknęły wokół łazika, mącąc rzadką ciecz tak mocno, że pojazd zatrząsł się i zaczął obracać powoli wokół własnej osi oraz nieco na skos. Adam spojrzał w górę, pokonując sztywność karku. Zobaczył, jak poszczególne części zwierzęcia zbliżają się do siebie, łączą w jeden organizm. Odetchnął głęboko, z ulgą. Co to miało być? Przecież spiagoty nie były koloniami, ale pełnymi, zintegrowanymi organizmami... Podobno... Trzeba będzie przy okazji zapytać Noela, może specjalista powie więcej na ten temat. Ciekawe, czy Adam miał szczęście, unikając staranowania, czy to było normalne zjawisko. Tego na miejscu rozstrzygnąć nie mógł, lekko drżącą ręką włączył więc napęd. Skierował się w dół. Gdzieś w tym rejonie powinien znajdować się zaginiony pojazd, którym wyruszyli Gennaro i Corrais. Uruchomił pelengatory. Oprócz najnowszych sposobów przeszukiwania terenu, najbardziej precyzyjnych skanerów, łazik posiadał również stary – by nie rzec starożytny – sonar, urządzenie prymitywne, ale niezawodne.

Ekrany zajaśniały, pojawił się przetworzony obraz rzeźby dna. Właściwie podobne poszukiwania powinny zostać przeprowadzone już dawno, zaraz po zaginięciu członków zespołu. I były, tyle że tylko raz, za pomocą sondy sterowanej przez komputer główny. Tutejsze sondy miały z kolei to do siebie, że bardzo kiepsko i krótko działały zanurzone w metanowej cieczy. Ich przeznaczeniem były raczej zwiady meteorologiczne oraz loty mające na celu obserwację spiagotów. Po śmierci obu pilotów nikt z członków załogi nie czuł się na siłach podjąć ryzykownej wyprawy, wymagającej umiejętności kierowania łazikiem w trudnych warunkach. Tak przynajmniej wynikało z raportu złożonego przez Wintermanna. W sumie, nie było to wcale dziwne. Po to przydzielano dwóch pilotów każdej ekspedycji, żeby nie było potrzeby uczyć wszystkich jej członków korzystania z pojazdów. Rzadko, a w zasadzie nigdy nie zdarzało się, aby na placówce nie pozostał nikt nie przeszkolony. Co innego jednak przejechać się pojazdem po powierzchni, a inna rzecz zejść w głębinę, w której zniknęli ludzie.

Adam z uwagą wpatrywał się w odczyty.

– Coś się stało? – rozległ się zaniepokojony głos w słuchawkach. – Na chwilę oderwałam się od monitoringu. Przed trzydziestoma sekundami akcja twojego serca skoczyła do dwustu dziewiętnastu, a ciśnienie wzrosło do dwustu pięćdziesięciu.

– Nic takiego – odpowiedział, starając się opanować drżenie głosu. – Przestraszyłem się, ale w rzeczywistości nie było czego.

– Na pewno?

– Na pewno.

Ekrany jaśniały. Grzyboporosty zakłócały wprawdzie odczyt, ale w mało znaczący sposób. Nic. Bartold przeczesał już całkiem pokaźny kawałek gruntu, ale aparatura nie sygnalizowała, aby gdzieś w pobliżu spoczywał wrak łazika. Sonar popiskiwał jednostajnie.

– Za dziesięć minut musisz wracać – powiedziała Zoja. – Wskaźniki naładowania akumulatorów poszły gwałtownie w dół. To dziwne i nienaturalne.

– Zimno jest. – Adam spojrzał na odczyty. – Zimniej niż powinno. Urządzenia muszą nieźle dostawać w kość.

Tak naprawdę jeszcze minutę temu akumulatory były w osiemdziesięciu procentach pełne. Wskazania spadły natychmiast po tym, jak łazik ogarnęły rozpędzone zwierzęta. Adam nie chciał jednak w tej chwili niepokoić kobiety

– Wracaj. Nie ma sensu się narażać – rozległ się znowu głos Zoi.

– Racja.

Komandor skręcił sterami, zatoczył koło. Wtedy na samej granicy środkowego ekranu błysnęło. Natychmiast skierował łazik w tamtym kierunku.

– Coś mam – rzucił podniecony.

– Wracaj – powtórzyła Zoja. – Wiemy już, gdzie to jest, następnym razem...

– Wyłączam zbędne oprzyrządowanie – przerwał jej. – Akumulatory powinny jeszcze trochę wytrzymać.

Nie słuchał protestów. Kobiety mają to do siebie, że same są skłonne ryzykować życie, ale nie cierpią, kiedy ktoś robi to w ich obecności. Wyłączył wszystkie ekrany poza tym, który wskazywał położenie znalezionego obiektu, zgasił reflektory i nastawił namiar dla autopilota. Zużycie energii drastycznie spadło, wskaźniki naładowania akumulatorów stanęły w miejscu, a przynajmniej tak się wydawało. Świetlisty punkt przesuwał się od bocznej krawędzi ekranu ku środkowi. Łatwiej byłoby go zlokalizować, włączając holo, ale to by się wiązało z niepotrzebnym zużyciem mocy. Adam poczekał, aż punkt znajdzie się dokładnie w skrzyżowaniu linii pomocniczych, a potem przejął stery. Autopilot bawiłby się w okrężne, bezpieczne podchodzenie, a na to nie było czasu. Kiedy komandor rzucił okiem na wskaźniki, okazało się, że znów zeszły o dobre trzy procent. Szybki manewr, polegający na spłynięciu w dół z wyłączonymi silnikami, choć obciążony pewnym ryzykiem, był najrozsądniejszym wyjściem w tej sytuacji. Adam musiał przecież jeszcze chwilę poświęcić na przyjrzenie się najbliższej okolicy. O ile będzie się czemu przyglądać, bo równie dobrze mógł to być fałszywy alarm.

Łazik przedarł się przez łodygi, a kiedy znalazł się tuż nad dnem, pilot znów uruchomił napęd. Przez chwilę podziwiał najzupełniej obcy krajobraz. Grzyboporosty, które widział na górze nie były zakotwiczone każdy z osobna. Żyłkowane łodygi nie sięgały dna bezpośrednio, ale łączyły się po kilkadziesiąt w grube, bezbarwne kolumny najbardziej kojarzące się z pniami potężnych drzew. Adam na moment włączył światła. Skojarzenie z ziemskim lasem było jednak bardzo odległe, gdyż blade rośliny wyglądały dla człowieka mało atrakcyjnie, a nawet obrzydliwie. O ile rozświetlone reflektorami posiadały niezaprzeczalny urok, o tyle podłoże, z którego wyrastały, wydawało się pokryte śluzem, ociekające zgnilizną. Adam zdawał sobie sprawę, że przemiana materii w warunkach ciekłego metanu wytwarza zupełnie inne substancje chemiczne niż w przypadku roślinności wodnej, a za glutowate obrzydzenie odpowiedzialny jest ludzki punkt widzenia, ponieważ tak naprawdę substancja pokrywająca pnie może być najzupełniej neutralna, nie mówiąc o tym, iż w temperaturze atmosfery ziemskiej zapewne okazałaby się gazem.

Zgasił reflektory.

Namiar wskazywał, że wykonany częściowo z metalu przedmiot znajduje się dokładnie pięćdziesiąt metrów z przodu. Adam ruszył w tamtą stronę bardzo powoli, wciąż na przyrządach. Mijał majaczące w półmroku kolumny rozmieszczone bardzo równomiernie, jakby zostały posadzone przez troskliwego ogrodnika. Kiedy pelengator zasygnalizował, że pojazd znajduje się osiem metrów od znaleziska, rozbłysły przednie lampy. Łazik podpłynął jeszcze bliżej, zawisł nad dnem, wychylony nieco do przodu.

Szczątki pojazdu sterczały z gruntu na podobieństwo zrujnowanego pomnika. Zdawało się, że główna wręga kadłuba, wyciągnięta ku górze, jest dłonią obalonego bohatera, a zbrojone szkło z rozbitej w drobny mak kabiny pokrywa błyszczącymi odłamkami powierzchnię kilkudziesięciu metrów kwadratowych. Komandor sprawdził, czy kamery pracują, a potem zaczął się uważnie rozglądać. Znów uruchomił silniki, ruszył na rekonesans. Jeśli ciał nie było w łaziku, powinny znajdować się w pobliżu. Chyba że padły ofiarą ciekawskich spiagotów. Noel twierdził wprawdzie, że człowiek był dla zwierząt co najmniej niejadalny, ale czy na pewno biolog zdołał poznać wszystkie obyczaje olbrzymów?

– Pora wracać – ponagliła coraz bardziej zaniepokojona Zoja.

Adam nie odpowiedział, gdyż jego uwagę zaprzątnął kształt leżący tuż przy oślizłym pniu. Poprowadził tam pojazd, zatrzymał o dwa może metry i popatrzył z uwagą.

– Pora wracać! – powtórzyła lekarka, teraz w jej głosie usłyszał prawie panikę.

– Już, już – mruknął. – Będę za... – zawahał się, patrząc na wskaźniki naładowania akumulatorów. – Najwcześniej za pół godziny – dokończył. – Muszę jeszcze coś sprawdzić, a potem poruszać się z prędkością ekonomiczną.

Usłyszał westchnienie ulgi, wyłączył nadajnik, jak zresztą wszystkie urządzenia poza napędem i pelengiem. Pozostawało mieć nadzieję, że w drodze powrotnej nie spotka się znów ze spiagotami.

Rozdział 9

Obudził się około dziewiątej czasu pokładowego. Znów bolała go głowa, tym razem nie przez to, że spał w złej pozycji, ale chyba ze zmęczenia. No i wczorajsze wstrząśnienie mózgu... Wprawdzie przyjął odpowiednie środki, spędził dwadzieścia minut w komorze medmatu, dolegliwość powinna ustąpić bez śladu, ale kto wie? A może wciąż dawały o sobie znać trudności aklimatyzacyjne? W normalnych okolicznościach spędziłby przynajmniej cztery dni, a może i tydzień na przystosowywaniu organizmu do nowych warunków, odżywiałby się regularnie, wysypiał, wdrażał w rytm pracy i otoczenia. Ale w normalnych warunkach w ogóle by się tutaj nie znalazł. Z hangaru wrócił o trzeciej, wziął szybki prysznic, wypił butelkę napoju tonizującego, po czym padł na koję i zasnął od razu. Jak przez mgłę pamiętał, że ktoś chciał się do niego dostać, że czynił to nader natarczywie, ale komandor tylko przewrócił się na drugi bok, zasłonił uszy i pogrążył się głębiej we śnie. Teraz też nie przebudził się sam. Brzęczyk wideofonu do spółki z ogólnym komunikatem głosowym zmusiły go do wyrwania się ze stanu bliskiego nirwanie. To na pewno też miało wpływ na pieskie samopoczucie.

– ...załogi – zarejestrował końcówkę ogłoszenia. – Powtarzam. O godzinie dziewiątej trzydzieści odbędzie się nadzwyczajna odprawa członków załogi w pomieszczeniu dyspozytorni.

– Interkom – rzucił Bartold. Przykry brzęczyk natychmiast ucichł, a z aparatu popłynęły słowa:

– No nareszcie. Myślałem, że cię porwali kosmici. – To był Noel. – Słuchaj, co to za chryja?

– Jaka chryja? – zdziwił się Adam.

– No, z tą twoją nocną wyprawą. Stary wściekł się jak cholera. Gdzie właściwie byłeś?

– A w ogóle gdzieś byłem? – Komandor udał zdziwienie.

– Nie wygłupiaj się, mnie możesz powiedzieć.

– Powiem, ale jak przyjdzie czas. Na razie trzymajmy się zasady, że kto mniej wie, lepiej sypia. Chyba że masz informacje, które powinny z kolei zakłócić sen mnie, mów śmiało. Jestem, z racji pełnionej funkcji, wyjątkiem od mądrej reguły.

– Daj spokój – oburzył się Noel. „Tykanie" inkwizytora ewidentnie lepiej mu wychodziło przez komunikator niż osobiście. – Jestem tylko skromnym egzobiologiem...

– A właśnie! – przypomniał sobie Adam. – Możesz mi coś opowiedzieć o spiagotach pływających w jeziorze?

– Zależy, o co pytasz. Zasadniczo te zwierzęta nie pływają. Polują nad wodą, ale nie zanurzają się głębiej niż kilka metrów pod powierzchnię, a i to na krótko.

– Naprawdę? Poczekaj, coś ci w takim razie pokażę.

Wyjął z kieszeni na piersi kryształ zapisu podróży zabrany z łazika. Włożył go w czytnik na panelu komunikacyjnym, wywołał obraz, przewinął do momentu, kiedy kamery wychwyciły wielki cień pod pojazdem.

– Popatrz uważnie. – Przesłał obraz Boraninowi, sam też obejrzał ponownie transmisję. Nie czuł teraz wprawdzie strachu, ale widowisko było i tak niesamowite. – Co powiesz?

Egzobiolog milczał. Z wyrazu jego twarzy na holoekranie można było wyczytać zachwyt i osłupienie.

– Wiesz, co to było?

– Zaraz, zaraz – wymamrotał Noel. – Pierwszy raz widzę to zjawisko... Ale coś mi świta...

– Czy spiagoty składają się koniec końców z kilku organizmów? – Adam pragnął otrzymać odpowiedź natychmiast, choć zdawał sobie sprawę, że jeśli Boranin nic wcześniej nie wiedział, na pewno sam czuje się zagubiony.

– Skąd! Są jednorodnymi tworami, solidnymi jak krążownik galaktyczny. To musiało być coś innego i chyba się domyślam... Trzeba będzie poprosić centralę o nowych pilotów, jak się to wszystko przewali... Potrzebuję kogoś, kto zwiezie mnie do jeziora... Ani Roma, ani Michelangelo jakoś nie zdążyli.

– Jak się to wszystko przewali, może się okazać, że wracacie do domu – uświadomił mu brutalną prawdę Adam. – Jeśli masz jakąś hipotezę, to ją podaj.

– Co czułeś, kiedy cię mijały? – odpowiedział pytaniem Noel.

– Nic. Poza strachem zupełnie nic. Za to akumulatory rozładowały się prawie całkowicie.

Noel znów zamilkł. Tym razem komandor go nie popędzał. Musiał uzbroić się w cierpliwość i czekać.

– Młode osobniki tak działają – mruknął w końcu egzobiolog. – Widziałem kiedyś dwa, oba leżały na brzegu jeziora i umierały. Ale kiedy podszedłem do nich ze sprzętem, nagle stwierdziłem, że baterie szlag trafił. Zasilanie skafandra pracowało na najwyższych obrotach, włączyły się układy awaryjne. Wtedy pomyślałem, że mam pecha, bo musiałem wracać, zanim zbadałem młode, a kiedy wyszedłem drugi raz, już ich nie było. Ale po tym, co ciebie spotkało, dochodzę do wniosku, że właśnie spiagoty spowodowały zwiększony pobór mocy.

– A dokładniej? Uważasz, że wysysają energię? Każdy dostępny rodzaj?

– Dlaczego nie? Wciąż wiemy tak mało, że nie powinniśmy się dziwić. Coś mi się zdaje, że młode osobniki mogą żyć w wodzie i poruszać w takich ławicach, jaką spotkałeś. Pewnie łatwiej im wtedy przetrwać, a w razie ataku dorosłego mogą się jakoś bronić. Kto wie, może z niego też potrafią wyssać energię?

– Chcesz mi powiedzieć, że spiagoty są naładowane tak, jak nasze akumulatory?

– Nie – Noel pokręcił głową. – Nie chcę powiedzieć, bo nie wiem. To tylko wymyślona naprędce hipoteza. Ale łamanie praw grawitacji, z jakim mamy do czynienia w przypadku tych zwierząt, zmusza mnie do tworzenia najróżniejszych teorii, nawet najbardziej karkołomnych. Jak chociażby ta, że ich unoszenie się nad ziemią świadczy o ewolucyjnym opanowaniu grawitacji. Okiełznaniu, rzekłbym nawet. – Egzobiolog zapalał się w miarę mówienia. – Myślę, że te ich wyrostki współgrają jakoś z zawartością gruntu Zoroastra, tworząc rodzaj antygrawitin albo wręcz oddziałując z cząstkami elementarnymi na poziomie niższych wymiarów. Przemieszczają się nad całą powierzchnią księżyca, nie tylko w miejscach, gdzie znajdują się złoża interesujących nas związków, ale i tam, gdzie minerały występują w śladowych ilościach. A może to coś więcej i spiagoty potrafią w jakiś sposób zmieniać strukturę funkcjonowania strun w przestrzeni n-wymiarowej?

– Może? – zdziwił się Adam. – Nie próbowałeś tego potwierdzić? Przecież macie świetnie wyposażone laboratorium fizyki grawitacyjnej.

– Tak – powiedział z goryczą Noel. – Żeby jeszcze fizycy chcieli... – Nagle zamilkł, spojrzał na Adama z paniką w oczach, a potem się rozłączył.

Dzwonił, ponieważ czegoś chciał się dowiedzieć, coś przekazać, a w efekcie powiedział o jedno zdanie za dużo. A może zrobił to celowo? Chciał przekazać więcej, ale się przestraszył? Tak czy inaczej, Adam otrzymał nowy materiał do przemyśleń.

Nie dano mu jednak czasu na wyciąganie wniosków. Interkom znów ożył.

– Inkwizytorze Adamie Bartold – zaskrzypiał sucho Wintermann – spodziewam się, że przybędzie pan na nadzwyczajną odprawę.

– Jeśli zostanę zaproszony...

– Bez kpin proszę! – warknął dowódca. Znów dał się ponieść emocjom. – Żaden tego typu wybryk, jakiego się pan dopuścił, nie może pozostać bez konsekwencji! To było nieprzemyślane, głupie i absolutnie nieodpowiedzialne!

– Może pan złożyć na mnie skargę do przełożonych – odparł spokojnie Adam.

– I nie omieszkam tego uczynić.

– Znakomicie. A póki co, proszę przesunąć termin odprawy o godzinę. Nie zdążę na wyznaczony czas.

Twarz Waltera poczerwieniała, na jego szyi nabrzmiały żyły.

– Pan jest bezczelny, inkwizytorze! To przekracza już wszelkie granice! Albo podporządkuje się pan mojej decyzji, albo...

– Albo na mocy powierzonej mi władzy osobiście zawiadomię załogę o nowym terminie narady. Naprawdę pan tego chce? Nie obawia się pan, że ucierpi na tym autorytet dowódcy i naukowca?

Wintermann rozłączył się tak samo nagle jak przedtem Noel. Ale już po chwili z głośników popłynął nowy komunikat.

– Odprawa została przesunięta na godzinę dziesiątą trzydzieści. Powtarzam, odprawa przesunięta na dziesiątą trzydzieści.

Adam pomyślał, że taki zduszony głos w dawnych czasach można by zrzucić na pewną niedoskonałość urządzeń.

Na widok Adama Sorensen najpierw poderwał się, a potem usiadł. Nie przypominał w tej chwili pewnego siebie macho, nie patrzył rozmówcy zuchwale prosto w oczy. Trwał na skraju łóżka przygarbiony i przygnębiony, z opuchniętą prawą częścią twarzy. Medmat zdiagnozował pęknięcie kości jarzmowej, a komandor doszedł do wniosku, że aresztant da radę z tym żyć bez konieczności dokonywania zabiegów rehabilitacyjnych.

Bartold sprawdził dokładnie, czy drzwi są zablokowane, przysunął sobie twarde krzesło z niskim oparciem, usiadł naprzeciwko więźnia.

– Czego chcesz? – burknął Robert. – Przyszedłeś napawać się zwycięstwem? Rozwiązaniem zagadki?

Komandor pokręcił głową z lekkim, nieco pobłażliwym uśmiechem.

– Zwycięstwem, drogi doktorze? Rozwiązaniem? Mówisz o sobie? Nie rozśmieszaj mnie. Jesteś tylko małym, niewiele znaczącym bandziorkiem, którego schwytałem niejako przy okazji. Zabicie Grigorija było podłe i niepotrzebne, ale to tylko zwyczajne morderstwo, nic więcej.

– Czyżby? – uniósł brwi fizyk. – Doprawdy? A spowodowanie wypadku Romy i Edwina? A zepsucie satelity? A zamach na twoje życie wczoraj, to nic? Masz mnie o co oskarżyć.

Adam parsknął śmiechem.

– Wychodzi na to, że jesteś prawdziwym demonem. Ale to niepotrzebny sarkazm, zresztą lepiej wychodzą ci chamskie zagrywki niż subtelne kpiny. Zamordowałeś profesora Tawadze, bo miałeś okazję, a nienawiść okazała się silniejsza od twojego wrodzonego tchórzostwa...

– Licz się ze słowami – warknął groźnie więzień. Po raz pierwszy spojrzał w oczy komandorowi. Adam zobaczył na dnie jego źrenic nienawiść pomieszaną ze smutkiem i rezygnacją. Zadziwiające zestawienie emocji.

– Każdy podobny tobie samiec jest w gruncie rzeczy tchórzem – ciągnął bezlitośnie Adam. – Och, możesz być odważny do szaleństwa w obliczu zagrożenia, uratować kogoś z narażeniem życia, stać się wspaniałym, walecznym żołnierzem. Ale przez całe życie boisz się, że ktoś cię prześcignie, że zabierze ci splendor, pozbawi względów i wyjątkowej pozycji. Na pewno podczas testów byłeś jednym z najlepszych kandydatów, wykonywałeś perfekcyjnie wszystkie zadania. Jednak to, że przeszedłeś pomyślnie badania psychologiczne i psychiatryczne świadczy o niedoskonałości systemu. Albo o czyjejś złej woli. Na stacji badawczej nie miałeś do czynienia z realnym zagrożeniem, nie mogłeś liczyć na prestiż większy niż posiadasz, skupiłeś się więc na kobietach. Zapragnąłeś zostać przodownikiem stada, a każdy konkurent powinien zmykać z podkulonym ogonem.

– Bardzo ciekawe – powiedział Sorensen, ziewając ostentacyjnie – ale nie dla mnie. Zostaw to sobie na mowę oskarżycielską.

– Nie ja cię będę oskarżał. Popełniłeś pospolite przestępstwo, a inkwizytorzy nie zajmują się zwyczajnymi sprawami kryminalnymi.

– A czym?

– Czasem czymś więcej, czasem czymś mniej. W każdym razie, żeby zakończyć temat, bałeś się od pewnego czasu bezustannie. Bałeś się kompromitacji, konkurencji. A ponieważ jedyną kobietą, jakiej nie mogłeś zdobyć, była Teresa Harding, stała się twoją obsesją.

– Powinieneś chyba już wiedzieć, że Sandra też nie chciała...

– Sandra to inna historia – machnął ręką Adam. – Jest puszczalska, gdyby ci się chciało naprawdę postarać, byłaby twoja. A Teresa okazała się niedostępna, dlatego, jak już powiedziałem, stała się twoją obsesją. Obsesją, która zabiła Grigorija, a ciebie skazała na uwięzienie, a jeśli wyrok sądu będzie adekwatny do zbrodni, na pełne wymazanie pamięci i ograniczenie funkcjonowania płatów czołowych.

Widział, że Robert pobladł, przeszedł go dreszcz, kuł więc żelazo póki gorące.

– Dlatego, jeśli chcesz liczyć na łagodniejszy wymiar kary, na zesłanie do kolonii więziennej gdzieś na rubieżach, powinieneś ze mną współpracować.

– O co ci chodzi? Zabiłem Tawadze, uznają mnie za wariata, będą leczyć i tyle. Nie zastanawiasz się, dlaczego nie załatwiłem najpierw męża obiektu pożądania? Obrońca na pewno wyciągnie ten argument na rozprawie, udowodni moją niepoczytalność.

– Widzę, że przemyślałeś już linię obrony. Na twoim miejscu nie liczyłbym jednak na takie rozwiązanie. Ekspertyza psychiatryczna i analiza materiału dowodowego dadzą jasny obraz sytuacji. Prędzej czy później zamordowałbyś Vlada, może nawet Noela. Jedynymi mniej więcej bezpiecznymi członkami załogi byliby Wintermann i Gaut.

– Pedały – skrzywił się z odrazą Robert.

– Pedały – przytaknął Adam. – Ale kto wie, może i tobie w pewnym momencie zmieniłby się gust, zacząłbyś marzyć o kościstych pośladkach Gauta albo masywnych udach jego przyjaciela... W każdym twardym macho kryje się wrażliwy homoseksualista. No już, nie podskakuj – warknął, widząc, że Sorensen drgnął, jakby chciał się na niego rzucić. – Słuchaj lepiej, bo może ci się to przydać w podjęciu odpowiedniej decyzji. Otóż zabiłeś Grigorija z dwóch powodów. Po pierwsze wiedziałeś, że jest szaleńczo zakochany w Teresie...

– Nie wiedziałem!

– Badanie przy zastosowaniu metod wykrywania kłamstw wykaże co innego. Nie przerywaj. To pierwsza sprawa. Druga jest taka, że Grigorij był profesorem, naukowcem wyższym stopniem, a to też było dla ciebie trudne do zniesienia. I dlatego był pierwszy na twojej liście. Prestiż... Pamiętasz, co o tym mówiłem?

– To jakiś bełkot – fizyk wydął wargi. – Bzdury.

Adam uśmiechnął się smutno i współczująco wystudiowanym uśmiechem, który nieodmiennie wyprowadzał z równowagi ludzi podczas trudnych rozmów.

– Jak sobie chcesz – powiedział łagodnie. – Ale musisz pamiętać, że trafisz na prawdziwych fachowców. A ja im w dodatku pomogę. Jeśli zaczniesz zachowywać się rozsądnie, mogę spróbować dogadać się z oskarżycielem. Twój wybór.

Sorensen milczał kilkanaście sekund.

– Czego właściwie chcesz? – spytał wreszcie agresywnie.

– Paru informacji. Na przykład, który z koncernów dał łapówkę, abyś przeszedł przez selekcję i co miałeś za to zrobić. „Stella Virginis" czy „Diavo"? A poza tym, kto jeszcze z nimi współpracuje? Kto jest z tobą, a kto przeciwko tobie?

– Oszalałeś? – Robert wybałuszył na niego oczy. – To ciebie powinno się wsadzić do izolatki, durniu! Co znowu wymyśliłeś?!

– Niepotrzebnie się unosisz – odparł Adam. – To bardzo rozsądne pytania i doskonale o tym wiesz. Czekam na twoją decyzję.

– Spierdalaj, świrze – padła krótka odpowiedź.

Adam ruszył ku drzwiom.

– Twoja sprawa. Ja sobie z tym wszystkim poradzę.

– Albo zginiesz.

– Albo zginę. Widzisz? Wiesz jednak więcej niż chcesz przyznać. Tak czy inaczej, sprawę zakończę. Ale ciebie nic nie uratuje. Zostaniesz zastępcą sprzątacza na zaplutej stacji krążącej wokół jakiegoś podrzędnego słoneczka. Będziesz z radością oglądał bajki dla dzieci i ślinił się na widok batonika. Takie proste rozrywki staną się największymi radościami twojego życia. Największymi i, zapewniam cię, autentycznymi radościami. W sumie, to nawet nie takie złe stracić pamięć i osobowość...

Sorensen splunął tylko w jego kierunku.

– Cóż, doktorze, skoro mam spierdalać, to spierdalam. Uprzedzam jednak, że drugiej szansy nie dostaniesz.

Kto mógł usiąść, siedział, kto nie znalazł miejsca, musiał stać. Zapewne odprawy w dyspozytorni były zazwyczaj krótkie, pomieszczenia nie przystosowano do prowadzenia narad. Fakt, iż Wintermann bardzo chętnie zwoływał je właśnie tutaj, musiał mieć związek z jego wybujałym poczuciem własnej wartości. W końcu dopiero w tym miejscu naprawdę był dowódcą i zwierzchnikiem. Adam pomyślał, że czasem pierwsze wrażenie bywa bardzo mylne. Przecież ten wyniosły, pewny siebie człowiek na początku wydawał się zwyczajnym, dość sympatycznym naukowcem, zaprzątniętym jedynie pracą, kimś, kto nie zwraca uwagi na pozory. Tymczasem bardzo szybko wylazł z niego zwyczajny, zadufany w sobie urzędas, profesor katedry, w dodatku pokiereszowany psychicznie za sprawą niespełnionych ambicji.

– Zebraliśmy się tutaj – zaczął Walter – aby omówić sprawę samowolnego oddalenia się komandora, inkwizytora z ramienia rządu federacji, Adama Bartolda. To postępowanie godne potępienia...

– I napiętnowania – wpadł mu w słowo Adam. – Jestem skruszony, zrozumiałem swój błąd i proszę o surową karę. Niechże pan nie robi przedstawienia, profesorze, nie przypuszczam, żeby komuś szczególnie to imponowało.

Popatrzył w kierunku Zoi. Siedziała z opuszczoną głową, uniosła ją nieco, czując wzrok pilota. Jej oczy były po dawnemu puste i zimne. Zapewne Walter z samego rana przejrzał nagrania z nocy, nie ufając do końca współpracownicy. W zasadzie powinna natychmiast powiedzieć o tym Adamowi, ale skoro faktycznie dopadł ją znowu atak depresji, można jej było wybaczyć zaniedbanie. A poza tym i tak nie miało to większego znaczenia. Jeśli nie dziś to za kilka dni prawda wyszłaby na jaw, bo Adam musiałby ujawnić przynajmniej pewną część zebranego materiału dowodowego. Mrugnął więc nieznacznie do kobiety, dając jej znać, że nie ma pretensji. Ledwie dostrzegalnie skinęła głową, ale wyraz jej twarzy nie uległ zmianie.

– Pan jest zwyczajnie bezczelny, inkwizytorze – stwierdził Wintermann.

– A pan udaje kogoś, kim nie jest, dowódco. Co to ma być? Sąd nad podwładnym, który złamał regulamin? Jeśli jeszcze do pana nie dotarła ta prosta prawda, to jestem chodzącym łamaniem regulaminów. Na tym między innymi polega moja praca.

– Tak czy owak, powinien pan zameldować o chęci dokonania rekonesansu.

– Jasne, powinienem i nie będę się wykłócał. A gdybym to zrobił, pan ze swojej strony ochoczo wyraziłby zgodę i nie próbował utrudnić mi zadania ze wszystkich sił.

– Nie jest pan sam na tej stacji – Walter podniósł głos. – Naraził pan swoje życie i sprzęt należący...

– Dajmy temu spokój. – Tym razem dowódcy przerwał Vlad Harding. – Jestem przekonany, że pan Bartold nie zrobił tego dla własnej przyjemności. Wysłuchajmy lepiej, co ma do powiedzenia.

Wintermann zamilkł, wyraźnie zdziwiony stanowczą postawą potulnego zazwyczaj naukowca. Adam skorzystał z chwili ciszy, żeby zabrać głos.

– Znalazłem w jeziorze rozbity łazik i szczątki ludzi.

– To akurat żadna rewelacja – skrzywiła się Alicja Boranin. – Można się było czegoś takiego spodziewać. Wszyscy wiemy doskonale, że właśnie tam zaginęli. I zdajemy sobie sprawę, że przedtem coś musiało im się stać.

– Stało się – kiwnął głową Adam. – Z analizy materiału wynika, że pojazd został rozerwany przez dość silny wybuch. Zmasakrowane ciała odrzuciło na dobrych kilkanaście metrów.

– Sugeruje pan, że to było zamierzone działanie?

– Podobnie jak tak zwany wypadek pani Gennaro i doktora Corrais.

– Moim zdaniem wyciąga pan zbyt pochopne wnioski – powiedział ostro Wintermann.

Bartold zmierzył go surowym, na wpół gniewnym spojrzeniem. Zaczynało go już poważnie irytować ciągłe wtrącanie się i negowanie jego słów przez dowódcę. Nawet jeśli miał po temu ważkie powody.

– Prowadzimy najzupełniej jałową dyskusję, profesorze. Może zacytuję panu zdanie wielkiego stratega okresu tak zwanego oświecenia, Napoleona Bonaparte, który mniej więcej w tych słowach odezwał się do jednego ze swoich dowódców, kiedy ten stracił nieco rozeznanie kto jest kim: „Między nami panują stosunki dupy i kija. Przy czym kijem nie jest pan".

Wintermann poczerwieniał, otworzył usta, lecz Adam nie pozwolił mu rozwinąć skrzydeł.

– Dlatego właśnie! – powiedział głośno, żeby zagłuszyć ewentualny protest, a potem dokończył już ciszej: – Dlatego właśnie ja będę zadawał pytania, a państwo łaskawie zechcą udzielać odpowiedzi. Wybaczy pan, profesorze, ale na ten czas pozbawię pana władzy i prawa do pierwszeństwa zabierania głosu.

– To wykluczone! – warknął Wintermann. – Pan nie może... nie wolno panu... nie ma pan prawa!!!

– Mózg – rzucił Adam. – Przypomnij stosowny artykuł, na mocy którego mogę rozszerzyć moje uprawnienia, aż do przejęcia kierownictwa zarządzania jednostką.

– Artykuł sto siedemdziesiąt cztery „a", paragraf jeden, dwa i trzy kodeksu postępowania administracyjnego w związku z artykułem osiemnaście, paragraf jeden regulaminu pracy oficera śledczego i inkwizytora. Czy mam zacytować treść?

– Nie potrzeba. Widzi pan – Adam zwrócił się do Waltera – próbowałem uniknąć sięgania po rozwiązania tego rodzaju, ale zamiłowanie do wolności zamiłowaniem, a dochodzenie przeprowadzić muszę.

Wintermann miał ochotę jeszcze bronić straconych pozycji, ale podszedł do niego Gaut i szepnął mu coś na ucho. Dowódca uspokoił się nieco, odetchnął głębiej.

– Znakomicie. – Adam zerknął na trzymane w dłoni srebrzyste pudełko SDS, włożył je do kieszeni. – Zacznijmy zatem od kwestii łączności. Zadajmy sobie pytanie, komu mogło zależeć na tym, aby zerwać kontakt z centralą? W dodatku zależało temu komuś tak mocno, że zastawił śmiertelną pułapkę. Którekolwiek z was, gdyby wyruszyło naprawiać przekaźnik, albo nie wróciłoby stamtąd żywe, albo spowodowałoby jeszcze większe uszkodzenia podczas manewru zbliżeniowego. A, być może, zniszczeniu uległby także wahadłowiec.

– Ten ktoś rozregulował chyba jeszcze jednostkę obliczeniową statku, prawda? – dodał Noel.

– Dziękuję za tę uwagę – Adam skinął mu głową. – Wcale nie jestem jednak pewien, czy to była ta sama osoba.

– Nie rozumiem – Boranin zmarszczył brwi. – Uszkodzenie mózgu wiązało się z pułapką na satelicie, prawda?

– Widzę, że profesor Wintermann zdawał niektórym członkom załogi sprawozdanie z naszych rozmów – uśmiechnął się Adam. – Zachował się bardzo lojalnie, ale nierozsądnie, łamiąc tajemnicę, do jakiej zobowiązuje go stanowisko. Ale może i dobrze, nie muszę wszystkiego tłumaczyć. Natomiast zastanawiające jest, że oprócz obojga pilotów, którzy mogli wykonać zadanie bez narażania się na śmierć, zginęli także fachowcy zajmujący się łącznością kwantową...

– Był jeszcze Grigorij – zaprotestowała Elza. – On też się na tym znał.

– Zgadza się, jednak w jego przypadku łączność kwantowa znajdowała się na peryferiach zainteresowań. A poza tym zginął z innego powodu, w dodatku zanim jeszcze zdołałem zasięgnąć jego opinii.

– Właśnie, zabił go ten szaleniec. Sorensen jest informatykiem, ale też fizykiem mechaniki grawitacyjnej, więc zna się na różnych urządzeniach...

– Tak, ten szaleniec – przerwał jej komandor. – Ten szaleniec jest oczywiście jednym z was, tak samo uwikłanym w różne układy. Ale nie łączę jego zbrodni z innymi wydarzeniami. Nawet jeśli maczał w czymś palce, nie przypuszczam, żeby był mózgiem nielegalnego przedsięwzięcia. Natomiast przypadki śmierci małżeństw Gennare i Corrais łączą się ze sobą jak najbardziej.

– Zbieg okoliczności – burknął Gaut.

– Kolejny zbieg okoliczności, proszę dodać – wzruszył ramionami Adam. Najchętniej kazałby milczeć temu tykowatemu ascecie, ale taki rozkaz zabrzmiałby dość paskudnie, a poza tym kostyczny, szyderczy typ zawsze mógł się wychylić z czymś interesującym, zupełnie wbrew sobie. – Ale do rzeczy. Na czym polega łączność kwantowa, to znaczy funkcjonowanie aparatury splątaniowej, zapewne wszyscy wiedzą.

– Dla mnie to akurat czarna magia – wyrwał się Noel. – O fizyce mam pojęcie nawet nie mętne, ale po prostu żadne. Jeśli mam coś zrozumieć, trzeba mi jednak przybliżyć to i owo.

– Dla mnie to też niezbyt jasne – poparła go Teresa. – Małe wprowadzenie byłoby nie od rzeczy.

– Wąska specjalizacja – westchnął Adam, widząc, że Martin Gaut także krzywi się z niechęcią, wyrażając w ten sposób własną indolencję, a Zoja podnosi na niego pytające spojrzenie. – Dobrze. Ale w takim razie może któreś z fizyków podejmie się to przystępnie wyjaśnić? Ja mogę się zaplątać przy tym całym splątaniu.

– Tu nie ma co plątać! – powiedziała Sandra zdecydowanie. – Wszystko jest bardzo proste, jeśli chodzi o zasadę działania. Mianowicie, a to już powinni wiedzieć wszyscy, bo informacja wchodzi w zakres podstawowego szczebla edukacji, w świecie cząstek elementarnych występuje zjawisko splątania kwantowego. Dotyczy to wszelkich kwantów i elektronów. Cząsteczki takie występują w powiązanych ze sobą parach. A teraz pewna dygresja. Dawniej uważano, że każdy człowiek ma swojego bliźniaka, potem ten pogląd przeniesiono także na świat subatomowy. Jednak im dłużej pracujemy nad ciemną materią i ciemną energią, tym większe pojawiają się wątpliwości, czy dotyczy to rzeczywiście każdego zjawiska. Niby jedno z drugim niewiele ma wspólnego, ale jednak...

– Sandro – upomniał ją Noel – miało być przystępnie.

– Dobrze już. Otóż splątanie kwantowe charakteryzuje się tym, że obserwując zmianę w jednej z cząsteczek wiemy dokładnie, iż zmiana nastąpiła także w drugiej, w tym samym momencie, niezależnie od dzielącej cząstki odległości. W przypadku par elektronów może chodzić po prostu o spin. W zasadzie podczas zwyczajnej obserwacji trudno nawet stwierdzić, która zmiana jest uprzednia, a która następna. To też stanowiło swego czasu pewną trudność. Ale kiedy nauczyliśmy się w pełni kontrolować właśnie zmiany spinu elektronu, możemy być pewni, że w bliźniaku dokonała się ta sama zmiana w tym samym momencie. A stąd już tylko krok do wykorzystania zjawiska w praktyce. Zbudowane na tej zasadzie urządzenia działają trochę jak prakomputery, stare jednostki obliczeniowe oparte wyłącznie na zasadzie zerojedynkowej, ale działają dobrze. Na razie to jasne?

– Jasne, jasne – mruknął Gaut. – Mów dalej.

– Na tym właśnie zjawisku opiera się łączność kwantowa. W zasadzie powinniśmy ją nazywać splątaniowo-elektronową, ale przyjął się termin kwantowa, pewnie dlatego, że lepiej brzmi. A zatem pakujemy jeden sparowany elektron do nadajnika, drugi do odbiornika, przy czym kierunek działania jest obojętny, nadajnik może równie dobrze stać się odbiornikiem, tak samo jak w klasycznych środkach łączności. Pewna różnica funkcjonowania oczywiście istnieje, w dodatku bardzo istotna. A mianowicie, o ile fale elektromagnetyczne rozchodzą się z żółwią prędkością światła, o tyle można je wysyłać na wszystkie strony. Z kolei elektron reaguje z bliźniaczym wprawdzie w tym samym momencie, pomijając czas i przestrzeń, dzięki czemu jesteśmy w stanie nawiązać łączność z Układem Głównym, nie przejmując się odległością choćby i milionów lat świetlnych, jednak można w ten sposób utrzymywać łączność za pomocą jednego nadajnika tylko z jednym odbiorcą. Krótko mówiąc, nasz komunikator posiada niepowtarzalną pulę cząsteczek, których pary splątaniowe powędrowały w sprzęt znajdujący się w bazie głównej.

– Pozyskiwanie takich par elektronów jest w dodatku bardzo kosztowne – dodał Adam. – Dlatego w zasadzie, poza nielicznymi wyjątkami, nie wyposaża się placówek w zestawy awaryjne. Taniej jest na takie „w razie czego" dostarczyć zapas tam, gdzie zachodzi potrzeba, niż dawać pełne zabezpieczenie. Z tym, że teraz to niemożliwe przez tę nieszczęsną nową. Inna rzecz, że w tej chwili i tak na nic by się zdały dodatkowe elementy, bo wirujący satelita wyklucza jakąkolwiek możliwość naprawy. Sabotaż został wykonany perfekcyjnie i z pełnym wyczuciem.

– Stanowczo nadużywa pan tego określenia – powiedział z rozdrażnieniem Wintermann.

– Nazywam rzeczy po imieniu. Sandro, czy przedstawisz implikacje wynikające z takiego sposobu komunikacji? Nie wdawaj się tylko w zbędne szczegóły i teorię wszystkiego.

– Implikacje? – Sandra poprawiła opadający jej na policzek kosmyk włosów. – Implikacja jest w zasadzie jedna. Komunikację taką można prowadzić tylko i wyłącznie za pośrednictwem centrali posiadającej pełny zestaw porcji kwantowych. Nie damy rady komunikować się bezpośrednio z kimś, kto przebywa bliżej, ale poza skutecznym zasięgiem konwencjonalnych środków łączności. „Skuteczny" znaczy tutaj, że informacja nadana za pomocą fal elektromagnetycznych musiałaby podążać zbyt długo. Musimy wtedy nadać wiadomość do bazy, a stamtąd dopiero trafia do adresata. Opóźnienie wynosi sekundy, a nie lata świetlne. Ale łączność odbywa się za każdym razem tylko w dwie strony. Nie możemy nadać sygnału ogólnego, bo odebrać może go tylko i wyłącznie stacja centralna.

– A z tym wiąże się jeszcze jedno – dodał komandor. – Kto ma dostęp do pełnej puli bliźniaczych kwantów, ten posiada realną władzę. Dopóki jednostka centralna należy do legalnej władzy, dopóty panuje porządek. Dlatego tak bardzo potrzebujemy Federacji Międzygalaktycznej.

Ale zawsze znajdą się elementy działające odśrodkowo, pragnące osiągnąć pełną niezależność, nie biorąc zupełnie pod uwagę dobra ogólnego. Dlatego władze muszą zachowywać największą ostrożność, wszędzie wietrzyć podstęp.

– Ależ, inkwizytorze, pan mówi o anarchistach – zauważył zjadliwie Gaut. – Nie przypuszcza pan chyba, że któreś z nas mogłoby być zwolennikiem tych wariatów.

– Tych może nie – odparł z pełną powagą Adam. – Ale mamy w tej grze więcej pionków niż tylko funkcjonariuszy federalnych i terrorystów pragnących zerwać nici łączące Układ Główny z koloniami, stacjami kosmicznymi i jednostkami dalekiego zwiadu. Anarchiści są jak czyrak na tyłku – dokuczliwi, ale zasadniczo niegroźni i stosunkowo łatwi do usunięcia. W naszym przypadku uszkodzenie przekaźnika jest więcej niż aktem anarchii. Przypuszczam, że mikroładunek, który zniszczył panel kwantowy został umieszczony w środku jeszcze przed startem wyprawy. Ktoś z uczestników miał tego pełną świadomość, skoro założył dysze manewrowe na satelitę i ustawił je tak, by odpaliły ładunek w niecałą sekundę, wprawiły urządzenie w ruch wirowy uniemożliwiający pracę. Nawet gdyby teraz dotarł ktoś z kryształami, i tak nie byłby w stanie uruchomić łączności. Potrzebne jest zupełnie nowe urządzenie. Kto miał dostęp do satelity, zanim został wyniesiony na orbitę, pani Wintermann?

– W zasadzie wszyscy, którzy chcieli – odparła Elza. – Każdy mógł to zrobić.

– Dobrze, postawmy więc kwestię inaczej. Kto dokonywał ostatecznego przeglądu satelity przed startem?

Elza milczała długą chwilę, zanim odpowiedziała bardzo powoli.

– Roma Gennare i Edwin Corrais... Ona przygotowywała wahadłowiec do lotu, on przeprowadzał ostatnie testy.

– Zgodzi się pani zatem, że i jedno, i drugie musiałoby zauważyć, że coś jest nie tak, prawda?

– Chce pan powiedzieć, że to oni... To właśnie oni założyli... no dobrze, dokonali sabotażu?! – Wintermann wytrzeszczył oczy.

– Nie, profesorze, a w każdym razie niezupełnie. Uważam, że pani Gennare uzbroiła satelitę w dodatkowe silniki dopiero na orbicie, zanim opuścił luk towarowy. Edwin Corrais z kolei musiał wiedzieć, iż wewnątrz przekaźnika nie wszystko jest tak, jak być powinno. Niemożliwe, żeby przegapił mikroładunek.

– Czyli działali razem?

– Nie, nie działali razem. Jestem pewien, że reprezentowali przeciwstawne interesy, ale co do jednego byli zgodni zupełnie przypadkowo – stacja powinna zostać odcięta od świata, choć z różnych względów. Co więcej, uważam, iż oboje doskonale wiedzieli, że niebawem nastąpi eksplozja novej i któremuś, a może nawet obojgu, było to na rękę. Przypuszczam, że Edwin albo sam założył mikroładunki, albo doskonale o nich wiedział i pozostawało mu tylko nastawić przed lotem mechanizm zegarowy. Z kolei pani Gennare zamontowała dysze manewrowe, które zapewne zaopatrzyła w możliwość zdalnego odpalenia i dodatkowo w wyzwalacz zbliżeniowy. Wprawienie satelity w taki ruch byłoby nie mniej skuteczne niż zniszczenie kryształów nadajnika splątaniowego. Tyle że mikroładunek zadziałał wcześniej niż Roma zdecydowała się na działanie.

Przerwał na chwilę, chcąc, aby do słuchaczy dotarło znaczenie słów. Patrzył uważnie na ich twarze. Teresa siedziała z wypiekami na twarzy, obok niej stał Vlad, mrużąc oczy i wyraźnie intensywnie rozmyślając. Noel Boranin chyba przestał oddychać, chłonąc każdą informację – natura plotkarza dawała znać o sobie. Marie Maguire-Sorensen opuściła powieki, można by uznać że drzemie, gdyby nie palce zaciskające się miarowo na udzie. Elza Wintermann trwała wyprostowana, patrząc bez zmrużenia na komandora. Jej mąż zagryzł dolną wargę i zmrużył oczy, bębniąc palcami po głównym pulpicie. Alicja Boranin sprawiała znów wrażenie, jakby jej to wszystko nie dotyczyło. Sandra wydęła lekko wargi, spoglądając na Adama porozumiewawczo, zaś Martin oparł się o ścianę, założył ręce na piersi, w każdej chwili gotów rzucić kolejną uszczypliwą uwagę.

– Czegoś tu nie rozumiem – odezwał się Noel. – Po co Roma miałaby oprócz zdalnego odpalania zrobić wyzwalacz zbliżeniowy?

– Mogę tylko przypuszczać, ale to przypuszczenie jest bardzo prawdopodobne. Być może pani pilot spodziewała się, że spotka ją coś złego, zanim zdoła wykonać zadanie. A przecież, zgodnie z procedurami, prędzej czy później ktoś powinien dotrzeć do satelity, dokonać konserwacji na orbicie lub ściągnąć go w ładowni wahadłowca. Wtedy pułapka mogłaby zadziałać.

– Jak rozumiem, według ciebie i Roma, i Edwin byli uwikłani w jakąś grubszą aferę?

– Tak. Stali po przeciwnych stronach barykady. Podobnie jak ich małżonkowie. Ta podwójna śmierć miała związek między innymi z tym, że pilnowali się nawzajem. Dowiedzieli się jakoś, że stanowią konkurencję i właśnie dlatego trzymali się razem. Ale mogę się mylić...

– Nie myli się pan – powiedziała nagle Teresa. – Obserwowałam ich od początku. Tak, było w tym ich układzie coś dziwnego. Myślałam nawet, że stanowią małżeński czworokąt, bo w zasadzie nie odstępowali się na krok. Gdzie pojawiło się któreś z Corrais, natychmiast przybywało jedno lub drugie z małżeństwa Gennare i na odwrót. Wyglądało to na wielką przyjaźń. Tyle że nieco dziwną, niesłychanie zazdrosną... Nie zdołałam ich jednak bliżej poznać. Kiedy zginęli Roma i Edwin, wciąż jeszcze byliśmy zafascynowani pobytem tutaj, mało kto odwiedzał mnie w innych celach niż towarzyskie, w dodatku po śmierci małżonków ani Michelangelo, ani Angelina nie chcieli pomocy... Teraz już wiem, dlaczego.

– Zaraz, zaraz – odezwał się Martin Gaut ze swojego kąta. – Jeśli pracowali dla jakichś tam konkurencyjnych korporacji, wychodzi, że pozabijali się nawzajem. Może tak być, prawda? Pozastawiali na siebie pułapki i te pułapki w końcu posłały ich na tamten świat.

– Powiem więcej – podchwycił Adam. – Idąc tym tropem i biorąc pod uwagę moje ustalenia, mogę przypuszczać, że o ile śmierć Romy i Edwina była wynikiem nieudolnie wykonanego zamachu, o tyle w przypadku drugiej pary nie od rzeczy byłoby założyć, iż mamy do czynienia z poświęceniem życia. Być może Angelina Corrais doszła do wniosku, że sama nie da rady upilnować zdrowego, silnego mężczyzny, poczuła, że sprawy wymykają się spod kontroli, dlatego spowodowała katastrofę.

– I co, jedni pracowali dla „Stella Virginis", a drudzy dla „Diavo"? – spytał Noel. – Bo to właśnie te dwa koncerny konkurują ze sobą tak, że można je podejrzewać o wszystko. Twoje pytanie, czy któreś z nas zostało podkupione dotyczyło tak naprawdę tych dwóch opcji, prawda?

– Mniej więcej.

– Ale naszą wyprawę finansuje głównie „Surve" – zauważył Wintermann. – Po co więc wpychają się w to wszystko jeszcze „Stella" i „Diavo"?

– Och, to już przecież nieważne! – Alicja Boranin podniosła się z fotela. – Skoro mamy jasność, co się stało, możemy wreszcie dać sobie spokój i wracać do pracy.

– Pracowita się znalazła – mruknęła pod nosem Marie.

Adam spojrzał na nią nieco zdziwiony. Kobieta patrzyła z niechęcią na żonę Noela. Przed chwilą zdawała się pogrążona w myślach, nieobecna, a teraz wyglądała, jakby miała ochotę popełnić zbrodnię.

– Alicja ma rację – powiedział Walter, udając, iż nie słyszał odzywki Marie. – Skoro sprawa została wyjaśniona, faktycznie możemy w spokoju przystąpić do pracy. Jak rozumiem, od tej chwili szanowny inkwizytor staje się znowu naszym gościem, który oczekuje na możliwość kontaktu z bazą i przybycie jednostki naprawczej do swojego statku, i sił porządkowych w celu zabrania Roberta. Marie zapewne także odleci, a my cierpliwie poczekamy na uzupełnienia.

Zapanował gwar, na twarzach widać było odprężenie.

– Czy tylko mnie się tak wydaje – przez hałas przebił się głos Vlada – czy to wszystko kupy się nie trzyma?

– Och, zamknij się! – warknęła Sandra. – Musisz być taki upierdliwy?

– Oczywiście, że to wszystko nie trzyma się kupy – powiedział głośno komandor. – To, o czym mówiliśmy, jest tylko hipotezą. Mam jeszcze inną, o wiele bardziej interesującą.

Zapadła cisza. Naukowcy odwrócili się w stronę Adama, obserwując go z napięciem.

– O czym pan mówi? – spytał po chwili Wintermann.

– O walce koncernów. A raczej o drugim dnie, które kryje się pod tą walką.

– Można dokładniej?

– Nie w tej chwili. – Bartold wstał, rozprostował ramiona. – Na razie poproszę o dostęp do wyników prac laboratoriów fizycznych.

– Po co to panu? – spytała Alicja głosem ociekającym jadem. – I tak nic pan z tego nie zrozumie.

– Dlatego nie żądam dostępu do samych prac i suchych danych, ale do wniosków. Mózg! Do chwili aż dam znać, iż zapoznałem się z dokumentacją, nikt z członków zespołu nie może wchodzić do laboratoriów fizyki i w żaden sposób nie ma prawa łączyć się zdalnie z ich jednostkami logicznymi. Przyjąłeś?

Odpowiedź komputera utonęła we wrzawie. Protestowali wszyscy – i fizycy, i pozostali naukowcy. Solidarność zawodowa wzięła w tym momencie górę nad animozjami. Adam nie słuchał argumentów. Po prostu wyszedł.

Rozdział 10

Raport specjalny dla ministra obrony Federacji Międzygalaktycznej oraz ministra spraw wewnętrznych Rządu Federalnego Planet Układu Głównego i Kolonii – zamilkł na chwilę, zbierając myśli. SDS leżał na stoliku. Srebrne pudełko jarzyło się delikatną, błękitnawą poświatą, na wierzchniej ściance migało miarowo czerwone światełko.

Kiedy Adam zabierał się do nagrywania, miał wszystko dokładnie poukładane, ale teraz myśli zaczęły się rozsypywać. To było normalne. Nie cierpiał składać takich sprawozdań, ale nie miał też innego wyjścia. Spędził bite cztery doby w laboratorium fizyki grawitacji, żywiąc się żelaznymi racjami, które sam sobie przyniósł z magazynu. A teraz musiał złożyć raport, inaczej mógłby narazić się na zarzut niedopełnienia obowiązków, co skutkowałoby unieważnieniem całego dochodzenia. Prawo było pod tym względem bardzo restrykcyjne. Westchnął ciężko i podjął:

– Rok dwa tysiące czterysta siedemdziesiąt osiem, piąty lipca czasu uniwersalnego, godzina siedemnasta trzy. Miejsce: stacja naukowa numer jeden, Zoroaster, księżyc planety Valhalla, układ Thora w mgławicy Andromedy, kwadrant trzy „a". W dniu dwudziestego drugiego czerwca bieżącego roku przystąpiłem do inspekcji prac prowadzonych w laboratorium fizyki grawitacji wymienionej placówki. Stwierdzam, iż pracownicy stacji badawczej podjęli zaawansowane eksperymenty, wykorzystując występujące na Zoroastrze minerały, wykazujące silne oddziaływania grawitacyjne, nie powiązane z siłą ciążenia samego globu. Oficjalnie, biorąc pod uwagę założenia ośrodków uniwersyteckich, porozumienia międzyresortowe oraz zatwierdzony przez władze plan działań, placówka powinna zajmować się przede wszystkim badaniem miejscowej flory i fauny, ze szczególnym naciskiem na duże zwierzęta, tak zwane spiagoty. Ponadto, zgodnie z wytycznymi Centralnego Ośrodka Naukowego, wszelkie prace powinny prowadzić do ustalenia możliwości oraz kosztów terraformowania księżyca. Tymczasem w tym względzie, przynajmniej jeśli chodzi o prace fizyków, nie wykonano praktycznie nic poza wstępną analizą. Jak to zostało ustalone przez agencję wywiadu, wbrew umowie zawartej przez konsorcjum „Surve" z ministerstwem infrastruktury federacji, większość załogi stanowią fizycy, w tym fizycy ze specjalnością w zakresie badań nad grawitacją, mimo iż formalnie przydzielono im inne zadania i stanowiska. W związku z zaistniałymi wątpliwościami zbadałem grafik pracy w laboratoriach fizycznych z ostatnich ośmiu miesięcy, to znaczy od chwili śmierci małżeństw Gennare i Corrais. Z ogólnego stanu dwunastu pracowników, z laboratorium fizyki grawitacji korzystało regularnie sześciu, a istnieje uzasadnione podejrzenie, iż inne pracownie wykonywały analizy specjalnie na potrzeby naukowców zajmujących się grawitacją. W związku z zagrożeniem, jakie niosą za sobą niekontrolowane przez rząd odkrycia naukowe, dotyczące wielowymiarowych podstaw mechaniki grawitacji, wnioskuję o pełne zabezpieczenie wyników pracy stacji badawczej numer jeden na Zoroastrze.

Zamyślił się znowu, nabrał powietrza. To, co miał w tej chwili powiedzieć, stanowiło gwóźdź do trumny konsorcjum „Surve", a w każdym razie przyczynek do objęcia go kompleksową kontrolą przez służby bezpieczeństwa państwa. Ale to tylko początek, pretekst, aby dosięgnąć „Diavo" i „Stella Virginis".

– Ogromne wątpliwości budzi lokalizacja samej bazy. Została bowiem umiejscowiona w strefie wyjątkowego nasycenia skał w minerały wykazujące cechy samodzielnej – jak ją określono podczas prac badawczych – grawitacji. Wiąże się to z ogromnym nakładem kosztów, jakie poniosła zainteresowana korporacja na budowę zabezpieczeń i systemów podtrzymywania życia. Z danych geologicznych wynika, że już sto pięćdziesiąt kilometrów na umowny wschód można znaleźć obszerną płytę kontynentalną, na której nie występują zjawiska parasejsmiczne, spowodowane oddziaływaniem gwiazd i gazowego olbrzyma na grawiminerały. Umiejscowienie bazy w takim a nie innym rejonie świadczy o założonym z góry zamiarze poświęcenia prac głównie badaniom możliwości wykorzystania cech nietypowych skał. Podsumowując, lokalizacja stacji badawczej numer jeden stanowi pogwałcenie umowy i nie jest uzasadniona przesłankami geologicznymi, wynikającymi z porozumień i kontraktów.

Zamilkł, ruchem ręki zatrzymał urządzenie. Przesłanki geologiczne... W zasadzie geologia jako termin naukowy dotyczyła tylko Ziemi, jak wskazywał grecki źródłosłów. W skali kosmicznej taka nomenklatura stanowiła coś, co można nazwać nadużyciem semantycznym. Albo powinno się ustalić nazewnictwo dla każdego globu z osobna, albo opracować inną nazwę, pasującą do nowych czasów. A jednak geologia koniec końców ostała się jako najrozsądniejsze wyjście. Po prostu straciła swoją wyłączność i przywiązanie do starej planety, poza tym była również całkowicie czytelna. Ale za każdym razem, kiedy w raporcie pojawiały się dane dotyczące spraw budowy skorupy globu, Adam czuł się nieswojo. Czasem niedobrze wiedzieć za wiele. Ale cóż, właśnie takiego ogólnego wykształcenia, a właściwie ogromnego oczytania wymagano od inkwizytorów. Liczono, zdaje się, na to, że ktoś, kto interesuje się sprawami dla innych najzupełniej obojętnymi, wykaże się rozsądkiem i mądrością w nietypowych warunkach.

– Nagrywanie – rzucił. – Prace prowadzone w laboratorium fizyki grawitacji wydają się bardzo interesujące, mogą rzucić nowe światło na sposoby oddziaływania powszechnej siły ciążenia, a nawet uporządkować pewne aspekty ogólnej teorii funkcjonowania wszechświata i przepływu materii w warunkach skrajnego zwyrodnienia czasoprzestrzeni. Niestety, z zebranych informacji wynika, iż konsorcjum „Surve", działające z ramienia wrogich holdingów, zamierzało zachować wzmiankowane odkrycia jedynie na potrzeby własne i swoich mocodawców, a opłaceni przez nie pracownicy zostali zobowiązani do milczenia. O determinacji spiskowców może świadczyć fakt, iż nie zawahali się dokonać upozorowanych na wypadki zabójstw agentów rządowych, Romy i Michelangela Gennare, poświęcając przy tym własne życie. Koniec.

Sięgnął po SDS, wyjął z gniazda maleńki walec o matowej powierzchni. Spojrzał nań pod światło, a potem szybko wrzucił do ust i połknął. Przymknął oczy, wsłuchał się w siebie. Poczuł delikatne ukłucie w dole przełyku, kiedy urządzenie wczepiło się w śluzówkę, a potem zagrzebało głębiej w tkance. Było praktycznie niezniszczalne, a przy tym łatwe do namierzenia za pomocą odpowiedniego zestawu pelengującego. Powoli, w ciągu najbliższych kilkunastu godzin przeniknie w głąb ciała, dotrze do jednej kości żeber i tam ukryje się ostatecznie. Nawet gdyby Adam zginął lub umarł w sposób naturalny, znalezienie i wydobycie nagrania z jego ciała nie będzie nastręczało większych problemów.

SDS, *Scatola di Stato*... Wintermann, który wypytywał o to urządzenie nie miał pojęcia, iż jego nazwa pochodzi z nieużywanego już języka włoskiego, bezpośredniego potomka martwej łaciny. Mało kto na świecie o tym wiedział, ale jakoś tak się przyjęło, że inkwizytorzy, wiele wieków temu związani z Kościołem katolickim, w sferze nomenklatury bardzo często odwoływali się właśnie do języka, którym posługiwano się w stolicy tejże instytucji – albo włoskiego, albo nawet łaciny. Cóż, sama nazwa funkcji wywodziła się z mowy starożytnych Rzymian. Czy to była jeszcze tradycja czy już skostnienie? Tego komandor nie był pewny, jego samego irytowały te nadęte nieco formy. Tym bardziej że kilka razy spotkał się z zarzutem, jakoby stanowił jednoosobową agendę ogólnie pojętego skrajnie katolickiego chrześcijaństwa. Niektórym bardzo przeszkadzało, że jeden z najważniejszych systemów religijnych, funkcjonujących na planetach Układu Głównego, zaczyna zyskiwać coraz większą popularność wśród kolonistów, zwłaszcza na światach, gdzie życie było ciężkie i pełne wyrzeczeń. Na próżno Bartold tłumaczył, że inkwizytor nie jest już urzędnikiem kościelnym w służbie władcy, ale funkcjonariuszem państwowym o szczególnych uprawnieniach. Nieszczęśliwie dobrana nazwa ludzi mniej świadomych dziwiła, a w tych bardziej obeznanych z dawną historią budziła niechęć.

Zastanawiał się już przedtem, dlaczego ten, kto go ogłuszył przed sławetną odprawą, na której aresztował Sorensena, zostawił w spokoju SDS. Przecież na granicy świadomości Adam czuł, że jest przeszukiwany. Oznaczało to tylko jedno – napastnik wiedział doskonale, że kradzież pudełka jest pozbawiona sensu. Nie przyda się komuś, czyj kod genetyczny nie został utrwalony w pamięci urządzenia, a przy tym niezmiernie trudno je zniszczyć, za to z łatwością zlokalizować. Bartolda miała zalać krew tak, żeby wyglądało to na atak serca albo wylew. Od samego początku znajdował się w niebezpieczeństwie, to znaczy od chwili, kiedy do naukowców dotarło, kim jest naprawdę, ale po ostatniej odprawie czuł zagrożenie prawie namacalnie. Cóż, na tym polegała od zawsze praca inkwizytora – działał zazwyczaj w środowisku skrajnie nieprzyjaznym. Tak to kiedyś wymyślono i trzymano się tego schematu. Jedyną ochroną, na jaką mógł liczyć, była jego własna ostrożność oraz spryt.

Może służby propagandowe wmawiały obywatelom, że inkwizytorzy to tylko rodzaj bajki, zawsze modnych *urban legend*, właśnie dlatego, aby ułatwić zadanie samotnym śledczym. Jednak w chwili, kiedy do zainteresowanych docierało, jaka jest prawda, ta mizerna osłonka pryskała szybciej niż mydlana bańka.

Sandra przyszła po północy. Zachowywała się swobodnie, jak zawsze gotowa kochać się do zaniku tętna. Nie zważała na nieco chłodne przyjęcie, rozsiadła się w fotelu, wyciągając nogi.

– Co tam słychać, inkwizytorze? – spytała z uśmiechem. – Masz jakieś nowe tropy? Wywęszyłeś coś?

Usiadł na łóżku naprzeciwko niej. Natychmiast zarzuciła mu nogi na kolana, ruchami stóp dając znać, że życzy sobie, aby je rozmasował. Machinalnie zaczął to robić.

– Ustaliłeś już, kto jeszcze pracował dla „Surve"?

Spojrzał na nią uważnie, uśmiechnął się leciutko.

– Mówiłem przecież wcześniej, że „Surve" to tylko przykrywka. Naprawdę chodzi o coś zupełnie innego.

– Tak? – uniosła brwi. – A o co?

– O walkę, jaką toczą ze sobą ludzie stojący za holdingami „Stella Virginis" i „Diavo", a ostatnio przede wszystkim z rządem.

Potrząsnęła głową.

– Nie rozumiem. Jestem tylko głupiutką kobietką, te sprawy jakoś mnie do tej pory nie obchodziły. Co to niby za walka? Jakieś przepychanki ekonomiczne?

Adam powtórzył jej gest sprzed chwili.

– Inkwizytorzy nie zajmują się przepychankami ekonomicznymi... Tutaj rzecz idzie o coś więcej. Wiesz, czym zajmowali się inkwizytorzy w dawnych czasach?

– Palili ludzi na stosach.

– To duże uproszczenie, ale z grubsza się zgadza. Nie chodzi mi jednak o to, co robili na samym początku istnienia Świętego Oficjum, ale już w erze kosmicznej, po reaktywowaniu tej funkcji.

– Oświeć mnie.

– Dobrze. – Usadowił się wygodniej, przestał masować stopy kobiety. – Kiedy powstały pierwsze kolonie oddalone od Ziemi już nie o miesiące czy lata świetlne, ale o dziesiątki, setki, a nawet tysiące lat, zaczęły się pewne problemy natury religijnej. Jedna z kolonii, sporych już i okrzepłych, ogłosiła, że ma własnego mesjasza. Brzmi to może dość zabawnie, ale... No właśnie. Przestaje być takie śmieszne, jeśli weźmie się pod uwagę różne implikacje tego faktu. Nadejście tegoż mesjasza poprzedził wybuch supernovej. Podobne zjawiska kosmiczne zawsze inspirowały ludzkość do rozmaitych spekulacji. I nie byłoby to nawet takie złe, z tym mesjaszem, gdyby wieść nie rozeszła się po innych koloniach. Nie pytaj, jak, skoro wszystkie nici teoretycznie trzyma rząd w Układzie Głównym, a wówczas nie istniała jeszcze rozwinięta łączność kwantowa. Istnieją wszak kontakty handlowe, ludzie przemieszczają się, podróżują. Trudno oczekiwać, że ktoś się nie wygada. W końcu stało się tak, że każda większa kolonia zapragnęła mieć własnego zbawiciela, a jeśli dodać do tego spektakularne zjawiska kosmiczne, które przecież zdarzają się dość często... W oddalonych koloniach prawdopodobieństwo zaobserwowania chociażby supernovej rosło z każdym parsekiem ekspansji. Trudne warunki życia sprzyjają religijności. Jakiejkolwiek. Nieważne, w co wierzysz, byleś wierzył szczerze, bo to ułatwia pogodzenie się z oporem materii. A skoro już wierzysz głęboko i masz własny świat, nie od rzeczy byłoby tak na co dzień powoływać się na osobistego zbawiciela.

Adam zamyślił się.

– I co z tego? – spytała Sandra, korzystając z chwili przerwy w opowieści. – To było takie straszne?

– Coś podobnego mogłoby rozsadzić od środka cały organizm federacji. Rozumiesz, o co chodzi? Właśnie. I tak mieliśmy i mamy do tej pory dość problemów z mnogością wierzeń, z odłamami, na jakie rozpadły się systemy religijne. Dlatego na mocy porozumienia rządu z głowami największych religii, wyznaczono inkwizytorów, którzy pojawiali się wszędzie tam, gdzie istniało zagrożenie.

– Żeby co, zlikwidować tego, kto uchodził za nowego duchowego przywódcę?

– Żeby obserwować rozwój wydarzeń. Zabójstwo nie zawsze jest najlepszym rozwiązaniem. Ale w sumie, pilnowanie to jednak dość idiotyczny pomysł, co?

– Idiotyczny – zgodziła się. – Nie da się chyba skontrolować wszystkiego.

– Właśnie. Dlatego na szczęście dość szybko zrezygnowano z tego typu praktyk. Rząd, nawet tak potężny jak w przypadku Federacji Międzygalaktycznej, nie jest w stanie kierować wszystkim, śledzić każdy najdrobniejszy ruch. A w momencie wdrożenia systemu komunikacji kwantowej, polityka informacyjna stała się o wiele skuteczniejsza niż przedtem. Dostęp do informacji, poczucie łączności z dalekim Układem Głównym zrobiły

306 · Rafał Dębski

swoje. Oczywiście, tendencje odśrodkowe nadal są, ale najważniejsze, żeby kolonie, przynajmniej na razie, nie wyrywały się spod władz federalnych. Mało kto dzisiaj pamięta o tamtych wydarzeniach, tym bardziej że nie były nagłaśniane, wręcz przeciwnie, ale funkcja inkwizytorów została wraz z tą niezbyt szczęśliwą nazwą, choć zaczęli zajmować się czymś innym.

– A czym? Bo, prawdę mówiąc, straciłam już rozeznanie.

– Nie ty jedna – zaśmiał się. – Sam czasami mam wątpliwości. Ale w przypadku mojej misji sprawa jest jasna.

– To znaczy?

Popatrzył na nią spod zmrużonych powiek.

– Jesteś pewna, że chcesz wiedzieć?

– Jestem kobietą, a my zawsze chcemy wiedzieć wszystko! Mężczyzna w twoim wieku powinien zdawać sobie z tego sprawę.

Adam podjął masaż, na twarzy Sandry rozlał się wyraz błogości.

– Wiesz, co to jest ciemna materia? – spytał nagle dość ostro.

Drgnęła, wzruszyła ramionami.

– Idiotyczne pytanie. Pewnie, że wiem.

– A ciemna energia?

– Zamierzasz zadawać mi pytania z zakresu edukacji elementarnej studentów astrofizyki? Ta wąska specjalizacja, na którą tak bardzo narzekasz, nie posunęła się jeszcze tak daleko, żebyśmy nie wiedzieli o bożym świecie.

– Nie irytuj się. Pytam, bo muszę mieć punkt zaczepienia. Otóż, jak doskonale wiesz, bilans ekspansji wszechświata możemy określić jako dodatni. Kosmos rozszerza się nieustannie, w dodatku dzieje się to coraz szybciej. Siły grawitacji nie są w stanie zahamować tego zjawiska, a ciemna energia, jeśli wierzyć obliczeniom, staje się coraz potężniejsza. Ergo, nastąpi wreszcie taka chwila, że wszechświat stanie się praktycznie pusty, rozluźnieniu ulegną nawet wiązania atomowe, a wtedy nadejdzie zupełny koniec... Zapewne więcej na ten temat wie Marie i fizycy grawitacyjni, ale ty na pewno też masz o tym pewne pojęcie.

– Oczywiście, że mam – wzruszyła ramionami. – Zajmuję się przecież cząstkami elementarnymi, to, o czym mówisz interesuje mnie w jakiś tam sposób. Chociażby dlatego, że w pewnym momencie ciemna energia może stać się tak potężna, zacząć działać w tak, nazwijmy to, odśrodkowy sposób, że zniszczy nie tylko wiązania atomowe i struktury subatomowe, ale wpełznie nawet w wyższe i niższe wymiary, zakłócając funkcjonowanie strun. Ale jaki to ma związek z twoją obecnością tutaj?

– Zasadniczy, Sandro. Mówiłem ci o „Stella Virginis" i „Diavo".

– Mówiłeś. Ale to wielkie holdingi. Interesuje je cokolwiek poza zyskiem? To bzdura.

– Bzdura, jeżeli się nie wie, kto stoi za tymi holdingami. Powstały kilkadziesiąt lat temu, zrobiły błyskawiczną karierę, przetrwały w dobrej kondycji wszelkie kryzysy, nie zaszkodziły im zmiany, nowe uregulowania prawne. Bezustannie rosły w siłę, wbrew wszystkiemu, wbrew ostrej i bezwzględnej konkurencji firm mających kilkusetletnie tradycje i wielkie wpływy w sferach władzy. Nic... Znasz instytucję, która byłaby aż tak odporna na zawirowania?

– Nie zastanawiałam się nad tym nigdy. Może dlatego, że od ciebie pierwszy raz słyszę, że te firmy są aż tak stare.

– Kościół, Sandro – wyjaśnił Adam, mimowolnie ściszając głos. – Tylko kościoły są tak trwałe.

Patrzyła na niego z niedowierzaniem.

– Holding miałby być kościołem?!

– W zasadzie rodzajem rozbudowanej sekty. Właśnie na tym polega problem. Agendy rządowe zorientowały się w ich właściwej działalności stosunkowo niedawno. Dokładnie w momencie, kiedy zrobiło się za późno, aby je przydepnąć i cichutko zadusić. „Stella Virginis" i „Diavo" to firmy reprezentujące kościoły kreacjonistów i destrukcjonistów. Z początku działały tak, jak wszystkie konsorcja, zażarcie walczyły o rynki, a dopiero niedawno okazało się, czym są w istocie. Nie ma już chyba miejsca w zasiedlonym kosmosie, do którego nie sięgałyby ich macki. Nawet tutaj...

– Co ty mówisz?! – przerwała mu gwałtownie. Już dobrą chwilę temu zapomniała o przyjemności, jaką sprawiał jej dotyk mężczyzny, teraz zreflektowała się, wyciągnęła wygodniej w fotelu, poddając pod jego dłonie opięte spodniami krągłe kolana. – Co ty mówisz? – powtórzyła łagodniej. – Przecież to stacja badawcza. Po co takie koncerny miałyby...

– Posłuchaj do końca. Wiesz, co znaczą nazwy tych firm? „Stella Virginis" to „Gwiazda Dziewicy", a „Diavo" jest skrótem od terminu „Diavolo", to znaczy diabeł. – Zamilkł na chwilę, czekając, aż informacja dotrze do kobiety. – Jednych możemy nazwać kreacjonistami, drugich destrukcjonistami. Dawniej kreacjonizm oznaczał pogląd, iż świat został stworzony przez Boga w dość gwałtownym i krótkotrwałym, że tak to określę, akcie. Że powstała Ziemia, Księżyc i cały kosmos, a świat został zasiedlony przez rośliny, zwierzęta i ludzi. Teraz jednak termin kreacjonizm zmienił znaczenie. Oznacza pogląd, jakoby ludzkość miała uczynić wszystko, aby zapobiec śmierci wszechświata.

– To głupie – zauważyła.

– Głupie – zgodził się – i niesłychanie zarozumiałe. Ale ludzie są nieodmiennie zarozumiali. Gorzej, kiedy ta pycha staje się naprawdę groźna.

– Dobrze – kiwnęła głową. – Ale jak to się ma do naszej stacji?

– Bardzo się ma, skarbie. Przecież pracujecie tutaj nad możliwością wykorzystania energii grawitacyjnej zawartej w skałach...

– Prowadzimy przede wszystkim badania nad spiagotami i możliwością terraformowania...

– Nie kpij ze mnie, proszę. Do takich prac nie potrzeba aż tylu fizyków grawitacyjnych. Nie oszukujmy się, w ogóle ich nie potrzeba. „Stella Virginis" i „Diavo" mają swoich ludzi wszędzie, nawet w rządzie i w Centralnej Komisji Kwalifikacyjnej. Wiem doskonale, że od dawna weryfikacja członków załóg stacji badawczych pozostawia wiele do życzenia, ale takiego zbiorowiska różnych typów jak tutaj nie widziałem jeszcze nigdy. Jestem także na sto procent pewien, że małżeństwa Gennare i Corrais reprezentowały przeciwstawne interesy, a któraś z tych par powiązana była właśnie z jednym z kościołów.

– Z czego to wnosisz?

– Z samopoświęcenia. Tylko religijni fanatycy są zdolni to takich działań. Zauważ, że zginęli niejako na posterunku, pilnując się nawzajem. Mówiłem o tym podczas odprawy.

– Mówiłeś, ale wtedy brałam to za zagranie z twojej strony, mydlenie oczu. Blef, mający zmusić kogoś do gwałtownej reakcji.

– Po części tak było.

– A co z tymi holdingami, opowiesz więcej, czy to tajemnica?

– W niektórych aspektach rzeczywiście tajemnica. Ale skoro wiesz już tyle, mogę dokończyć, wyjawić jeszcze to i owo.

– Wyjaw więc. – Sandra uśmiechnęła się, układając się wygodniej, by Adam mógł sięgnąć do jej ud i wyżej.

– Widzisz – powiedział, znowu podejmując erotyczną grę – zasadniczym celem sekty kreacjonistów jest powstrzymanie ekspansji wszechświata, niejako zatrzymanie go i ustalenie stanu równowagi. W tym celu wystarczyłoby zrównoważyć moc ciemnej energii siłą grawitacji. Jak sama wiesz, opanowaliśmy pewne aspekty siły ciążenia, ale to tak, jakbyśmy zjedli zaledwie małą wisienkę z czubka gigantycznego tortu.

– Rozumiem – skinęła głową. – Wydaje ci się, że to, co znaleźliśmy na Zoroastrze, może być kuszące dla tych fanatyków?

– Gdyby mi się tylko wydawało, nie byłoby tak źle. Ale po przejrzeniu zapisów pracy laboratorium, zyskałem pewność, iż ta sprawa jest dla przedstawicieli kreacjonizmu bardzo kusząca. Wygląda na to, że próby wyekstrahowania substancji czynnych z tutejszych skał są dość zaawansowane.

– Dobrze. – Sandra pochyliła się, zatrzymała jego dłoń pełznącą zbyt śmiało jak na taką rozmowę. – To kreacjoniści. A destrukcjoniści? Chcą, żeby wszechświat rozrzedził się do ostatecznych granic, by pochłonęła go bądź pustka, bądź rozpadł się zupełnie?

– Destrukcjoniści faktycznie chcą, aby kosmos spotkał los, jaki jest mu przeznaczony. To oczywiste.

– Czyli co, zamierzają zniszczyć wyniki badań? Ale jak dotąd nie było próby...

– Nie było próby, bo obie strony są zainteresowane pracami nad grawitacją. Muszę tłumaczyć ci jak dziecku, czy sama potrafisz dojść, dlaczego?

Spojrzała na niego spod oka, puściła jego dłoń, która natychmiast powędrowała tam, gdzie poprzednio.

– Jedni chcą wykorzystać grawitację dla przezwyciężenia ekspansji wszechświata, a drudzy pragną zapoznać się z pracami, by wiedzieć, jak przeciwdziałać? To bez sensu. Ale... Zaraz... Takie zjawiska jak tutaj można wykorzystać w bardzo różny sposób...

– Na przykład? – Adam tym razem sam zatrzymał dłoń, by nie przeszkadzać kobiecie w rozważaniach.

– Na przykład tak ukierunkować sztucznie wytworzone pola, żeby wręcz przyśpieszyć ucieczkę galaktyk i koniec wszechświata.

– Albo?

– Albo... poczekaj – zastanawiała się przez chwilę. – Albo zagrać tak, by kosmos zamiast się rozszerzać, zaczął się kurczyć, wrócił do punktu wyjścia. Tak czy owak, koniec.

– Brawo – Bartold uśmiechnął się.

Sandra wstała, przesiadła się na jego kolana, rozpięła magnetyczny suwak kombinezonu, położyła jego rękę na swojej piersi.

– A co dostanę w nagrodę?

– Za momencik – odpowiedział niskim, wibrującym głosem, obiecującym rozkosz. – Jest tylko jeszcze jedna rzecz.

– Och, co znowu? – spytała z zawodem, siadając z powrotem w fotelu i zarzucając mu nogi na kolana.

– Drobiazg. Nie zapytałaś ani razu, po co to wszystko. Dlaczego „Stella Virginis" i „Diavo" tak się przejmują zdarzeniami, które mogą nastąpić w przyszłości tak odległej, że w zasadzie nie ma to znaczenia. I jak niby miałoby nastąpić powstrzymanie ucieczki galaktyk i neutralizacja ciemnej energii, skoro potrzeba do tego niewyobrażalnych nakładów. Przy obecnym poziomie rozwoju, w przewidywalnym czasie nie może być o tym mowy.

– Nie zapytałam, bo to bez sensu. Kto tam trafi za fanatykami?

– Fanatykami? Tym mianem można określić ludzi zaangażowanych bezpośrednio w walkę z rządem, wierzących w każde słowo swoich guru. Ale na czele takich holdingów i korporacji, nawet skrajnie sekciarskich, stoją osoby z głową na karku, posiadające dokładnie opracowane plany.

Zrzucił jej nogi z kolan, wstał i podszedł do drzwi.

– Żegnam panią, pani Gaut. Spełniłaś swoją rolę, uzyskałaś informacje, wykonałaś zadanie, a teraz wyjdź!

– O czym ty mówisz?! Odbiło ci?!

– Lubisz seks na tyle, żeby bez trudu przekonać każdego mężczyznę o autentyczności swojego zaangażowania. Posiadasz silne cechy nimfomanki, a to ułatwia tego typu pracę. I z początku wierzyłem nawet, że sypiasz ze mną z czysto kobiecych, nie tylko fizjologicznych, ale i emocjonalnych pobudek. Ale popełniłaś ostatnio parę błędów. Myślisz, że nie zauważyłem twoich niechętnych spojrzeń, nie zwróciłem uwagi na ton, jakim mówiłaś, i na to, co nieświadomie sygnalizowałaś? Ale dzisiejsza rozmowa przekonała mnie ostatecznie.

– Bo co, bo nie zadałam paru głupich pytań?

– Owszem. I jeszcze jedno. Nie zapytałaś też, który holding jest przedstawicielem którego poglądu.

– To chyba jasne, prawda?

– Wcale nie. Jesteś umysłem ścisłym. Powinnaś mieć w tym względzie wątpliwości, a nie masz. To oznacza jedno. Żegnam.

– Wygłupiasz się.

– Nie wygłupiam. Nie podejrzewam ani ciebie, ani większości twoich towarzyszy o sekciarstwo. Podejrzewam was o inne rzeczy. Ale teraz to nieważne. Wynoś się!

Wstała. Jej twarz była ściągnięta, zastygł na niej wyraz zaskoczenia i niechęci.

– Bydlę – splunęła mu w twarz.

Otarł się rękawem, wskazał jej wyjście.

– Bydlę – powtórzyła, przekraczając próg.

Adam zastanawiał się przez chwilę, czy Sandrę bardziej rozdrażniło, że została zdemaskowana, czy że odrzucił jej ciało. Nie był w stanie odgadnąć.

Jednego tylko był pewien – poruszył lawinę, która w pewnym momencie spadnie na jego głowę.

Następny dzień rozpoczął się alarmem burzowym. Kontrolka interkomu migała, informując, że ktoś nie mógł się

dodzwonić i zostawił wiadomość. Adam dotknął światełka. Natychmiast pojawiła się twarz Noela. Egzobiolog
był najwyraźniej bardzo podekscytowany, niecierpliwie
odrzucił opadającą na czoło grzywkę. Nieregulaminową,
jak skonstatował Bartold, zbyt długą grzywkę. Gdybyż
tylko takie wykroczenia tutaj popełniano...

– Adamie – powiedział Boranin – jeśli dasz radę,
przyjdź do obserwatorium. Szykuje się burza, jakiej jeszcze nie mieliśmy! Będzie na co popatrzeć!

Komandor wstał natychmiast, zrobił krok w stronę
łazienki.

– Przypominam, że podczas zaburzeń ciążenia o tak
wielkiej amplitudzie należy pozostać w łóżku – oznajmił
aksamitny głos mózgu.

– Pamiętam – mruknął Adam.

Czuł, że powinien jak najszybciej znaleźć się w obserwatorium. Było w głosie Noela coś, co niepokoiło i in-
trygowało zarazem. Zupełnie jakby egzobiolog bał się,
a jednocześnie oczekiwał wydarzenia z utęsknieniem.
Amortyzatory pracowały na pełnych obrotach, większość lamp w ogóle się nie paliła, działały jedynie systemy alarmowe.

Adam, lekceważąc kolejne ostrzeżenia jednostki centralnej, wyszedł na korytarz. Tutaj było zupełnie ciemno,
jeśli nie liczyć rzędu migających czerwono światełek przy
wyjściu na klatkę schodową prowadzącą do obserwatorium. Pośpieszył w tamtym kierunku, wyciągając przed
siebie rękę ustawioną na skos przed ciałem. Tak uczono
go podczas pierwszych treningów. Człowiek pogrążony
w ciemnościach odruchowo wyciąga obie ręce na wyso-
kość piersi, bojąc się zderzenia z przeszkodą. Ale jeżeli

przeszkodą byłby słup, łatwo go wziąć między dłonie i rozbić sobie twarz. Pozycja z ramieniem wysuniętym na skos zapobiega takim niespodziankom, a wystarczająco wcześnie ostrzega przed niebezpieczeństwem. „Zawsze zdążycie się pozbyć durnych łbów albo rąk, elewi – mawiał porucznik prowadzący zajęcia. – Więc najpierw spróbujcie zrobić to tak, żeby było dobrze". To była maksyma, którą nie tylko ten jeden wykładowca próbował wpoić przyszłym pilotom. Może niezbyt skomplikowana, ale w praktyce nad wyraz skuteczna. Spróbować zrobić tak, żeby było dobrze... Wprawdzie Adam nie spodziewał się znaleźć na drodze niespodziewanej przeszkody, ale ostrożności nigdy za wiele.

Dopiero po chwili do czerwonych światełek dołączył mdły poblask lampek awaryjnych. Mózg stacji zareagował z opóźnieniem na fakt, iż w korytarzu znalazł się człowiek. To także świadczyło o potędze żywiołu na zewnątrz. Wszystkie obwody musiały być przeciążone do granic wytrzymałości. Adam szedł najszybciej jak mógł. Dwa ostatnie kroki podbiegł. Klatka. Schody także pogrążone były w ciemności, ale tutaj światła rozjarzyły się bez opóźnień. Obejrzał się szybko. W korytarzu system wygasił już oświetlenie, redukując pobór mocy do minimum. Każda porcja energii była teraz na wagę złota. Komandor faktycznie nie powinien ruszać się z kajuty, żeby nie przysparzać dodatkowych problemów układom podtrzymującym życie, ale Noelowi najwyraźniej bardzo zależało na jego obecności w obserwatorium.

Zresztą teraz, skoro już wyszedł, powrót nie miał najmniejszego sensu. Zmarnowałby tylko więcej energii na światło w korytarzu i otwieranie drzwi.

– Mózg, nie zapalaj lamp na schodach, poradzę sobie.

Szedł po ciemku, licząc stopnie. Powinno być ich dwadzieścia do pierwszego podestu, osiemnaście do drugiego, potem drzwi na korytarz drugiego poziomu, jeszcze półtorej kondygnacji i pancerne wejście do obserwatorium. W sumie pięćdziesiąt schodków. Komandor zbadał to podczas pierwszych dni, kiedy snuł się po stacji w charakterze nieco znudzonego gościa. Takie informacje bywają bardzo przydatne.

Dotarł na miejsce lekko zdyszany. Amortyzatory praktycznie nie niwelowały już naturalnego ciążenia Zoroastra, cały system pracował tylko nad tym, żeby fluktuacje grawitacji wywołane przez burzę nie były zbyt wielkie. Adam nacisnął klawisz otwierający grube wierzeje. Nic. Czyżby i te obwody zostały odłączone? Nacisnął jeszcze raz. Chętnie zabębniłby w drzwi pięścią, ale nic by to nie dało. Zresztą, po drugiej stronie na pewno odezwał się brzęczyk, więc ktoś powinien zareagować. Już miał wezwać mózg do interwencji, kiedy płyta odsunęła się powoli, jakby z trudem. Po drugiej stronie stał zasapany Noel.

– Musiałem ręcznie – mruknął. – Zasilanie padło. Wejdź. Zobaczysz prawdziwy taniec spiagotów.

Adam z ciekawością spojrzał w okno. Burza była rzeczywiście potężna. Poprzednim razem nie widział aż tak wspaniałych barw. Musiał przyznać, że nie miał okazji obserwować podobnych zjawisk kolorystycznych jeszcze nigdy. Nawet najpiękniejsze mgławice nie mogły się równać z fenomenem za szybą.

W fotelu przy pulpicie sterowniczym siedziała jak zwykle Marie Maguire-Sorensen. Zerknęła na przybyłego obojętnie, zaraz jednak wlepiła spojrzenie w widok na zewnątrz. W drugim fotelu, tyłem do Adama, rozparł się ktoś jeszcze. Widać klub miłośników zjawisk na księżycu Valhalli poszerzył się nieco ostatnimi czasy. W tym momencie uwagę komandora przykuło zjawisko, którego idąc tutaj zupełnie się nie spodziewał. W barwnej kurzawie, w zmieniających się gwałtownie polach grawitacyjnych, ujrzał spiagoty. Szybowały w tym piekle dostojnie, zupełnie jakby zawirowania nie były w stanie wytrącić ich z równowagi. Widać było tylko, jak od czasu do czasu któregoś lekko podrywa, ale zaraz stworzenie wyrównywało lot. Stado poruszało się z niesamowitą harmonią. Ciała zwierząt układały się w ciąg wzorów – trudno to było Adamowi określić inaczej – powtarzanych z zadziwiającą celowością.

– Niesamowite, co? – Noel szeptał mu prosto do ucha. – Marie dopiero przed chwilą wyłączyła dźwięk. I dobrze, bo byśmy tutaj chyba powariowali.

Spiagoty nagle zawirowały szybciej, a zaraz potem przyszło potwornie silne uderzenie, podłoga zadrżała. Noel czym prędzej podbiegł do fotela, klapnął ciężko. Adam chciał pójść w jego ślady, ale zatrzymała go wycelowana prosto w pierś lufa. Osoba, która do tej pory siedziała tyłem, odwróciła się nagle. Na inkwizytora spojrzały zimne oczy.

– Nie chciałem tego – powiedział Noel. – Zmusił mnie...

– Wiem – Bartlod kiwnął głową. – Nie mam żalu. Prędzej czy później powinienem się tego spodziewać.

Spiagoty krążyły, tworząc coraz to nowe konstelacje. Ich szare ciała zaczęły teraz lśnić seledynowo, zupełnie jak odczynnik, który Grigorij wlał do retorty podczas ostatniego eksperymentu. W tej chwili Adam zrozumiał, że ta ciecz musiała pochodzić nie skądinąd, lecz z ciała spiagota.

Martin Gaut uśmiechnął się paskudnie.

– Nasz drogi inkwizytor – powiedział drwiąco, mocniej ściskając tę samą zmodyfikowaną lutownicę, którą komandor oddał Elzie Wintermann do ekspertyzy. Kółko właśnie się domykało. – Obawiam się, że to już koniec twojego węszenia.

– Dogadaliście się wreszcie, co? – spytał Adam, czując coraz mocniejsze wibracje pod stopami. – Zrozumieliście, że to wszystko wygląda nieco inaczej niż mogłoby się wydawać?

– Nie wyglądasz na zdumionego.

– Bo nie jestem. Przestępcy zawsze potrafią się porozumieć w obliczu zagrożenia.

– Doprawdy? Powinieneś jednak choć trochę się zdziwić, bo nie jesteśmy przestępcami. Po prostu reprezentujemy różne interesy.

– Tak. Lecz żadne z was nie jest tak gotowe do poświęceń jak małżeństwa Gennare i Corrais. Po prostu interesy „Stella Virginis" i „Diavo" są bardzo rozbieżne, ale ich rozbieżność jest tak wielka, że w pewnym momencie zaczynają się stykać. Tak to jest z każdym kontinuum. Pewien wielki poeta, bodaj Goethe, napisał kiedyś: „Początek i koniec podają sobie dłonie". Przypuszczam, że w waszej sytuacji łatwiej było porozumieć się z wrogiem niż z kimś rozsądnym.

– Bardzo dużo gadasz – mruknął Gaut.

– A gdzie reszta? – Adam nie zwrócił uwagi na słowa mikrobiologa. – Pewnie włamali się do laboratoriów i robią eksperymenty, korzystając z tej zawieruchy na zewnątrz.

– Tak jest – oznajmił radośnie Gaut. – Twoja *Scatola di Stato* nie jest tak doskonała, jak ci się wydawało. Wszystko można obejść, nawet inkwizycyjne sztuczki. Tacy jak ty zapominają, że z naukowcami nie jest tak łatwo jak ze zwykłymi ludźmi. Wiesz, jaki jest poziom inteligencji mój i każdego z członków zespołu z osobna? Nie masz z nami najmniejszych szans, powinieneś zrozumieć to już na samym początku. Za mądrzy jesteśmy dla ciebie.

– Nie myl inteligencji z mądrością – Adam uśmiechnął się kącikami warg. – Można być bardzo inteligentnym głupcem.

– Ale nie można zostać głupim mędrcem. Nie filozofuj, siadaj tam.

Martin wskazał Adamowi fotel naprzeciwko swojego, oddalony na tyle, żeby komandor nie mógł przeprowadzić zaskakującego ataku.

– A ty jesteś durniem, inkwizytorze. Wydawało ci się, że masz nas w garści? Że wystarczy dobrze nastraszyć tę idiotkę Sandrę, a sami oddamy się w twoje ręce? Naprawdę wierzysz w te bzdury o ratowaniu bądź unicestwianiu wszechświata?

– Cóż, doktorze Gaut. Masz mnie chyba jednak za głupszego niż jestem. Problem w tym, że wy też nie wiecie, o co naprawdę chodzi waszym mocodawcom.

– Nie bądź śmieszny – Martin prychnął pogardliwie. – Im na pewno idzie, jak zwykle, o pieniądze i władzę. O to, kto pierwszy opanuje technologię wykorzystania skał grawitacyjnych Zoroastra. W tym nie ma religii, ideologii ani innych bzdur, a jeśli są to tylko przy okazji.

Chodzi o czysty biznes ukryty pod otoczką fanatyzmu. Taka pułapka w pułapce. Niby zwyczajny holding, a jednak jest w gruncie rzeczy ukrytą sektą. To może zmylić. Ale tak naprawdę koniec końców firma troszczy się wyłącznie o interesy i wpływy. A rząd zachodzi w głowę, zastanawia się i zamiast brygady komandosów przysyła samotnego inkwizytora.

– A jednak to ty jesteś durniem, Gaut – Adam wydął pogardliwie wargi. – Jesteś cholernym głupcem.

Ascetyczny naukowiec wzruszył ramionami.

– Wystarczy już tego dobrego. Powędrujesz teraz do izolatki. Posiedzisz razem z tym erotomanem. – Na twarzy Gauta odmalował się niesmak. – Może się nawet pozabijacie, to już nie moja sprawa.

Drżenie podłogi narastało, amplituda drgań stawała się coraz większa. Zgasły światła, pomieszczenie rozświetlał blask dochodzący zza pancernej szyby. Barwne rozbłyski burzy stały się oślepiające. Gaut doskonale wybrał miejsce – siedział tyłem do panoramicznego okna, po bokach miał na oku Marie i Noela, którzy zresztą i tak nie podjęliby najmniejszej próby sprzeciwienia się uzbrojonemu koledze, a światło wytwarzane przez kataklizm biło w oczy Adama.

– To wszystko też na potrzeby eksperymentów, prawda? – Bartold postanowił podjąć jeszcze próbę przedłużenia rozmowy. Nikt nie jest w stanie zachować stuprocentowej koncentracji przez dłuższy czas, szarpany przeciążeniami, w dodatku konwersując i myśląc intensywnie. – Chodzi mi o niestabilną pracę amortyzatorów grawitacyjnych. Nie jest związana tylko i wyłącznie z niewydolnością systemów, prawda? Czy dobrze się domyślam, że to zgniły kompromis między śmiertelnym zagrożeniem, jeśli stacja straciłaby osłony, a koniecznością prowadzenia badań w warunkach chociaż z grubsza zbliżonych do naturalnych?

– Zasadniczo tak – zaśmiał się Gaut. – Próbki potrzebują silnych impulsów. Ale dzisiaj jest na poważnie. Niestabilność grawitacji na zewnątrz jest naprawdę trudna do okiełznania. Nie szkodzi, poradzimy sobie. W razie czego system odetnie dosłownie wszystko, z urządzeniami podtrzymywania życia włącznie, a my szybciutko zejdziemy do schronu. Nie ma się czego obawiać. To znaczy my nie mamy, bo ty zostaniesz sobie z tym czubem. Nie wiem, czy to przeżyjecie.

– Zdajesz sobie sprawę, że to wszystko jest rejestrowane? – spytał Adam.

– Mam to w dupie, inkwizytorze. Jesteśmy lepiej zabezpieczeni niż ci się wydaje.

Adam pochylił głowę.

– Mózg – wymamrotał pod nosem. – Mózg, kod siedemset dwadzieścia dwa łamane przez delta. Przyjąłeś? Potwierdź.

– A ty co, modlisz się? – spytał podejrzliwie Gaut.

Nie dosłyszał, co powiedział komandor. Bartold liczył na to, że mikrofony jednostki centralnej są znacznie czulsze niż uszy naukowca, że głos Adama dotrze do nich mimo szumu i wibracji.

– Potwierdzam, komandorze Bartold – zabrzmiało z głośników.

Martin spojrzał zdumiony, mocniej ścisnął broń.

– Wyłączyć całkowicie zasilanie amortyzatorów grawitacji. Do odwołania.

Adam miał ochotę wykrzyczeć polecenie, ale powstrzymał się. Wypowiedziane normalnym głosem nie robiło tak porażającego wrażenia, dawało ułamek sekundy przewagi, zanim sens słów dotrze do przeciwnika. Natychmiast stoczył się z fotela, poturlał pod ścianę. Gaut zdołał wypalić tylko raz, zanim złapały go kleszcze potężnej siły. Zwisł, przechylony przez oparcie, lutownica wypadła mu z ręki. Zsunął się z wysiłkiem, zaległ na podłodze.

Adam nie próbował walczyć z ciążeniem. Był na to zbyt doświadczony, zdawał sobie doskonale sprawę, jaki to beznadziejny wysiłek, w dodatku w sytuacji, kiedy grawitacja wyczyniała podobne harce. Leżał płasko na plecach, czując w piersiach taki ucisk, jakby zaległ na nich młody spiagot. Po chwili ucisk zelżał, żeby powrócić z jeszcze większą siłą. Pole widzenia zawęziło się znacznie – aby dostrzec, co robi Martin Gaut, Adam musiał przekręcić głowę. Natychmiast poczuł, jak skronie dostają się w potężne imadło, kark wygina się, a policzek przylepia do podłogi. Mikrobiolog zastygł w przedziwnej, wykręconej pozie. Prawą rękę wyciągnął daleko przed siebie, lewa utkwiła pod ciałem, które ważyło teraz nie sto pięćdziesiąt kilogramów, jak zwykle w warunkach stacji, ale dobre trzy czwarte tony. Z rozbitego nosa i warg sączyła się krew, przy głowie leżącego rosła kałuża. Przy normalnym ciśnieniu krwotok na pewno nie byłby aż tak wielki. Marie spoczywała rozpłaszczona w fotelu, łypiąc bezradnie na boki, zapewne już nic nie widziała. Dla kogoś nieprzygotowanego i nieprzystosowanego do skrajnych przeciążeń to, co się działo, musiało być koszmarem. Noel, który najwyraźniej próbował wstać, zaległ na boku. Adam pomyślał przelotnie, że niektóre delikatniejsze urządzenia mogą nie wytrzymać tej karuzeli. Ale to nie było w tej chwili ważne. Walczył ze wszystkich sił, żeby nie stracić przytomności. Kod siedemset dwadzieścia dwa łamane przed delta był jednym z najniebezpieczniejszych, jakie stosowali inkwizytorzy. Znosił bowiem wszelkie blokady mózgu głównego, unieważniał dyrektywy ochrony życia. Jego używanie było nieformalnie wręcz zakazane, rezerwowano je na zupełnie wyjątkowe okazje. Komandor błogosławił się w duchu za to, że w nocy, po rozmowie z Sandrą, wprowadził do jednostki logicznej całą zawartość SDS. Inaczej za każdym razem musiałby weryfikować polecenia, a w sytuacji krytycznej nie było na to absolutnie czasu. Z drugiej strony, w razie gdyby mu się teraz coś stało, skazałby wszystkich ludzi w obiekcie na pewną śmierć. Jeśliby Gaut zdołał jednak trafić Adama, mózg w ogóle nie włączyłby amortyzatorów grawitacyjnych. Nawet polecenie Wintermanna nie było w tej chwili wiążące. Inkwizytor nie chciał myśleć o tym, co musiało się teraz dziać w laboratoriach. Zobaczył jak oczy Martina uciekają w głąb czaszki, powieki zamykają się mimo woli. Marie i Noel już dawno stracili przytomność. Dawno... Jakieś dziesięć sekund temu. Burza na zewnątrz szalała w najlepsze. Barwne plamy odblasków przemykały po podłodze tuż przy głowie Adama, przepływały przez niego niczym kolorowe ryby... Potem nieco pociemniało. Wtedy poczuł coś dziwnego, zupełnie nieoczekiwanego. Potworna grawitacja przestała nagle doskwierać, ogarnęła go euforia, zupełnie jakby był w stanie wznieść się lekko pod sufit mimo potwornego ciążenia. A może właśnie dzięki niemu... A z drugiej strony cały organizm protestował przeciwko takiemu traktowaniu. Z najwyższym trudem Bartlod przesunął głowę kilka centymetrów, miał wrażenie, że miękka wykładzina zedrze mu skórę z policzka. Musiał jednak sprawdzić, skąd się wziął cień. Zerknął w okno. Na początku nie wiedział, na co patrzy. Duża, jasnofioletowa płaszczyzna zasłaniała sporą część pejzażu. Przylgnęła do szyby, falując leciutko na samych brzegach. Czyżby kawałek gruntu pokrytego mchem został zerwany przez nawałnicę i rzucony wprost na pancerne okno? Dopiero po chwili dotarło do pilota, że to nie ziemia, ale... spiagot. Zwierzę przyssało się do przezroczystej powierzchni, jakby chciało ją pochłonąć i wtargnąć do wnętrza stacji.

Nadciągnęła kolejna, jeszcze silniejsza fala euforii. Nigdy wcześniej Adam nie doświadczył czegoś podobnego. Miał wrażenie, że za chwilę uleci i bez wysiłku przebije kopułę obserwatorium, aby połączyć się ze spiagotami w cudownym tańcu, by chłonąć całym sobą sprawiające niewysłowioną rozkosz impulsy grawitacji. W tej chwili stworzenia nie wydawały się groźnymi potworami, lecz pełnymi gracji niebiańskimi istotami, które wiedziały najlepiej we wszechświecie, czym jest pojęcie absolutu, prawdy, dobra i piękna... Nie – inaczej – niezupełnie w ten sposób należałoby to ująć... Jednak, z drugiej strony... Ów przebłysk świadomości wprawdzie nie był związany do końca z kluczowymi kwestiami ontologii w ludzkim pojęciu, ale chyba właśnie takie, nieporadne nieco, filozoficzne odniesienie najlepiej oddawało istotę rzeczy...

Trwało to ledwie kilka sekund, do chwili, kiedy stwór oderwał się od okna i odleciał. Inkwizytor poczuł, jak euforia znika, a wraca przykra gama wcześniejszych doznań. Gwałtowne uderzenie siły ciążenia sprawiło, że przestał już cokolwiek widzieć. Jeszcze chwila, a będzie za późno. A może już było za późno?

– Mózg, włącz amortyzację grawita...

Stracił przytomność. Nie był pewien, czy dopowiedział rozkaz do końca, nie miał pojęcia, czy komputer zinterpretuje go jak należy. W ostatnim przebłysku Adam zdał sobie jeszcze sprawę, że odtąd już zawsze będzie tęsknił do tego uczucia, które towarzyszyło mu przez tę ulotną chwilę, kiedy spiagot przylgnął do powierzchni okna. Będzie mu tego brakowało tak samo, jak...

Osunął się w bolesną ciemność.

Ocknął się obolały, czując straszliwe łupanie w głowie. Otworzył oczy, ale nie zobaczył nic prócz szarego mroku. Z jękiem przetoczył się na bok, rejestrując mgliście, że mięśnie i kości są chyba całe, choć bolą wręcz niesłychanie. Szary woal ślepoty rozdarł się leciutko, zapowiadając, iż lada chwila dotlenione komórki podejmą pracę. Może nie od razu ruszą pełną parą, ale dobrze by było dostrzec cokolwiek.

Adam ostrożnie wyciągnął prawą dłoń. Dopiero w tej chwili zdał sobie sprawę, że rozkaz jednak dotarł do jednostki centralnej. Mężczyzna dotknął palcem czubka nosa. Przyszło to z trudem, ale udało się. Potem to samo zrobił lewą ręką. Następnie przeniósł palec na ucho, po czym potarł powiekę. Podstawowe sprawności neurologiczne były zachowane. Nie wiedział, jakich spustoszeń mogły dokonać fluktuacje ciążenia, ale miał nadzieję, że miejscowy medmat poradzi sobie z nimi. I nie chodziło Adamowi o własną osobę. Grawitacja wiele razy rozrywała go na części i składała na nowo, był do tego niejako przyzwyczajony, lecz nie mógł przecież pozwolić, aby ludzie na stacji poumierali na skutek jego działań. To by się nie spodobało członkom komisji rewizyjnej. Inkwizytor mógł się posunąć naprawdę daleko, lecz nie do zabójstwa, chyba że w obronie własnej. Tutaj zaś o obronie własnej w skali globalnej nie mogło być mowy, tym bardziej że w końcu Bartold sam przecież sprowokował rozwój wypadków. Inna sprawa, że nie spodziewał się aż takiej determinacji ze strony osób pracujących dla holdingów. Błędnie założył, że nie odważą się przystąpić do zdecydowanych działań, wiedząc, iż każdy ich ruch jest nagrywany i prędzej czy później trafią przed oblicze odpowiednich władz. Coś tu było więcej na rzeczy...

Zaczął dostrzegać zamazane zarysy przedmiotów. Wszystko było czarno-białe, szarawe, na dnie oczu pracę podjęły najwyraźniej na razie tylko pręciki, czopki czekały jeszcze na swoją kolej. Dwa metry od niego leżał Martin Gaut, wciąż z wyciągniętą ręką, a jego palce dzieliło od pistoletu zaledwie kilkanaście centymetrów. Kiedy szalała grawitacja wydawało się, że te dwa metry to co najmniej pięć razy tyle, zaś dłoń mikrobiologa spoczywa bardzo daleko od zmodyfikowanej lutownicy.

Adam podczołgał się do nieruchomego Gauta, wziął broń, schował do kieszeni bluzy. Zbadał przeciwnikowi puls, uniósł powiekę. Tylko nieprzytomny. Zapewne ocknie się w stanie o wiele gorszym niż Adam, ale to i lepiej. Komandor wstał, a raczej próbował wstać – udało

mu się dźwignąć tylko na kolana. Na fotelu jęknęła i poruszyła się słabo Marie. Twarda kobieta, pomyślał Bartold z mimowolnym uznaniem. Po takim przeżyciu powinna być nieprzytomna znacznie dłużej. Jak chociażby
Noel, którego blada twarz wciskała się w zagłówek. Na
szczęście fotele przy znacznym wzroście grawitacji same
rozkładały się i poziomowały. Adam wciąż na kolanach
podszedł do Marie.

– Słyszysz mnie? – spytał.

Odpowiedział mu powtórny jęk i bezradne mruganie
oczami. Nawet jeśli docierały do niej dźwięki, z pewnością nie była w stanie nadać im sensu, zrozumieć znaczenia. Adam z wysiłkiem stanął na nogach. Zachwiał się
i byłby runął, gdyby nie zbawienny blat konsoli.

– Mózg, podaj stan załogi – wychrypiał.

– Doktor Martin Gaut nieprzytomny, doktor Marie
Maguire... – zaczął komputer.

– Nie w obserwatorium, w pozostałej części obiektu!

– Profesor Walter Wintermann przebywa nieprzytomny w swoim pokoju.

– Leży w łóżku?

– Tak jest. Doktor Elza Wintermann znajduje się
w dyspozytorni. Nie daje oznak życia. Doktor Alicja
Boranin przebywa w pracowni mechaniki grawitacyjnej, doktor Sandra Gaut przebywa w pracowni fizycznej, obie są nieprzytomne. Doktor Teresa Harding jest
w swoim gabinecie, nieprzytomna. Doktor Vlad Harding
znajduje się w laboratorium chemicznym. Doktor Robert Sorensen znajduje się w pokoju kwarantanny. Obaj
nie dają oznak życia. Doktor Zoja Sarkissian przebywa
w ambulatorium. Jest nieprzytomna.

Adama zirytowała nieco ta wyliczanka. Wolałby, żeby mózg meldował jak należy – imię, nazwisko, miejsce, stan. Bez tych wszystkich upiększeń „znajduje się", „przebywa". Stacja kosmiczna to nie dzieło literackie.

– Co znaczy sformułowanie „nie daje oznak życia"? Nie żyje?

– Znajduje się w stanie wyłączenia funkcji psychofizycznych.

Bartold odetchnął z ulgą.

– Ofiar w ludziach nie ma?

– Monitoring wskazuje, że wszyscy żyją, jednak nie potrafię określić dokładnie ich kondycji bez użycia medmatu.

Adam zastanowił się przez chwilę, spojrzał na Noela, Gauta i Marie, po czym chwiejnym krokiem wyszedł z obserwatorium.

– W jakim stanie jest obiekt? – spytał na korytarzu.

– Poważnemu uszkodzeniu uległa kopuła widokowa, korytarz prowadzący do niej został odcięty grodziami. Śluza wyjściowa numer dwa jest całkowicie zniszczona, awarii uległa winda prowadząca do tej śluzy oraz częściowo naruszona została konstrukcja hangaru. Poza tym mamy szereg drobnych usterek.

– Pozostałe urządzenia działają? Inne windy? Można ich użyć?

– Przeprowadzam testy i naprawy. Korzystanie w tej chwili z wind jest niemożliwe.

Adam westchnął ciężko, wszedł na korytarz ze schodami. To była droga przez mękę. Musiał zejść na sam dół, pokonać wszystkie poziomy. Nie, stanowczo nie był w stanie. W połowie kondygnacji zatrzymał się, dysząc ciężko. Uspokoił łomoczące serce, bardzo powoli wrócił na górę. W obserwatorium nic się nie zmieniło. Na zewnątrz trwała jeszcze burza, aczkolwiek jej moc na szczęście znacznie spadła. Zniknęły też spiagoty, zakończyły swój niesamowity taniec. Adam poczuł dreszcz na wspomnienie stworzenia, które przylgnęło do okna. Czy ktoś z obecnych na stacji poczuł kiedykolwiek coś podobnego? Czy zdawali sobie sprawę, z czym naprawdę obcują i jak wygląda prawda o Zoroastrze, na czym polega jego tajemnica? Komandorowi w tamtej chwili zdawało się, że jest blisko rozwiązania zagadki, ale teraz to poczucie zniknęło.

Klęknął przy Martinie, z wysiłkiem wydobył spoczywającą pod ciałem rękę mikrobiologa. Wygięła się pod dziwnym kątem. Chyba była złamana, a co najmniej zwichnięta w łokciu. W normalnych warunkach Bartold dźwignąłby mężczyznę, posadził w fotelu i dopiero skrępował, lecz warunki były bardzo dalekie od normalności, a on nie miał po prostu siły. Mocna taśma okręciła zatem nadgarstki mężczyzny na plecach, potem została owinięta wokół kostek. Adam sapał głośno. Z Noelem i Marie sprawa była o wiele prostsza. Wystarczyło kilka ruchów, aby przymocować ich do foteli bez konieczności podnoszenia ich kończyn,

– Mózg. – Adam oparł się plecami o konsolę. – Zablokuj wyjścia ze wszystkich pomieszczeń laboratoryjnych oraz dyspozytorni. Nikt nie ma prawa ich opuszczać.

– Konieczne jest przeprowadzenie badań wszystkich członków załogi. – Inkwizytor miał wrażenie, że w nienagannie uprzejmym głosie maszyny dosłyszał pretensję.

Czy to możliwe, żeby używanie kwasów nukleinowych w konstrukcji urządzenia czyniło sztuczną inteligencję mniej sztuczną?

– Kod siedemset dwadzieścia dwa łamane przez delta! – warknął. – Wykonać i potwierdzić.

– Potwierdzam wykonanie rozkazu – tym razem ton mózgu nie budził wątpliwości.

Obudził się po dwóch godzinach, obolały i połamany. Wykładzina była miękka, ale nie mogła zastąpić łóżka. Nie tyle zresztą obudził się, co został obudzony. Ze snu wyrwał Adama stek głośnych przekleństw i wyzwisk. Gaut leżał na boku, spoglądał z nienawiścią i klął płynnie bez chwili przerwy. Widząc, że komandor otworzył oczy, poruszył się gwałtownie, ale zaraz opadł z przeciągłym jękiem. Uszkodzona ręka musiała mu nieźle dokuczać.

– Ty łajdaku, ty gnoju, ty skurwysynu – podjął monotonną wyliczankę. – Chciałeś nas pozabijać, ty parszywy psie, ty...

– Zamknij się, Gaut, albo ja ciebie zamknę – przerwał mu Adam, wyjmując z kieszeni broń. – Gdybym chciał was pozabijać, już byście nie żyli. Jestem inkwizytorem, nie katem.

– Nas też musiałeś wiązać? – spytał Noel słabym głosem. – Myśmy nie chcieli...

– Musiałem. Nie mogę sobie pozwolić na luksus nieostrożności. Słyszeliście przecież moją rozmowę z doktorem Gautem, zanim zmusił mnie do podjęcia bardziej drastycznych kroków. To sprawa bezpieczeństwa federacji.

– Co jest sprawą bezpieczeństwa? – spytał z niedowierzaniem Boranin. – Mrzonki pieprzniętych fundamentalistów religijnych o powstrzymaniu ekspansji wszechświata? To przecież bzdura. Nawet za miliony lat ludzkość nie będzie w stanie nic z tym zrobić. O ile się orientuję, bilans ciemnej energii w kosmosie wynosi ponad siedemdziesiąt procent. Marie, mam rację?

Kobieta odkaszlnęła, na jej ustach pojawiła się kropelka krwi. Musiała sobie przygryźć język podczas przeciążeniowego piekła, bo mówiła trochę niewyraźnie.

– Zgadza się. Żeby to zrównoważyć siłą grawitacji, trzeba by dysponować potęgą niewyobrażalną, wręcz boską. Nikt rozsądny w to nie uwierzy.

– A jednak spora część z was pracuje właśnie dla holdingów żywotnie zainteresowanych odkryciami własności skał na Zoroastrze.

– Och, dałbyś spokój – żachnął się Noel. – Takich gorliwców jak Gennare i Corrais więcej wśród nas nie znajdziesz. Takich porąbanych fanatyków jak Gaut też. Służymy nauce i to ona jest najważniejsza. Dostaliśmy forsę na prowadzenie badań, więc je prowadzimy. Z tego, co wiem, wyniki są bardzo obiecujące, ale wcale nie w skali kosmicznej. Te bzdury o „Stella Virginis", „Diavo" czy „Surve" to tylko taka gadanina, prawda, Martin?

Gaut burknął coś niewyraźnie, splunął w stronę Adama.

– Jak na światłego naukowca, sięgającego szczytów intelektu, coś marnie u ciebie z inwencją – zauważył Adam. – A co do holdingów... Cóż... Sprawa wygląda trochę inaczej niż wam się wydaje.

– Możesz to wytłumaczyć?

– Mogę. Ale wolałbym porozmawiać ze wszystkimi. Mózg! Czy członkowie załogi odzyskali już przytomność?

– Nie, komandorze Bartold. Nieprzytomna jest jeszcze doktor Zoja Sarkissian oraz doktor Vlad Harding.

– Kiedy dojdą do siebie, zawiadom mnie.

Marie znów kaszlnęła, skrzywiła się.

– Cholera, a jeśli umrą? Powinni otrzymać pomoc.

– Powinni, ale nie otrzymają – powiedział spokojnie Adam. – Przykro mi to stwierdzić, ale są sprawy ważniejsze niż samopoczucie, a nawet życie pojedynczego człowieka.

– I to mówi ktoś, kto mieni się inkwizytorem – prychnął z pogardą Gaut. – Ktoś, kto powinien przestrzegać zasad moralnych.

– Drogi doktorze – Bartold uśmiechnął się blado – taka decyzja naprawdę nie sprawia mi przyjemności, ale, jak już mówiłem, nie mogę pozwolić sobie na najmniejszą nieostrożność. Jeśli komuś coś się stanie, odpowiedzialność za to ponosi także, a raczej przede wszystkim, pan. Czy to ja wymachiwałem bronią, wysuwając groźby karalne? Stawia się pan w roli ofiary, a to nieporozumienie. To pańskie działania bezpośrednio wpłynęły na taki a nie inny rozwój wypadków.

– Piękny, kwiecisty wywód, niestety, pełno w nim dziur. – Gaut skrzywił się z bólu, próbując zmienić pozycję. – Przybyłeś do nas niby jako rozbitek, a w każdym razie ktoś potrzebujący pomocy – przeszedł znienacka na mniej oficjalną formę. – Próbowałeś wykorzystać nasze zaufanie, posunąłeś się nawet do uwiedzenia mojej żony...

– Dałby pan spokój – uśmiechnął się Adam. – Sandrę sam pan do mnie przysłał, a w każdym razie na pewno nie protestował przeciwko jej odwiedzinom. To atrakcyjna kobieta, mężczyźnie przebywającemu w przestrzeni przez dłuższy czas trudno oprzeć się pokusie. Wykorzystaliście to.

Martin skrzywił się jeszcze bardziej.

– Idiotyczna wymówka.

– Nie przeczę. Ale ta cała nasza konwersacja jest idiotyczna.

– Nareszcie ktoś to zauważył – mruknęła Marie.

Krzyczeli wszyscy. Wszyscy naraz. Adam miał ochotę wyłączyć dźwięk, ale niestety nie mógł. Sam sprowokował ten chaos, więc musiał liczyć się z konsekwencjami. To znaczy, z narastającym bólem głowy. Wideokonferencja w pół minuty przerodziła się w karczemną awanturę, w której wszyscy oskarżali się nawzajem, ale przede wszystkim naskakiwali na inkwizytora. Co było, oczywiście, do przewidzenia. Cieszył się w tej chwili w duchu, że wyszło jak wyszło i każdy z członków załogi przebywa w innym pomieszczeniu, bo trudno by było wyobrazić sobie bezpośrednie spotkanie z gromadą rozwścieczonych ludzi. Oczywiście, byli przede wszystkim rozsierdzeni z powodu zafundowanej im huśtawki grawitacyjnej, ale już niebawem powinno ich rozgrzać coś innego. Bartolda dziwiło tylko, w jak dobrej formie przetrwali to, co z nimi wyprawiało pulsujące ciążenie. Najwidoczniej stałe przebywanie w zwiększonej grawitacji niektórych nieco uodporniło nawet na jej szaleństwa. Teresa, Marie i nawet Noel wyglądali z kolei bardzo kiepsko. Swoją drogą, to też było symptomatyczne.

– Może byście się tak uspokoili, co? – zaproponował w końcu dość obcesowo. – W ten sposób do niczego nie dojdziemy.

Przesunął fotel z Marie w pobliże Noela, zajął miejsce za konsolą. Teraz miał wszystkich uczestników spotkania naprzeciwko siebie, zarówno tych obecnych w obserwatorium, jak i ustawione w półkole hologramy z poczerwieniałymi ze złości twarzami.

– A do czego mamy niby dojść? – spytał agresywnie Wintermann. – Przebywamy w tej chwili w areszcie. Z tego, co widzę, niektórzy są nawet związani. Możemy wiedzieć, dlaczego?

– Dlatego. – Adam uniósł lutownicę tak, by wszyscy mogli ją zobaczyć. – Taką niespodzianką przywitał mnie niedawno doktor Gaut. Nie trzeba być posiadaczem jakiegoś niesłychanie przenikliwego umysłu, żeby odgadnąć, od kogo to otrzymał. A to znaczy, że mamy już dwie osoby uczestniczące w spisku. Co najmniej dwie.

Znów zapanował gwar, przez hałas przebił się głos Vlada Hardinga.

– Zamknijcie się wreszcie! Inkwizytor ma rację, w ten sposób do niczego nie dojdziemy! Niech mówi!

Zapanowała względna cisza. Adam odetchnął głęboko, przymknął oczy, zbierając myśli.

– Kochani moi – zaczął, czując doskonale, jak fałszywie brzmi sformułowanie w obecnych okolicznościach. Dlatego powtórzył je, by ten fałsz wybrzmiał do końca, stał się czymś więcej niż zamierzoną niezręcznością. –

Kochani moi. Mamy pewien wspólny problem, wymagający natychmiastowego rozwiązania. Problemowi temu na imię spisek przeciwko rządowi federalnemu.

Po tych słowach zrobiło się zupełnie cicho.

– Spisek? – powiedziała z niedowierzaniem Teresa Harding. – O czym pan mówi?

– Proszę nie udawać, Tereso. Kto lepiej od pani zdaje sobie sprawę, że zespół funkcjonuje w warunkach niesłychanie dalekich od elementarnego komfortu psychicznego? To normalne w sytuacji, kiedy różni jego członkowie reprezentują sprzeczne interesy. Najgorsze zaś jest to, że te interesy, niezależnie od wspomnianych sprzeczności, stoją w konflikcie z bezpieczeństwem Federacji Międzygalaktycznej.

– Nie rozumiem – powiedział Wintermann. – Jak niby ma się bezpieczeństwo federacji do prac prowadzonych na Zoroastrze?

Adam pokręcił głową z krzywym, nieprzyjemnym uśmiechem.

– To pytanie należy postawić nieco inaczej. Jak mają się prace tutejszych naukowców do bezpieczeństwa państwowego?

– To jakaś różnica? – wzruszył ramionami Walter.

– Jako fizyk powinien pan wiedzieć, iż kierunek wektora ma kapitalne znaczenie dla przebiegu zjawiska.

– Daruj sobie efektowne wolty i mów, o co ci chodzi – wychrypiał Gaut.

Komandor odszukał wzrokiem Sandrę. Patrzyła na związanego, cierpiącego męża zimnym, nieprzyjaznym wzrokiem. Niczego teraz nie udawała – a już najmniej niechęci i pogardy dla małżonka.

– Od chwili przybycia zastanawiałem się, kto i ilu z was jest poprzez kontakty z „Surve" tajnymi pracownikami holdingów „Stella Virginis" lub „Diavo". Odpowiedź na to pytanie wydawała mi się kluczowa. I zapewne stanie się kluczowa dla przyszłych prac komisji. Jednak teraz zdaje mi się, że najważniejsza jest inna kwestia. Mianowicie pytanie „dlaczego?". Dlaczego kompletuje się zespół naukowców, w dużej części nienadających się do pracy w wysuniętej placówce kosmicznej? Dlaczego pozwala się niedobranym małżeństwom na podróż tak daleko? Przecież po to właśnie opracowano procedury przesiewu kandydatów, żeby wykluczyć możliwość znaczących zaburzeń w gronie osób skazanych na przebywanie razem przez co najmniej kilka lat. A jednak prześlizgnęliście się przez to sito. I nie ma sensu tłumaczenie, że w tej chwili selekcja nie jest tak ostra jak niegdyś. Nie jest też aż tak kiepska, jak mogłoby się na waszym przykładzie wydawać. Przecież z całego składu właściwie tylko i wyłącznie związek Teresy i Vlada wygląda na w miarę normalny...

– A to co niby za argument? – wyrwała się Alicja Boranin. – Jest pan specjalistą od problemów małżeńskich? Ani ja, ani Noel nie narzekamy na nasz układ.

– Wcale się nie dziwię. Pani nie chce narzekać, a Noel nie może – odgryzł się Adam. – Nie dostrzegłem jakoś, żebyście darzyli się wielkim uczuciem. Tolerujecie się zaledwie, to wszystko. Doskonale wiadomo, że tego typu związek dyskwalifikuje uczestników wyprawy. Zapewne gdybym zajrzał w dokumenty pozostające pod opieką pani psycholog, mógłbym znaleźć nie takie ciekawostki.

– Chcesz powiedzieć, że całe twoje rozumowanie opiera się na wnioskach wysnutych z analizy naszych małżeństw? – spytał zgryźliwie Gaut.

– W dużej mierze. Nie zapominajcie jednak o uszkodzeniu satelity, o rozregulowaniu komputera wahadłowca... O innych incydentach, jakie miały miejsce. Tak czy inaczej, doszedłem do bardzo interesujących konkluzji. Moją uwagę dość szybko zwróciła osoba profesora Wintermanna. Jak to się stało, że na czele wyprawy stanął osobnik tak miernego charakteru, a przy tym bardziej urzędnik niż prawdziwy naukowiec z pasją?

Walter poczerwieniał, otworzył usta, żeby coś powiedzieć, ale przez chwilę poruszał tylko nimi bezgłośnie. Zdał sobie najwyraźniej sprawę, że jakakolwiek gwałtowna reakcja będzie stanowiła tylko świadectwo, iż wątpliwości inkwizytora mają mocne podstawy.

– Brawo, profesorze – zaśmiał się Adam. – Prawdziwy geniusz podobną krytykę powinien mieć gdzieś. Ale uprzednie pańskie ataki złości, czułość na punkcie wybujałego wizerunku powiedziały już dość wiele.

Nie uszło uwagi komandora pełne złośliwej uciechy spojrzenie Elzy. Kobieta popatrzyła na hologram męża i wydęła pogardliwie wargi. Adam celowo tak zorganizował telekonferencję, żeby uczestnicy widzieli nawzajem swoje popiersia, jakby siedzieli przy stole. To dawało możliwość lepszej obserwacji niż gdyby ograniczył się do projekcji po prostu rzędu twarzy wyłącznie w obserwatorium.

– Jesteś zwyczajnym, bezczelnym gnojkiem! – warknął Walter.

– Być może – Bartold obojętnie kiwnął głową. – Ale to nie ma najmniejszego związku z pańskim brakiem kompetencji. Jest jeszcze sporo pytań, a odpowiedzi na nie wskazują jasno istnienie tego, co określiłem jako spisek.

Na przykład, że Roma i Michelangelo byli pracownikami służb rządowych i to właśnie ich zabiło – pomyślał. Nie zamierzał mówić tego głośno. Niech obecni trwają w przekonaniu, iż w opinii inkwizytora tragiczna śmierć obu par ma związek z walką o wpływy holdingów. Przynajmniej do chwili, kiedy Adam uzna, że ta informacja spełni bardziej pożyteczną rolę niż tylko wprowadzenie dodatkowego zamieszania. Może ktoś popełni jeszcze błąd, niechcący odkryje więcej kart. Doskonale zdawał sobie sprawę, że Gaut miał sporo racji, mówiąc, iż żadnemu z tutaj obecnych inkwizytor nie sięgał do pięt pod względem potencjału intelektualnego. Nawet Wintermannowi, choć tak łatwo potrafił go sprowokować. Musiał grać z nimi niesłychanie ostrożnie, nie mógł bowiem liczyć na taryfę ulgową w razie pomyłki. Wyjął z kieszeni sds, położył na stole, zaaranżował połączenie skrzynki z mózgiem stacji. Na szczęście wysoki wskaźnik inteligencji to nie wszystko. Pozostaje jeszcze spryt, doświadczenie i intuicja. Ta sama intuicja, do której umysły ścisłe podchodzą na ogół z tak wielkim lekceważeniem.

– Spisek? – milczenie przerwał Vlad Harding. – Uważa pan, że zawiązaliśmy tutaj jakieś sprzysiężenie?

– Nie – Adam pokręcił głową. – Sprzysiężenie zawiązano nie tutaj. Ono funkcjonuje od ładnych paru lat, choć służby wywiadowcze zaczęły podejrzewać jego istnienie stosunkowo niedawno.

– A może by tak dokładniej?

– Dokładniej? – Adam wydął wargi. – Jak chcecie, może być dokładniej.

– Co, będziemy mieli końcową mowę wielkiego śledczego? – spytał złośliwie Gaut. – Ostateczne wyjaśnienie, rozwlekłe i nudne?

– Nie. – Komandor puścił do Martina perskie oko, na co tamten zareagował takim grymasem, jakby nagle poczuł niesamowicie przykry zapach. – Liczę na wasze niesłychanie sprawne umysły. Powiem tylko kilka słów. Na początek to będzie „Stella Virginis" i „Diavo" oraz sformułowanie „konspiracyjny układ pod przykrywką »Surve«". To tyle jeśli chodzi o sytuację ogólną.

Odczekał chwilę, zanim podjął.

– A teraz, jeśli idzie o was, a przynajmniej tę część, która jest związana z holdingami. Większą część, dodam. Otóż dla was hasło brzmi: „wyścig szczurów".

Oparł się wygodniej, wyciągnął nogi. Wśród naukowców panowało milczenie. Holograficzne twarze popatrywały na siebie, porozumiewały się wzrokiem. Adam rzucił okiem na SDS. Zielona jeszcze przed chwilą lampka kontrolna zmieniła barwę na fioletową. Znak, że ktoś zaczął kombinować. Mózg jednak niczego nie meldował. To oznaczało, że działania człowieka nie naruszają procedur alarmowych. Tylko tyle. Niedoskonała maszyna z tego mózgu. Adam żałował teraz, że nie dał rady zejść jednak do zapasowej dyspozytorni w schronie. Tam miałby możliwość swobodnego podglądu wszystkich pomieszczeń. Tutaj także mógłby teoretycznie zażądać zrzutu z kamer, jednak wtedy wszyscy zorientowaliby się, że coś się dzieje, a to by mogło zakłócić przebieg rozmowy, skłonić kogoś do działania. Inkwizytor musiał posłużyć się inną techniką. Wywołał wirtualną klawiaturę, zaczął wprowadzać polecenia ręcznie. To potrwa dłużej, zwłaszcza że nie mógł obserwować więcej niż jednego pomieszczenia naraz, nie budząc podejrzeń, ale było jakimś wyjściem z sytuacji. Po kolei przywoływał na płaski wyświetlacz miejsca, w których przebywali poszczególni uczestnicy dyskusji. W tej chwili milczący uczestnicy.

– Dobra – odezwał się w końcu Noel. – Może jestem trochę przygłupi, ale niewiele z tego rozumiem. „Stella Virginis" i „Diavo", to jasne. Chyba nie ma wśród nas osoby, której by nie proponowano tajnego kontraktu, chociażby, jak się okazuje, za pośrednictwem „Surve". Jedni zgodzili się, drudzy nie. To chyba normalne, że takie firmy chcą partycypować w wynikach odkryć bardziej, niż wynika to z ich umów z rządem, prawda? Godne potępienia, ale niewymagające rozliczania załóg przez inkwizytorów. Kto poszedł na współpracę, beknie po powrocie. Zapewne opłaci się zostać nawet na pewien czas pozbawionym wolności.

– Zgoda – kiwnął głową Adam. – Tajne kontrakty to rzeczywiście już proceder, z którym trzeba się poniekąd pogodzić. Powiedz, Noelu, czy wywierano na ciebie bardzo silny nacisk?

– Niespecjalnie. – Boranin poruszył się w fotelu, próbując zmienić pozycję chociaż o włos. – Przyszli ludzie z „Surve". Dwa razy, dwóch różnych typów. Posłałem ich do diabła i tyle.

– A nie zastanowiło cię, że właśnie nie próbowali za wszelką cenę skaptować egzobiologa, który miał się zajmować właściwym i oficjalnym przedmiotem wyprawy?

– Och, daj spokój! – żachnął się Noel. – Przecież wiesz doskonale, po co naprawdę założono tę stację.

Moje badania to może nie tyle przykrywka, co dodatek. Miały służyć pracom fizyków, nie na odwrót.

Adam trafił wreszcie na jakiś ślad niepokojących działań. Elza Wintermann, przebywająca w dyspozytorni, robiła mniej więcej to samo, co on. To znaczy próbowała ingerować w system za pomocą zwykłej klawiatury. Najwyraźniej nie patrzyła nawet na palce, a ekran musiała obserwować kątem oka. Komandor wydał polecenie odłączenia pulpitu dyspozytorni, ale napotkał opór ze strony jednostki centralnej. To było po prostu niemożliwe.

– Zgadza się – rzekł z pewnym roztargnieniem. – Przyszli do ciebie nie po to, by cię skaptować. Nagabywali wszystkich po kolei, aby niejako zatrzeć ślady. To znaczy wszystkich uczynić podejrzanymi, zdezorientować służby kontrwywiadu co do właściwych intencji. Popełnili tylko jeden błąd.

– To znaczy? – popędził go Boranin, kiedy Adam zamilkł.

– Moment. Doktor Elzo Wintermann, proszę natychmiast przestać robić to, co pani robi! Inaczej będę zmuszony zejść do dyspozytorni i zastosować środki przymusu bezpośredniego!

Kobieta cofnęła ręce jak oparzona. Światło SDS przybrało zieloną barwę. Odetchnął z ulgą. *Scatola di Stato* znów okazała się niesłychanie pomocna. Dzięki niej mógł skupić się na rozmowie i obserwacji reakcji ludzi, zamiast bezustannie śledzić ich poczynania. Byłoby to tym trudniejsze, że wciąż odczuwał skutki leżenia na podłodze podczas fluktuacji grawitacyjnych. Pocieszające, że cała załoga też musiała zdrowo oberwać. Może tylko Robert, który podczas burzy z pewnością leżał w łóżku zabezpieczony pasami, miał szansę lepiej znieść ten cały cyrk. Kiedy Adam wywołał obraz izolatki, Sorensen wciąż był nieprzytomny.

– Co to za błąd? – naciskał Noel. – Powiesz wreszcie?

– Przedobrzyli. Zatrudnili zbyt dużo osób o specjalnościach związanych z mechaniką grawitacji.

– Cały czas mówisz „oni" i „oni" – odezwała się Zoja. – Kim właściwie są ci twoi „oni"?

Adam uśmiechnął się.

– I to jest najbardziej interesujące. Bo to właśnie ci moi „oni" urządzili wam wyścig szczurów.

Rozdział 11

Tym razem słuchał gwaru podnieconych głosów z pewną przyjemnością. Spojrzał na zmodyfikowaną lutownicę, leżącą na konsoli tuż obok wirtualnej klawiatury, odsunął ją dalej. Po tym, co powiedział na temat zmowy wrogich sobie na pozór holdingów, zapanowało prawdziwe piekło. Z ludzi opadły maski obojętności i skrzywdzonej niewinności. Od razu było widać, kto był żywotnie zainteresowany rewelacjami inkwizytora. Wszyscy poza Noelem, Zoją i Vladem dali się ponieść emocjom. Teresa próbowała zachować kamienną twarz, ale dość marnie jej to wychodziło.

– Możesz ich trochę wyciszyć? – zawołał Noel. – Łeb mi pęka! Wystarczy mi, co tutaj obok wygaduje Marie.

Opanowana, przygnębiona przed chwilą pani astronom zamieniła się we wściekłą lwicę uwięzioną w klatce. Nie krzyczała, nie próbowała nawet się uwolnić. Po prostu patrzyła na Adama takim wzrokiem, że gdyby mógł zabijać, inkwizytor umarłby już setki razy, i mówiła słowa, które śmiało można było nazwać klątwami

Bartold wydał polecenie ściszenia głośników. Noel odetchnął z wyraźną ulgą.

– To miałeś na myśli, mówiąc o wyścigu szczurów? – mruknął. – Dlatego tak się wściekają? Przymknij się, Marie – rzucił ostro do przyjaciółki. – Bluzganie jadem niewiele pomoże.

– Nikt nie lubi wychodzić na głupca. Ale, szczerze mówiąc, nie spodziewałem się aż tak gwałtownej reakcji.

SDS przez chwilę migał fioletowo, ale zaraz powrócił zielony blask. Adam potrząsnął głową. Ból i otępienie jeszcze nie minęły, a ogólny chaos nie sprzyjał koncentracji.

– Powiedz mi przy okazji – komandor popatrzył uważnie na egzobiologa – co tak naprawdę sądzisz o spiagotach?

Noel milczał przez chwilę, zaskoczony bardziej nagłą zmianą tematu niż samym pytaniem.

– Co masz na myśli? – spytał ostrożnie. – Wiesz doskonale, że mnie fascynują.

– Tak, tak, wiem. Nie chodzi mi o twój pogląd naukowy czy nawet zachwyt w oczach, kiedy o nich mówisz. Pytam o najgłębsze odczucia, może nawet przeczucia. Nie uważasz, że spiagoty są czymś więcej niż tylko bezmyślnymi kolosami, które za sprawą nie mniej bezmyślnych ewolucyjnych zbiegów okoliczności opanowały ten świat?

Boranin odetchnął głęboko.

– Masz na myśli inteligencję?

– Właśnie. Albo coś w tym rodzaju, jakiś potencjał.

– Cóż – zamruczał naukowiec – nieraz przychodziło mi to do głowy. Ale one nie mają przecież nic, co by potwierdzało takie podejrzenia. Nie stwierdziliśmy najmniejszych śladów najbardziej choćby prymitywnych wytworów cywilizacji.

– Co wcale nie oznacza, że nigdzie ich nie można znaleźć, prawda? Albo że ich tak zwane wytwory muszą być dla nas czytelne i zrozumiałe.

Noel namyślał się przez chwilę.

– Nie, nie – potrząsnął wreszcie głową. – To niemożliwe. Absolutnie wykluczone... Nie szukaj wśród spiagotów braci w rozumie. Obserwuję je już bardzo długo, ale nigdy nie poczułem tego czegoś, o co ci najwyraźniej chodzi.

Zamilkli, słuchając przyciszonego gwaru głosów. Tym razem pierwszy odezwał się egzobiolog.

– Wróćmy lepiej do zasadniczego tematu. Jak to możliwe, żeby dwie zwalczające się firmy, tak sobie wrogie, weszły w porozumienie? O co chodzi?

Bartold spojrzał na Martina. Mikrobiolog leżał na prawym boku z zaciętą miną. Nie brał udziału we wrzawie, nie wypowiedział ani słowa od chwili, kiedy Adam udzielił wskazówek dotyczących rozwiązania zagadki.

– O co chodzi? – Przeniósł wzrok na Boranina. – Naprawdę nie wiesz?

– Mogę się tylko domyślać. Do tej pory uważałem, że „Stella Virginis" i „Diavo" to banda zwyczajnych oszustów, jak to z takimi sekciarskimi firmami bywa. Potem zdałem sobie sprawę, że rządzi tam grupa oszołomów religijnych. Że jest tak, jak to ktoś tutaj powiedział w przypływie dobrego humoru – jedni chcą ocalić świat w imię szatana, a drudzy unicestwić go, by urzeczywistnić boży plan. Brzmiało to zabawnie i doskonale charakteryzowało paradoks zawarty w działaniu obu holdingów. To znaczy, że ultrachrześcijanie ze „Stella Virginis" pragną doprowadzić proces rozpadu wszechświata do końca, bo nie wolno się spierać z boskim zamysłem, a neosataniści z „Diavo" wręcz przeciwnie – pragną utrzymywać nasz mały kosmos w stanie stagnacji. Biorąc pod uwagę własności czasoprzestrzeni i zawartość wszechświata, obie koncepcje wyglądają dość śmiesznie.

– Zgadza się – powiedział powoli Adam. – I byłyby nadal śmieszne, gdyby nie pewna okoliczność.

– Że co, że się porozumieli? To może dziwne, ale...

– To oznacza, że zaczęło im chodzić o coś innego niż robienie interesów pod płaszczykiem ideologii. Szefowie holdingów zapragnęli czegoś bardziej realnego.

– To znaczy?

– Władzy. Realnej władzy.

Boranin zamilkł, rozważając znaczenie słów Adama.

– Możesz jaśniej?

– Pomyśl, Noelu. Jeśli naprawdę jesteś tak nieświadomy, jak się wydaje, spróbuj postawić się w ich sytuacji. Co utrzymuje w całości Federację Międzygalaktyczną? Przecież mnogość kolonii niemających ze sobą styczności, oddalenie od Układu Głównego działają niesłychanie mocno odśrodkowo. Są dwa główne czynniki scalające jeszcze ten organizm.

– Chodzi ci o łączność kwantową?

– Tak. I napęd grawitacyjny. To drugie nawet bardziej, bo bez łączności można by sobie poradzić, ale bez możliwości dalekich podróży już nie bardzo. Kolonie stałyby się samotnymi wysepkami na oceanie wszechświata, a bez możliwości wymiany handlowej i naukowej większość z nich, jeśli nie wszystkie, musiałaby się cofnąć do wcześniejszych stadiów rozwoju gospodarczego i społecznego. A człowiek jest istotą wygodną, nie lubi rezygnować z tego, co mu ułatwia egzystencję. Monopol rządu federalnego na napęd grawitacyjny i urządzenia do produkcji cząstek splątanych jest kluczowy dla utrzymania wszystkiego w ryzach. Do tego czasu zaporową sprawą były także, a może nawet przede wszystkim, ceny. Koszt wyprodukowania podzespołów przekaźnika czy silnika grawitacyjnego jest w stanie udźwignąć tylko duży organizm państwowy. A zatem jedynie wspólny wysiłek pozwala na funkcjonowanie wszelakich udogodnień, na eksplorację dalekiej przestrzeni, a przede wszystkim budowę portali transportowych z potężnymi generatorami pola. A to, co odkryto na Zoroastrze, może się okazać rewolucyjne. Zaczynasz chwytać?

Noel pokiwał głową.

– Nasz wspaniały rząd obawia się złamania monopolu. To oczywiste. Boi się utracić kontrolę nad koloniami, a być może nawet poszczególnymi planetami Układu Głównego. Kto pozyska tani napęd grawitacyjny, ten zdoła wyzwolić się spod wpływu władz federacji.

– Właśnie, Noelu. Ale tego nie musiałeś się domyślać, prawda? Wiesz doskonale, co tu jest grane, chociaż udajesz nieświadomego. Chcesz mi wmówić, że przez kilkanaście miesięcy nie zorientowałeś się, nawet jeśli nie stoisz po żadnej ze stron?

– Nie stoję – Noel potrząsnął głową. – I nie zamierzam się mieszać. Ale muszę powiedzieć, że idea upowszechnienia napędu grawitacyjnego jest bardzo kusząca. Bardziej niż kusząca nawet. Nie da się zatrzymać postępu, nie można wiecznie przeszkadzać ludziom w rozwoju. Tak, wiem, o co chodzi. Okiełznanie taniego źródła grawitacji pozwoli także na obniżenie kosztów produkcji cząstek do przekaźników kwantowych. Akceleratory i pozostałe oprzyrządowanie będzie działać z mniejszym nakładem energii, jeśli zamiast potwornie drogich generatorów będzie można użyć ich zastępników.

Adam zdał sobie nagle sprawę, że kłótnia odbywająca się między holograficznymi fantomami ucichła, a wszyscy wlepili wzrok w niego i Boranina.

– Problem polega na tym – powiedział komandor – że zarówno „Stella Virginis", jak i „Diavo", a co za tym idzie także ich firma-fasada „Surve", pragną wykorzystać wasze odkrycia, aby powiększyć wpływy, dokonać przewrotu, być może nawet przejąć władzę w części dominiów. Zamiast jednego silnego rządu będziecie mieli zwalczające się obozy. Nie dwa, lecz więcej. Bo to, że obie siły zawarły chwilowe przymierze, nie oznacza, iż nie zaczną regularnej wojny w przyszłości, a wtedy i inni mogą dołączyć do rozgrywki.

– To bzdury – odezwała się niespodziewanie Zoja. – Wierutne kłamstwa, które wygadują tobie podobne psy, panie Bartold.

Oczy kobiety zalśniły nagle, ich spojrzenie stało się wręcz palące. W tej chwili nie wydawała się szarą, zagubioną i nieefektowną myszką. Łuki brwi uniosły się wysoko, tęczówki zdawały się ciemniejsze niż zazwyczaj, wąskie, wiecznie zaciśnięte wargi jakby nabrzmiały, orli nos zaczął dodawać twarzy charakteru, a nie szpecić. Zoja wydawała się w tej chwili prawie piękna. Adam poczuł nagle ukłucie niepokoju. Coś go dręczyło na skraju świadomości, ale nie potrafił tego sformułować. Nie bardzo zresztą mógł skupić się na rozważaniach, musiał uważnie prowadzić rozmowę.

– Obawiam się, że nie bardzo rozumiem – powiedział zdziwiony.

– Rozumiesz doskonale. Kiedy tu przyleciałeś, kiedy się ujawniłeś, myślałam, że chodzi rzeczywiście o ustalenie, dlaczego zginęli Corrais i Gennare, potem dlaczego zabito mojego męża. Ale tak naprawdę od początku w dupie miałeś ofiary. Twoim jedynym zadaniem było i jest zapobieżenie przekazania naszych odkryć komu nie trzeba... To znaczy odkryć fizyków! To dlatego przysłano inkwizytora! Tak, poczytałam sobie ostatnio trochę o historii twojej... profesji, na szczęście mamy dość bogatą bibliotekę. Pojawialiście się wszędzie, gdzie religia bądź nauka zaczynały zagrażać władzy. Wszędzie tam, gdzie władza była w ogóle zagrożona. Ale nie udało wam się powstrzymać postępu dawniej i nie uda się w przyszłości.

– Zoju, ludzkość nie jest jeszcze przygotowana...

– Zawsze to samo – warknął Gaut. – Te same argumenty. Nie jest przygotowana? A dlaczego niby tak twierdzisz? Wiesz, co dzieje się w koloniach? Nie, nie tych znajdujących się bezpośrednio pod protektoratem Układu Głównego, ale tam, gdzie jedynym zadaniem ludzi jest wydobycie surowców, gdzie niepodzielnie rządzą firmy handlowe? Latałeś w daleką przestrzeń, lecz była ona chyba zbyt daleka, skoro przestałeś dostrzegać to, co się dzieje bardzo blisko.

– I dlatego zamierzałeś mnie zabić? – spytał pogardliwym tonem Adam. – Uważasz, że kolejna zbrodnia coś zmieni? Stanie się zarzewiem nowego, lepszego?

– Gdybyśmy zamierzali cię zabić, nie przeżyłbyś godziny. Naprawdę myślisz, że nie bylibyśmy w stanie zlikwidować byle łapsa?

– Bylibyście, ale wówczas żadne z was nie mogłoby
liczyć na karę łagodniejszą niż całkowita zmiana osobowości i pozbawienie wszelkich praw publicznych do
końca życia.

– Być może, ale w tej sytuacji... I tak czeka nas niewiele lepszy los, więc...

– Daj spokój, Martinie – przerwał mu Wintermann. –
Uwikłaliśmy się w tę sprawę nie dla idei, ale dla pienię-
dzy! Nie ma co oszukiwać siebie i innych.

– Mów za siebie – prychnął Gaut.

– Moim zdaniem jedynymi naprawdę ideowymi
ludźmi byli Corrais i Gennare. Nie wiem, po której stronie stało każde z nich, ale...

– Jak to po której? – Dowódcy nie dane było dokończyć.
Alicja Boranin miała jak zwykle minę, jakby jej wszystko
było obojętne albo wręcz nieco śmierdziało. – Słyszałeś
przecież, że pracodawcy urządzili nam wyścig szczurów.
Ludzie ze „Stelli" i „Diavo" porozumieli się, ale mimo to
podzielili nas na dwa zespoły, każąc współzawodniczyć.
Liczyli na lepszy efekt w sytuacji, w której będziemy pracować intensywniej, żeby zasłużyć na sowitą premię. Ale nie
uwierzę, żeby zamierzali doprowadzić do ofiar śmiertel-
nych. To byłoby nie na rękę żadnej ze stron. Myślę, że albo
Corrais, albo Gennare pracowali dla rządu, próbowali za
wszelką cenę utrudnić nam wykonanie zadania. A drudzy
mieli robić za psy łańcuchowe holdingów, posiadali może
więcej informacji o zamiarach spółek. A może i nie. Jeśli
się mylę, proszę mnie poprawić, inkwizytorze.

Adam nie odpowiedział. Pogląd Martina, że naukowcy niepomiernie górują intelektem nad jakimś tam komandorem floty, w tej chwili miał wagę absolutnie niepodważalnego aksjomatu. Bartold zastanawiał się, ile w istocie rzeczy wiedzieli zainteresowani i czy wszyscy, co do jednego, członkowie załogi nie byli tajnymi pracownikami holdingów. Nawet niepozorny Noel, rozzłoszczona Zoja czy przestraszony Harding.

W jednym mieli świętą rację – rząd nie zamierzał oddawać monopolu na silniki grawitacyjne, nawet gdyby miało to odbyć się kosztem postępu. W dawnych czasach, w dwudziestym i dwudziestym pierwszym wieku tak samo pilnie strzeżono tajemnic związanych z alternatywnymi rodzajami silników, których zastosowanie mogłoby wyprzeć nieekonomiczną ropę naftową czy gaz. Wtedy wydawało się, że chodzi o wpływy i pieniądze, i na pewno tak było, ale w tej chwili Adam zdał sobie sprawę, że na rzeczy była także walka o rząd dusz. Łatwiej okiełznać społeczeństwa, które uzależnione są od źródeł energii, dlatego właśnie źródła energii pozostawały pod kontrolą rządów. I zawsze władze różnych krajów, pomimo konfliktów politycznych, koniec końców potrafiły się porozumieć właśnie w dziedzinie energetyki. A teraz... Teraz sprawa była jeszcze bardziej skomplikowana. Federacja Międzygalaktyczna musiała utrzymać monopol na napęd grawitacyjny i łączność kwantową, żeby sprawować władzę w koloniach i stacjach kosmicznych. Nad bezpieczeństwem czuwała rzesza urzędników, wydawano na to wielkie sumy, a tymczasem prace niewielkiej grupki naukowców na nieprzyjaznym księżycu w dalekim układzie Thora mogły wszystko zniweczyć.

Nie da się zatrzymać postępu. Tak... Ale czy postęp zawsze jest czymś dobrym? Tyle już razy brak kontroli doprowadził do wojen...

Adam czuł się źle z tymi myślami. Zoja miała rację – był psem władzy. Naukowcy nie mieli nawet pojęcia, do jakiego stopnia nim był. Ale dzięki temu mógł wciąż latać... Prędzej czy później ktoś złamie monopol na produkcję generatorów grawitacyjnych, na pozyskiwanie cząstek do przekaźników kwantowych. Powstaną punkty w przestrzeni umożliwiające swobodną komunikację między zasiedlonymi planetami, bez konieczności polegania na centrali w Układzie Głównym. Być może ktoś opracuje jeszcze lepszy system porozumiewania się poza czasem i przestrzenią, ale na razie... Na razie odkrycia dokonane w bazie na Zoroastrze mogłyby doprowadzić tylko do rozpadu wielkiej organizacji, i tak co chwila trzeszczącej w szwach za sprawą działań takich gigantów jak „Stella Virginis" i „Diavo".

I znów to ukłucie niepokoju. O co może chodzić? Zupełnie jakby inkwizytor o czymś zapomniał, czegoś nie dopatrzył lub przeoczył. Przez chwilę wydawało mu się, że zaraz nastąpi błysk zrozumienia, ale tok myśli zakłóciła Sandra.

– Nic nie powiesz, Adamie? – spytała zjadliwie. – Naprawdę zabrakło ci języka w gębie? W to nie uwierzę.

– Proponuję układ – odezwał się, wyrwany z zamyślenia. – To znaczy tym, którzy gotowi są porzucić drogę przestępstwa. Wasze zeznania przeciwko holdingom wpłyną na znaczne złagodzenie kary. Pozostali muszą się liczyć z najsurowszymi konsekwencjami.

Na chwilę zapadła ciężka cisza.

– To niesmaczne – powiedział w końcu Noel. – Ten twój układ to zwyczajna obrzydliwość, wiesz?

Adam nie spojrzał nawet w jego kierunku.

– Wiem. Takie sprawy z zasady są mało przyjemne. Jednak uczestnicy tej wyprawy nie złamali zwyczajnie jakichś tam regulaminów, nie naruszyli prawa w granicach, które można by nazwać dopuszczalnymi i wyjaśnić w ramach prac zespołu dyscyplinarnego. Działali bezpośrednio na szkodę bezpieczeństwa Federacji Międzygalaktycznej, a to nie jest coś, co można potraktować jako zwyczajne pójście na układ ze zwyczajnym koncernem.

Słowa wychodziły z jego ust suche i bezlitosne. Miał wrażenie, że mówi nie on, ale ktoś stojący za jego plecami. Adam nie przypuszczał nawet, że będzie go to aż tyle kosztowało.

– Nawet jeśli nie mieli świadomości, do czego to wszystko doprowadzi? – spytała Teresa.

– Jest taka bardzo stara maksyma, mówiąca, iż nieznajomość prawa szkodzi. Brak rozeznania w sytuacji szkodzi nie mniej. Świadomość czynu nie ma tu nic do rzeczy, liczy się tylko jego efekt. Tak działa prawo.

– Jesteś zwyczajnym, bezdusznym, starym trepem – oznajmił nagle uroczystym tonem Vlad Harding. – Brzydzę się takimi zupakami. Dlatego nigdy nie chciałem wstąpić do armii.

– Jestem starym trepem – przyznał Adam. – Jestem także inkwizytorem i doskonale znam swoje obowiązki. Proponuję wam układ, a wy zastanówcie się, co z tym zrobić. Przypominam, że wszystko, co się dzieje, jest rejestrowane. Oświadczam zatem, że osoby, które okażą się chętne do współpracy, mogą liczyć na moje wsparcie, mało restrykcyjne traktowanie ich przez komisję śledczą oraz możliwość zawarcia porozumienia z prokuratorami.

– A co, aż tak bardzo chcecie dopaść „Surve", żeby tą drogą zniszczyć „Stella Virginis" i „Diavo"? – spytał zjadliwym tonem Martin Gaut. – Człowiek jest istotą wolną, powinien mieć możliwość wyboru, a ich porozumienie, chociaż nas oszukali, może dać ludziom nowe możliwości. Sam Bóg, stwarzając świat, obdarzył człowieka wolną wolą. A wy chcecie go zupełnie jej pozbawić? Zamknąć drogi wyboru? Pod względem moralnym...

– Daj spokój – Sandra skrzywiła się z niechęcią. – Zaraz zaczniesz się tutaj modlić, wyjmiesz różaniec i takie tam... A nie, na szczęście łapy masz związane, nie muszę się bać. Ja tam nie zamierzam iść na żadne układy. O niczym nie wiem, w niczym nie brałam udziału, nikt mi nic nie udowodni.

– Za późno – powiedział Adam. – Mleko się rozlało. Nie ma niewinnych, są tylko lepiej lub gorzej poinformowani. Dlatego...

W tej chwili drzwi otworzyły się niespodziewanie. Bartold ujrzał wykrzywioną wściekłością twarz Roberta Sorensena. Właśnie wtedy w głowie Adama nastąpił tak oczekiwany rozbłysk zrozumienia. Spóźniony wprawdzie, ale tym bardziej ostry. Uczucie, które go dręczyło, ten niepokój, obawa, że o czymś zapomniał... Tak, zapomniał! Zapomniał wydać mózgowi polecenie, by zablokował powtórnie drzwi izolatki! Nakazał zamknąć pomieszczenia, w których przebywali inni członkowie zespołu, a nie wziął pod uwagę, że system mógł odebrać wyłączenie generatorów grawitacyjnych jako katastrofę, zgodnie z programem odblokował więc zamek pokoju kwarantanny.

Sorensen nie czekał. Adam sięgnął po broń, ale w tej chwili w jego stronę poleciał ciężki przedmiot. Został rzucony tak, że aby zrobić unik, komandor musiał zrezygnować z chwycenia lutownicy, odjechać w lewo z fotelem. Robert zaryzykował, zagrał va banque i wygrał. Zanim inkwizytor zdołał poderwać się z miejsca, tamten był już w pełnym pędzie, przesadził jednym susem konsolę, wylądował obiema nogami na piersi Bartolda. Adam jeszcze pomyślał, że mógł przecież kazać także zablokować drzwi obserwatorium. Dwa błędy w jednej sprawie to stanowczo za dużo...

Gwiazdy w przestrzeni nie migoczą. Są miriadami małych światełek, świecąc jasno i stale. Tym właśnie różnią się od zjawisk niebieskich widzianych z powierzchni globu obdarzonego przez naturę atmosferą.

Gwiazdy znajdujące się przed oczyma Adama także nie migotały. Spoglądały na niego obojętnie, odległe i zamyślone. Były może nieco zamazane, szczególnie na krańcach pola widzenia, lecz na pewno nie migotały. Chciał potrząsnąć głową, ale nie mógł. W ogóle miał wrażenie, jakby szybował oddzielony od własnego ciała, niezdolny do niczego poza bierną obserwacją. Często miał podobne odczucia podczas treningowych lotów orbitalnych, organizowanych na szkoleniach uzupełniających dla oficerów floty, wtedy, kiedy kazano im przebywać dłuższy czas w stanie nieważkości. Po kilku dniach człowiek zaczynał budzić się odrętwiały, z takim właśnie poczuciem jakby umarł, a jego dusza szybowała swobodnie. A właściwie chyba nie tyle szybowała, co trwała zawieszona. Owo uczucie bezradnego zawieszenia było świadectwem, iż wciąż jeszcze żyje. Adam nie lubił stanu nieważkości, jeżeli akurat nie przebywał w otwartej przestrzeni, pracując lub przeprowadzając testy. Nigdy się do tego nie przyznał, ale w warunkach braku ciążenia w zamkniętym obiekcie ogarniała go klaustrofobia. Ale tylko podczas ćwiczeń. W dalekim kosmosie, gdy w ramach oszczędności energii musiał wyłączać na kilka dni, a nawet tygodni, generatory grawitacyjne, nie odczuwał podobnych dolegliwości. Działały czynniki motywacyjne, a także świadomość, że tak czy inaczej pilot nie może w żaden sposób wpłynąć na sytuację.

– Widzę po odczytach, że już się pan ocknął, inkwizytorze – usłyszał leciutko zniekształcony głos.

Zoja. Z tego, co pamiętał, jej stanowczy protest i rozkazujący ton uchroniły go przed śmiercią. Bo Sorensen już sięgnął po laserową lutownicę, już przyłożył wylot urządzenia do skroni Adama. Zoja powiedziała coś, co sprawiło, że zamarł nie tylko zabójca, ale wszyscy inni, z Adamem włącznie.

– W imieniu rządu Federacji Międzygalaktycznej rozkazuję zaprzestać gwałtownych działań, Robercie Sorensen!

To był oczywiście blef, co wszyscy zaraz zrozumieli, ale ułamek sekundy wystarczył, żeby Bartold przejął inicjatywę. Sorensen wrzasnął z bólu, kiedy zęby komandora wpiły się w jego prawy nadgarstek, a silne palce wpełzły pod dłoń ściskającą improwizowany pistolet. Wypalił, oślepiając na moment Adama, lecz promień przeleciał obok, parząc tylko długą kreską policzek. Wykładzina zasyczała w proteście przeciwko takiemu traktowaniu, inkwizytor poczuł przy szyi gorąco nadpalonej powierzchni. Z całych sił uniósł próbującego docisnąć go znów do podłogi Roberta. Informatyk nie wyrywał ręki, napierał, nie zważając na ból. Wojskowe wyszkolenie po raz kolejny dało o sobie znać. Adam rozluźnił nieco mięśnie, pozwolił przeciwnikowi dojść do przekonania, że zwycięża, po czym nagłym ruchem ciała przerzucił go na bok. Puścił krwawiący nadgarstek, uderzył w ranę kantem dłoni, paraliżując ramię Sorensena aż do barku. Tamten jęknął przeciągle, spróbował przejąć lutownicę drugą ręką. Było już jednak za późno, powinien to zrobić ułamek sekundy wcześniej. Teraz bowiem dłoń została wykręcona tak, że nie był w stanie dosięgnąć urządzenia. W dodatku Sorensen otrzymał kopnięcie w żołądek. Było wprawdzie mierzone w splot słoneczny, komandor nieco chybił, ale wywołało pożądany skutek. Sorensen zwinął się, stracił oddech, a Bartold stał już nad nim. Niezawodny, mierzony cios, zahaczający o małżowinę uszną, pozbawił napastnika przytomności.

Inna sprawa, że chwilę później sam komandor poczuł zawrót głowy, zaczęła go ogarniać mdląca ciemność. Uderzenie, które otrzymał, odezwało się dopiero teraz tępym bólem w klatce piersiowej. Upadł na leżącego bez ruchu Sorensena. W ostatnim przebłysku świadomości zobaczył jeszcze SDS jarzący się purpurową, ostrzegawczą łuną...

– Proszę nie udawać – Zoja wyraźnie się niecierpliwiła. – Środki farmakologiczne przestały już na pewno działać, odzyskał pan przytomność na tyle, żeby się w końcu odezwać.

– Jestem, jestem – z gardła Adama dobyło się bardziej krakanie niż ludzki głos. Odchrząknął, czując, że niewiele to pomoże.

– W takim razie oddaję mikrofon doktorowi Gautowi.

– Witaj, inkwizytorze – zabrzmiał drwiący głos Martina. – Jak samopoczucie?

– A gdzie dowódca? – spytał Adam, wciąż chrypiąc. – Ty przejąłeś kontrolę?

– Walter okazał się zbyt miękki, wrażliwy, a przede wszystkich tchórzliwy. Załoga większością głosów powołała mnie na jego następcę. A nasz profesor siedzi sobie teraz razem z Sorensenem w izolatce.

– Większością głosów? – Adam zakaszlał. Dopiero teraz zdał sobie sprawę, że znajduje się w zamkniętej przestrzeni, w ciemności, a gwiazdy obserwuje przez duże, panoramiczne okno. Wzrok odzyskał pełną ostrość, dzięki czemu mógł stwierdzić, że niektóre z gwiazd to odbicie światełek konsoli sterowniczej w pancernej szybie. – Głosowali wszyscy, czy tylko twoi wspólnicy?

– Wszyscy. Musieliśmy przecież dojść do porozumienia. Jedynym, który oddał głos przeciw, był Wintermann. Robert oczywiście został wyłączony z udziału w dyskusji. Leży sobie teraz, utrzymywany w stanie śpiączki. Nie mamy ochoty na taką niespodziankę z jego strony, jaka spotkała ciebie. To się nazywa ostry zwrot akcji – roześmiał się.

– Gdzie jestem?

– Na orbicie. Chyba już się domyśliłeś? W tej chwili przebywasz po ciemnej stronie Zoroastra.

– I co mam zrobić?

– Mnie pytasz? – Dosłownie było słychać, jak Gaut wzrusza ramionami. – To ty jesteś pilotem, a my wielkodusznie oddaliśmy ci do dyspozycji nasz własny wahadłowiec. Możesz sobie latać wokół księżyca albo spróbować dostać się na swój statek. Mnie to bez różnicy. Najważniejsze, że nie wrócisz. I nie próbuj nawet lądować. Drugi raz nie wykażemy tyle dobrej woli, żeby dać ci potem wolną rękę. A poza tym, i tak wydatkowaliśmy już za dużo paliwa, może nie wystarczyć na kolejny start.

Adam uniósł z trudem głowę. W piersi odezwał się piekący ból. Siła ciosu Sorensena była dosłownie miażdżąca. Przekręcił fotel z pozycji startowej na podróżną, sprawdził odczyty. Krążył po orbicie biegnącej pięć tysięcy metrów nad satelitą komunikacyjnym, a to oznaczało, że jego „Delfin" znajduje się jakieś dwa kilometry nad nim. Stan paliwa w silnikach manewrowych wahadłowca był zadowalający – ponad trzy czwarte. Za to w napędzie głównym wskaźnik raportował zaledwie dziesięć procent. Gaut mówił o ewentualnym lądowaniu, ale prawda była taka, że gdyby komandor chciał wrócić, nie dałby rady usiąść na powierzchni Zoroastra na tyle łagodnie, by nie ryzykować całkowitego zniszczenia jednostki. Choćby nawet wykorzystał do maksimum możliwość lotu ślizgowego, ryzykując rozminięcie się z lądowiskiem stacji. To nie był wahadłowiec sprzed setek lat, który mógłby powrócić na powierzchnię planety dosłownie bez paliwa. Piloci wojskowi uczyli się latać także na takich przestarzałych egzemplarzach, co prawda tylko w symulatorach, ale jednak zawsze. Lecz tutaj rozkładane skrzydła pozwalały tylko i wyłącznie na korygowanie lotu oraz bardzo lekki poślizg w atmosferze. Tak czy inaczej, do lądowania w warunkach zwiększonego ciążenia konieczny był zapas paliwa przynajmniej na poziomie piętnastu, a nawet dwudziestu procent. A poza tym powrót nie miał najmniejszego sensu. Adam niczego nie zdołałby zwojować, tym bardziej że został pozbawiony SDS, a oprogramowanie centralnej jednostki logicznej stacji naukowcy na pewno już odpowiednio zmodyfikowali, aby usunąć poprzednie ingerencje inkwizytora, które ułatwiały mu zadanie.

– To gówno zostanie tutaj – oznajmił Martin Gaut podczas ich ostatniej rozmowy, zanim Zoja zaaplikowała inkwizytorowi środki nasenne. W dłoni trzymał SDS. Adam siedział przypięty solidnie do fotela. – Twoi mocodawcy będą mogli je sobie później odebrać.

To był moment, w którym poszczególne części łamigłówki ułożyły się w głowie Adama w spójną całość, a konkretnie na swoje miejsca wskoczyły brakujące elementy, dopełniające obrazu.

– Mają po was przylecieć, tak? – Spojrzał prosto w oczy Martina. – Obiecali, że odbiorą was wcześniej niż ekspedycja rządowa? Że nawet w razie dekonspiracji przyślą kogoś z pomocą?

Mikrobiolog nie odpowiedział, patrzył tylko bez zmrużenia w źrenice rozmówcy.

– Wiedziałeś o wszystkim od początku – ciągnął Adam. – Jako jedyny, poza nieżyjącymi agentami rządowymi, zdawałeś sobie sprawę z całej tej mistyfikacji z wyścigiem szczurów. Znakomicie się zakamuflowałeś, to muszę przyznać.

Tak, niesłychanie religijny Gaut, rozmodlony homoseksualista, a może raczej biseksualista, kojarzyć się mógł tylko i wyłącznie z interesami „Stella Virginis". Podstawienie przez koncerny przynajmniej jednego takiego człowieka – zagorzałego zwolennika konkretnej opcji – było o wiele sprytniejsze niż gdyby zachowywał neutralność. I nie miało tutaj znaczenia, czy był rzeczywiście tak bardzo religijny, czy tylko grał. Wprawdzie z jednej strony podobna postawa budziła czujność i podejrzenia, ale z drugiej maskowała właściwą rolę mikrobiologa. Prawdę mówi stare porzekadło, że najciemniej bywa pod latarnią.

– Zakamuflowałem? – prychnął Martin. – To był doskonały plan. Gdyby Roma Gennare nie wywęszyła za dużo, a potem oboje z mężem się nie wygłupiali, poradzilibyśmy sobie.

Do Adama to wszystko, co oznaczały słowa Martina, dotarło z siłą miażdżącego ciosu. Naukowcy uwikłani w układy z holdingami z pewnością odkryli prawdziwą rolę pilotów. Pilotów, którzy byli im przecież niesłychanie potrzebni. Pilotów zastawiających pułapkę, która potem omal nie zabiła ich sprzymierzeńca... Corrais wzięli na siebie ciężar likwidacji zagrożenia tak, aby wyglądało to na wypadki. Byli jednak tylko uczonymi, nie mieli doświadczenia, przypłacili odwagę życiem. To oczywiście tylko jeden z wariantów, ale dość prawdopodobny. Rzecz jasna mogło też zdarzyć się tak, że Corrais byli fanatykami religijnymi, wyznającymi którąś z doktryn zwalczających się koncernów. Wszystko jedno którą, bo „Stella" i „Diavo" potrzebowały ślepych, nieświadomych prawdy wykonawców wspólnego planu. A może jeszcze...

Potrząsnął głową. Rozwiązanie zagadki, które niedawno wydawało się takie oczywiste, znów zaczęło się oddalać, znikać we mgle wątpliwości.

– Nie uda się wam – powiedział spokojnie, uparcie wbijając wzrok w mikrobiologa. – Lepiej skorzystajcie z układu, który zaproponowałem.

Gaut roześmiał się gorzko.

– Za późno, inkwizytorze. Jako przedstawiciele nauki, pochodzący z różnych części Federacji Międzygalaktycznej, przedyskutowaliśmy sobie wszystko. Kiedy byłeś nieprzytomny odbyliśmy burzę mózgów, rozważyliśmy za i przeciw. Stoimy na stanowisku, że tutejsze odkrycia, bardzo ważne odkrycia, powinny służyć całej ludzkości, a nie tylko utrzymywaniu jedności planet pod protektoratem urzędników z Układu Głównego! Najwyższy czas dać ludziom to, co im się należy, na co ludzkość pracowała od początku istnienia. Dać im wszechświat.

– Wypowiedziałeś właśnie prawdziwy manifest rewolucyjny – mruknął komandor.

– Manifest ludzki – powiedziała Zoja. – Grigorij był gotów poświęcić życie, aby go zrealizować. Nie rozumiałam go. Kochałam, ale nie rozumiałam – zamilkła na chwilę, zmrużyła oczy. Znów były puste. – Dopiero teraz pojęłam, o co mu chodziło, w chwili, kiedy dostrzegłam, że ktoś taki jak ty nie służy prawu, aby chronić ludzi, a tylko stara się utrzymać status quo, zapewnić funkcjonowanie strukturom władzy. Z początku, przyznaję, wydawałeś mi się niemal aniołem, który zstąpił z nieba, aby zrobić tutaj porządek, przywrócić właściwy stan rzeczy. Dlatego chciałam pomóc, podjęłam współpracę. Ale potem przejrzałam na oczy. Przyznaj wreszcie uczciwie, że nie obchodziło cię, kto zabił mojego męża. A ściślej rzecz biorąc, obchodziło, ale tylko o tyle, o ile wiązało się z twoim zadaniem. Sorensena aresztowałeś, oczywiście, ale sam potem powiedziałeś, że ta sprawa nie ma dla ciebie większego znaczenia. To naprawdę obrzydliwe.

Adam nie odpowiedział. Nie mógł znaleźć kontrargumentów. Zresztą, wcale nie zamierzał ich szukać. Zadaniem inkwizytora było właśnie to, o czym powiedziała lekarka – pomoc w utrzymaniu się władzy federacji. Przynajmniej do chwili, kiedy siły odśrodkowe nie staną się na tyle potężne, by rozsadzić organizm mimo wysiłków zapobiegawczych.

– Kiedy nadejdzie czas, wszystko samo się rozleci – powiedział po chwili, przenosząc spojrzenie na Zoję. Dziwnie się czuł, rozmawiając z nimi na leżąco, przypięty pasami do stołu medmatu. – Macie rację, że takich procesów nie da się zatrzymać, ale nie należy też ich niepotrzebnie przyśpieszać.

– A kto decyduje, co jest tą przedwczesną akceleracją i co ją powoduje? – Martin wydął wargi. – Ty?

– Na pewno nie takie organizacje jak „Stella Virginis" czy „Diavo"! One realizują tylko własne interesy! Mają wyjątkowo brudne ręce!

– Z pewnością. Jednak czasem Bóg czyni dobro za pomocą nieczystych narzędzi. Znasz takie powiedzenie, bardzo stare, że w studni przez pysk zgniłego psa przepływa czysta woda?

– To zwyczajna demagogia – Bartold wzruszył ramionami. – Możecie wciąż jeszcze skorzystać z mojej propozycji.

– Powiedziałem już, co o tym myślę.

– W takim razie żądam spotkania ze wszystkimi członkami załogi. Mam prawo...

– Daj spokój. Nie masz teraz żadnych praw.

– Nie uda wam się z tego wywinąć. Ostrzegam lojalnie. Nie doceniacie determinacji i możliwości sił federacji... Przy portalu czeka już krążownik. Kiedy tylko pojawi się jednostka waszych mocodawców...

Nie dokończył. Zoja zbliżyła się z iniektorem i już po kilku sekundach stracił świadomość.

A teraz krążył po orbicie Zoroastra, zastanawiając się nad minionymi zdarzeniami.

– Za chwilę wzejdzie u nas Fenrir – poinformował go Gaut. – Valhalla góruje, Thor świeci nad horyzontem, więc będziemy mieli małą burzę. A to znaczy, że zaniknie łączność, zresztą musimy zająć się pracą.

– Jeśli nawet wasi okażą się na tyle sprytni, żeby tu dolecieć, wywieść w pole wojskową jednostkę...

– Wiem, wiem – przerwał Gaut – czeka nas los ściganej zwierzyny. Mamy teraz wybór: albo dostać się w łapy twoich kumpli z sił kosmicznych i czekać na wyrok, albo spróbować znaleźć inne wyjście. Co byś niby zrobił na naszym miejscu?

Adam nie odpowiedział. A po kilkunastu sekundach dźwięk zaczął powoli zanikać. Mityczny wilk z opowieści skandynawskich zaczynał kąsać powierzchnię księżyca.

Nie ryzykował bezpośredniego podejścia. Wprawdzie starał się zlecać mózgowi wahadłowca obliczenia w taki sposób, żeby jak najbardziej zniwelować kumulację błędu, nie miał jednak pewności, czy rozregulowany układ nie posypie się w pewnym momencie całkowicie. Adam mógł wprawdzie zaryzykować dokowanie za pomocą ręcznego systemu sterowania, ale czuł się fatalnie, sensacje wzrokowe związane z działaniem leków uspokajających były tak mocne, że nie ufał własnym umiejętnościom nawigacyjnym.

Przedtem obejrzał sobie jeszcze burzę na powierzchni Zoroastra. Wyglądało to bardzo dziwnie i malowniczo, kiedy dostrzegalne nawet z orbity przejrzyste kłęby ogarnęły nieregularny spłacheć terenu. Wyglądało to trochę tak, jakby zupa gotowała się w garnku o fantazyjnym kształcie. Tam, gdzie skały o właściwościach grawitacyjnych nie występowały albo było ich mało, panował zupełny spokój. Zimny glob połyskiwał zielono--fioletowo.

Pomyślał o spiagotach. Gdzieś tam nad powierzchnią księżyca ich potężne cielska płynęły swobodnie, zmierzając w sobie tylko wiadomych kierunkach i celach. Nie potrafił już o nich myśleć jak o zwyczajnych zwierzętach. Noel twierdził, że nigdy nie poczuł czegoś, co by mu podpowiedziało, że w wielotonowych potworach kryje się więcej niż zbiór instynktów. Ale też z całą pewnością egzobiolog nie miał okazji przeżyć tego, co stało się udziałem Adama – tej niesamowitej więzi z przebywającym blisko spiagotem, kiedy szalejąca grawitacja zgniatała wszystkie komórki na miazgę, tej niesamowitej euforii, którą Adam porównać mógł tylko do jednego – doświadczenia kontaktu z czarną dziurą. O ile jednak w przypadku zjawiska kosmicznego miał świadomość zupełnej od niego odrębności, obcości, o tyle leżąc bezwładnie na podłodze obserwatorium, w ostatniej sekundzie przytomności zdał sobie sprawę, że pod maską obcych doznań kryje się coś więcej, pulsująca pod skórą treść... Tamta chwila przywiodła mu na myśl znany skądś cytat: „Nazywamy się dziećmi Bożymi i nimi jesteśmy".

Czy to możliwe? – pomyślał. Czyżby największą tajemnicą Zoroastra nie były niespotykane zjawiska fizyczne i właściwości skał, ale właśnie te zdumiewające istoty? Czyżby lekkomyślnie zlekceważono ich znaczenie, robiąc z nich tylko wygodną wymówkę, aby toczyć cichą walkę konsorcjów z rządem? Inkwizytor sam przecież, zajęty dochodzeniem, potraktował te stworzenia jako interesujący dodatek do właściwej działalności człowieka na tym globie. A jeżeli właśnie tutaj spełnić się mogło marzenie ludzkości o odnalezieniu braci w rozumie? Niezależnie od stanu i rodzaju tego rozumu oraz możliwości kontaktu? I czy podobna historia nie powtarzała się już wielokrotnie? Być może nie pierwszy raz ludzie przeoczyli to, co naprawdę ważne... Trzeba to będzie zgrabnie ująć w raporcie.

Komandor wyszedł w przestrzeń z dodatkowymi olstrami silników osobistych, tak na wszelki wypadek. Zabrał je z drugiego skafandra. Tym na dole nie będzie już potrzebne takie wyposażenie. Wahadłowiec zaraz zejdzie na poprzednią orbitę i tam już zostanie.

Przebycie drogi na pokład statku zajęło Bartoldowi kwadrans. Wszedł przez śluzę awaryjną, która znajdowała się nieco bliżej niż właz główny. Wewnątrz odetchnął, czując pod nogami znajomą, chropowatą podłogę. Poczuł się jak w domu.

Jak w domu, którego nigdy przecież nie miał. Całe dorosłe życie spędził, latając w daleką przestrzeń. To właśnie statek międzygalaktyczny był jego schronieniem. Czy dlatego właśnie nie potrafił w pełni zrozumieć tych, których zostawił na dole? Czuł, że mieli swoje racje, być może kiedyś historia właśnie im przyzna słuszność. Ale oni, nawet wyklęci i ścigani przez prawo, koniec końców mieli dokąd wrócić, bo nawet jeśli nie mogli liczyć na osiedlenie się w miejscach, w których dotąd mieszkali, pozostawała im nadzieja, że prędzej czy później znajdą gdzieś własny kąt, zamieszkają wśród innych ludzi. Takich, którzy ich zrozumieją.

On miał tylko siebie i przestrzeń... I tęsknoty związane właściwie tylko z kosmosem: do uczucia potęgi podczas przejścia grawitacyjnego, do niesamowitych zjawisk oraz ich ukoronowania – kontaktu z czarną dziurą. A teraz dołączy do tamtych tęsknot spotkanie ze spiagotem... Poczuł nagłe szarpnięcie w trzewiach na wspomnienie rozpłaszczonego na szybie zwierzęcia. Zwierzęcia?...

Otrząsnął się, zrobił głęboki wdech i szybki wydech, poruszył gwałtownie ramionami, aby pozbyć się ogarniającej umysł nostalgii. Wrócił do poprzednich rozważań.

Tak, miał w życiu tylko siebie i przestrzeń... Czy właśnie dlatego na inkwizytorów najchętniej wybierano pilotów dalekiego zwiadu, nieznających innego życia niż ciągła podróż, bardzo rzadko obcujących z ludźmi? Może chodziło właśnie o to, by nie umieli do końca albo i wcale pojąć gamy uczuć innych? Byli psami władzy, a psy hoduje się do ściśle określonych zadań.

Adam czekał aż śluza napełni się atmosferą, rozpiął zatrzaski hełmu. Powietrze wydało mu się zatęchłe, zastarzałe. Ale to było tylko wrażenie. Taką samą mieszanką oddychał przecież na Zoroastrze.

Nagle uderzyła go pewna myśl. Czyżby utrzymywanie floty dalekiego zwiadu w takiej samej formie od dziesiątków lat miało służyć między innymi wyselekcjonowaniu odpowiedniego typu człowieka, nadającego się do pełnienia wrednej służby? Komandor potrząsnął głową, podał kod otwierający luk, ruszył krótkim korytarzem w głąb jednostki. Co za idiotyczne podejrzenie. Zapewne po prostu korzystano z tego, że samotne wyprawy wpływają tak a nie inaczej na psychikę. No i uzależniają... Uzależniają bardziej niż cokolwiek innego. Można wprawdzie żyć bez latania, ale egzystencja wydaje się jałowa i tak pozbawiona sensu, że tylko się powiesić...

Gdzieś niedaleko, w kwadrancie położonym o kilka lat świetlnych, przy portalu międzygwiezdnym krążownik federacji oczekiwał bądź na wiadomość od inkwizytora, bądź na przybycie tych, którzy mieli ewakuować stację z ramienia sprzymierzonych holdingów. Jeśli nic się nie wydarzy, po wyciszeniu zaburzeń wywołanych przez nową, okręt powinien podejść nad Zoroastra. Całe to zamieszanie skończy się na pewno aresztowaniem jednostek dzierżawionych przez „Surve", a zaraz potem „Stella Virginis" i „Diavo". Zaczną się długie, nużące procesy. Nic dziwnego, że wielkie firmy pragnęły od dawna uniezależnić się od federacyjnego monopolu na produkcję i wykorzystanie gwiazdolotów. Dzierżawa pozwalała w dużej mierze kontrolować ich poczynania. Nawet jeśli władze niewiele mogły uczynić, aby prawnie ugryźć wyrastającą pod bokiem potęgę gospodarczą i finansową, przynajmniej wiedziały mniej więcej, z kim koncerny i holdingi robią interesy. Zapewne sporą część transakcji firmy były w stanie utrzymać w tajemnicy, ale niewątpliwie pragnęły uniknąć wszelkiej inwigilacji. Wiele trudu kosztowało ulokowanie w ich strukturach takich ludzi jak małżeństwo Gennare.

Pilot szedł krótkim korytarzem w stronę sterówki. Minął drzwi do kajuty. Przez chwilę kusiło go, żeby tam wejść, rozejrzeć się po starych śmieciach. Nie, na to będzie jeszcze czas. W tej chwili powinien sprawdzić, czy podczas jego nieobecności automatom naprawczym udało się może uczynić cud z generatorem grawitacyjnym. Byłoby dobrze, gdyby dotrzeć do portalu Alfa Carl II, skorzystać z komunikatora kwantowego, przekazać wiadomość do centrali, sprawić, by obecność krążownika w tym rejonie przestała być tylko blefem. Misja ewakuacyjna konspiratorów z całą pewnością jest przygotowana na przejście przez strefę eksplozji. Jeśli dowódca floty nie otrzyma spodziewanego meldunku od inkwizytora, może zaryzykuje wyprawę, a może i nie, to już, niestety, zależało od aktualnego układu sił w sferach władzy. A ten układ ostatnimi czasy potrafił zmieniać się z dnia na dzień. Typa, który zdecydował, że wyposażenie jednostki Adama chociaż w najprostszy zapasowy komunikator stanowiłoby zbędne pomnażanie kosztów, należałoby postawić przed sądem. Komandor był w tej chwili ślepy i głuchy, skazany na oczekiwanie lub zmuszony do podjęcia działań, w zależności od sytuacji. I w zasadzie odpowiedzialny za wszystko.

Wszedł do kabiny sterowniczej, usiadł ciężko w fotelu. Kiedy tylko znalazł się w środku, wszystkie pulpity i ekrany rozjarzyły się delikatnym blaskiem. Wyglądało to, jakby statek witał dowódcę. Dawniej wyższemu oficerowi wchodzącemu na jednostkę honory oddawała załoga i zwyczaj ten nadal był kultywowany na dużych okrętach, jednak pilot małej jednostki musiał zadowalać się tylko namiastką.

Valhalla wyłaniała się zza krawędzi Zoroastra. Niewielki Thor świecił oślepiająco, gdzieś w dali czaił się niewidoczny teraz Fenrir.

O mały włos mogło się spiskowcom powieść. Adam aż wzdrygnął się na myśl, jak niewiele brakowało. Gdyby nie przypadkowe doniesienie i niedyskrecja jednej z osób zamieszanych w sprawę, które zbiegły się z przerwaniem łączności, być może pies z kulawą nogą nie zainteresowałby się jedną z ekspedycji organizowanych przez „Surve", „Stella Virginis" czy „Diavo". Co prawda bardzo daleką ekspedycją, w rejon innej galaktyki, ale obejmującą tylko małą stację... Uszkodzenie przekaźnika było z kolei sygnałem, że trzeba podjąć bardziej zdecydowane kroki. Tego konspiratorzy po prostu nie przewidzieli. Nie mieli pojęcia, że awaria jest jednym z umówionych sygnałów, sami wepchnęli się więc w wilczy dół.

– Mózg! – powiedział Adam głośno. Wciąż jeszcze trochę chrypiał, a poza tym odczuwał lekkie zawroty głowy.

– Czekam – oświadczyła maszyna nieco szorstkim barytonem, zupełnie innym od aksamitnego, przymilnego tonu komputera głównego stacji. I nie dodawała uniżonych „komandorów".

Adam uśmiechnął się do siebie. Tak, był wreszcie w domu. W jedynym domu, jaki posiadał.

– Raportuj stan prac nad jednostką napędową.

– Sprawność generatora grawitacyjnego dwadzieścia dwa i pół procent. Urządzenia naprawcze wycofane ze względu na brak uzasadnienia dalszego zużywania energii.

Dwadzieścia dwa procent z haczykiem. To oznaczało, że coś tam jednak zostało zrobione. Tyle że na zgromadzenie mocy potrzebnej do wykonania choćby krótkiego przejścia trzeba by czekać dobre trzy miesiące. Na przejście maksymalne co najmniej pół roku. Westchnął ciężko.

– Włącz procedury przygotowawcze do zakrzywienia przestrzeni.

– Długość przejścia?

– Podam później.

– Potwierdzam, generatory włączone.

Fotel zadrżał, potem wibracje zeszły do poziomu niewyczuwalnego dla człowieka. Adam znów pomyślał o tych, którzy zostali na dole. Miał nieprzyjemną świadomość, że to nie są źli ludzie. W lwiej części znaleźli się po prostu w niesprzyjającym czasie w nieodpowiednim miejscu, stanęli pośrodku pola walki wśród gęstej wymiany ognia. Aby się uratować, musieli wybrać jakiś kierunek ucieczki. Tacy jak Martin Gaut czy Alicja Boranin z pewnością wierzyli w powierzone im misje. Na tyle mocno, żeby się porozumieć w obliczu wspólnego wroga. I Gaut, wyznawca destrukcjonizmu w najczystszej postaci, i Alicja, zwolenniczka kreacjonizmu, zjednoczyli się przeciwko człowiekowi, który zamierzał zniweczyć ich wysiłki. A cała reszta? Nikt z naukowców nie chciał lecieć z Adamem, nawet Wintermann. A przecież taki Noel z całą pewnością nie był wplątany w znaczący sposób, z łatwością mógłby uniknąć surowych konsekwencji, tak samo Vlad Harding, czy tym bardziej Zoja... Ale zostali na Zoroastrze, by prowadzić badania do końca, przekonani, że prawda i postęp są najważniejsze. Być może komisja kwalifikacyjna w wypadku tej wyprawy nie spełniła właściwie zadania, z pewnością część jej członków także była zaangażowana po którejś ze stron, ale w obliczu próby, pod względem morale i solidarności zawodowej ci ludzie na dole okazali się wartościowi w stu procentach.

Adam nie był do końca pewien, dlaczego nie został zgładzony, czemu naukowcy nie poszli na całość. Czy była to kwestia słabości jajogłowych, niechęci do pozbawiania życia, właśnie takiej a nie innej postawy moralnej? Czy też zwyczajne zimne wyrachowanie – zabicie inkwizytora mogłoby naprawdę rozwścieczyć władze. A może... Może chodziło o to, by wzbudzić w Adamie poczucie winy, czy raczej poczucie zobowiązania względem tych, którzy postąpili z nim tak humanitarnie? Najprawdopodobniej w jakiś sposób zagrały tutaj wszystkie trzy czynniki. Tak złożony tok rozumowania pasowałby nawet do inteligentnych jednostek. Przecież na orbicie, w uszkodzonym statku inkwizytor i tak nie mógł nic zrobić, z kolei w razie niepowodzenia stanowił żywy dowód na dobrą wolę naukowców z Zoroastra. A przy okazji może Bartold zacznie myśleć i zastanawiać się nad tym, kto ma słuszność? I dojdzie do wniosku, że jednak nie międzygalaktyczny reżim?

Nie wiedzieli tylko jednego. Zadanie, jakie wyznaczono Adamowi, wykluczało kompromis. Jeśli statek ratowniczy, który miał podjąć załogę stacji, zdoła tutaj dotrzeć bez krążownika na karku, będzie go czekała niespodzianka w postaci gotowego do działania inkwizytora. Jego średniego tonażu jednostka kryła parę niespodzianek. Może nie wyposażono jej w komunikator zapasowy, może nie była w stanie wykonać teraz przejścia, ale poza tym...

Westchnął ciężko, spojrzał na ekrany.

– Mózg, raport o stanie uzbrojenia.

– Działa plazmowe w pełni sprawne, torpedy jądrowe w komplecie, gotowe do uzbrojenia na rozkaz, karabiny laserowe sprawne.

Komandor znów westchnął, spojrzał na Zoroastra.

– Mózg, utrzymuj systemy w ciągłej gotowości bojowej – polecił.

– Przyjąłem.

Wstał, rozprostował ramiona. W normalnej grawitacji organizm zdawał się odżywać na nowo, poza tym leki działały coraz słabiej, powoli wracała pełna jasność myśli.

Ale tak w ogóle inkwizytor czuł się dość podle.

– Gwiazdy umierają w milczeniu – mruknął, patrząc na połyskującego spokojnie Zoroastra. – I waszego krzyku też nikt nie usłyszy.

Te słowa sprawiły, że skrzywił się z odrazą, widząc własne, nieco rozmazane odbicie w szybie zabezpieczającej ekran.

GRAFIKA ORAZ PROJEKT OKŁADKI Marta Żurawska-Zaręba

REDAKCJA Małgorzata Koczańska

KOREKTA Renata Supryn, Barbara Caban

SKŁAD Dariusz Nowakowski

SPRZEDAŻ INTERNETOWA
amazonka.pl

ZAMÓWIENIA HURTOWE

Firma Księgarska Jacek Olesiejuk sp. z o.o.
05-850 Ożarów Mazowiecki, ul. Poznańska 91
tel./fax: (22) 721-30-00
www.olesiejuk.pl, e-mail: hurt@olesiejuk.pl

WYDAWCA

Fabryka Słów sp. z o.o.
20-607 Lublin, ul. Wallenroda 4c
www.fabryka.pl
e-mail: biuro@fabryka.pl

DRUK I OPRAWA OPOLGRAF S.A. www.opolgraf.com.pl